MY DEMON

마이데몬

상권

누구보다도 낯설고 수상한… 나의 구원

누구보다도 낯설고 수상한… 나의 구원

MY DEMON

마이데몬

작가의 말

〈마이데몬〉은 치열한 일상에 지친 누군가에게 작은 위로가 되었으면
하는 마음을 담아 썼습니다.

우리는 때로 서로를 상처 입히기도, 소중한 것들을 파괴하기도 합니다.
그렇게 관계에 지치고 아플 때가 많지만 그럼에도 우리의 삶은 의미가
있노라고 말하고 싶었습니다.
우린 서로를 구원하는 순간이 더 많으니까요.

10년이라는 계약 기간 동안 충실하게 사랑했던 도희 부모님처럼.
유한한 시간 속에서 최선을 다해 다투고 사랑할 구원과 도희처럼.
서로를 사랑한 시간이 있다면 그것만으로도 우리의 짧은 생은 분명
의미가 있을 거예요.

마지막으로 극 중 연서의 이야기를 떠올리게 해 준, 〈마이데몬〉 마지막
화의 완성과 함께 내 곁을 떠난 소중한 나의 고양이에게 고마웠고
사랑한다고 말하고 싶습니다.

2024년 1월 최아일

기획 의도

낯선 존재와의 로맨스

우리는 악마에 대해 아는 것이 많지 않다.
인간의 욕망을 부추기는 위험하고 섹시한 나쁜 남자의 이미지 정도?
그런데 악마를 뜻하는 수많은 단어 중 '데몬(demon)'이라는 단어가
흥미롭다.
'(운명을) 나누다.'는 뜻의 고대 그리스어 'daiomai'를 어원으로 한 데몬은
본래 인간의 수호신을 뜻했지만, '악마'라는 뜻으로 변질됐다.
악마가 되어 버린 수호신, 데몬.
그런 데몬이 사랑하는 여자를 만나 다시 수호신이 된다면?
그 상상으로부터 시작한 이야기가 바로 '마이데몬'이다.

인간과 계약을 맺는 것이 존재 이유인 우리의 데몬 '구원'.
그는 '에르메스를 입은 악마' 같은 재벌 상속녀 '도희'와 계약은 계약이나,
계약 결혼을 맺는다.
같은 인간끼리도 차이를 극복하지 못해 파국으로 치닫기 십상인 결혼
생활.
과연 구원과 도희는 이 계약을, 그리고 결혼을 지켜 낼 수 있을까?

데몬과 인간이라는 이종(異種), 남성과 여성이라는 이성(異性).
성격부터 가치관, 하물며 '부먹', '찍먹'의 취향까지 이질감 끝판왕인
이들의 로맨스는 험난하다. 그래서 더욱 설렌다.

구원자 혹은 파괴자

"나는 인간에게 행복해질 기회를 주는 로또 같은 존재야."

인간의 입장에서는 마치 사채업자 같은 데몬이지만 그는 스스로를
'로또'라 여긴다.
인생의 위기에 손을 내밀고 결국에는 지옥으로 이끄는 데몬과의 계약.
과연 그는 구원자일까, 파괴자일까.

혼란스러운 구원과 파괴의 줄다리기 속,
서로를 파괴하지만 그로 인해 서로를 새로운 챕터로 이끄는 상호 구원
스토리.

본성의 굴레

전갈이 개구리에게 자신을 업고 강 건너편으로 데려다 달라고 부탁하자
개구리가 묻는다.
"네가 날 독침으로 찌르지 않는다는 걸 어떻게 믿지?"
"너를 찌르면 나도 같이 물에 빠져 죽을 텐데 내가 왜 그렇게 하겠어?"
전갈의 답에 개구리는 전갈을 등에 업고 강을 건너기 시작한다.
하지만 강 중간쯤, 커다란 나뭇가지에 놀란 전갈은 개구리의 등에 독침을
박고 마는데…
개구리는 온몸이 마비된 채 물속에 잠기며 묻는다.
"왜 나를 찔렀어? 우리 둘 다 죽게 됐잖아."
전갈이 슬프게 답한다.
"그게 내 본성이니까."

사랑하는 도희에게 수호신과 같은 존재가 되기로 마음먹은 구원.
하지만 데몬으로서 본성의 굴레를 벗을 수 없음을 깨닫고 좌절한다.
과연 그는 '데몬'의 본성을 벗어날 수 있을까?

도도희 김유정

**'사방이 적으로 둘러싸인,
아무도 믿지 못하는 미래 그룹 소공녀'**

미래 그룹 계열사, 미래 F&B 대표인 도희는 단짠을 오가는 '솔
트 라떼 같은 여자'다. 까칠한데 부드럽고 여린데 강인하다.
'도도희의 탈을 쓴 도라희'라는 별명답게 도도하고 우아한
척하지만 실은 또라이 기질이 다분하다.
천숙의 자식들 속에서 이방인으로 자란 도희는 세상의 이치
를 일찍 깨달았다.
사랑이니 행복이니 하는 것들에 시니컬하다. 그저 '필요한
사람이 되어야 해.' 스스로를 채찍질하며 지내 온 탓이다.
하지만 구원을 볼 때마다 마음이 요동치고, 이성과 감정이
따로 노는데…
이토록 끌리지만, 이 남자 참 안 맞는다.
마치 다른 세계에서 온 것 마냥, 개와 고양이의 언어가 다른
것 마냥 만나기만 하면 으르렁대기 바쁘다.
"내가 너 같은 거 때문에 설렐 거 같아?"
이름처럼 도도하게 부정해보지만 그러면서도 떨리는 이 감
정을 어쩌면 좋단 말인가.

정구원 송강

**'치명적인 매력의 완전무결한 존재.
하지만 능력을 상실한 데몬'**

그를 한 문장으로 표현하자면 '따뜻한 아이스커피 같은 남자'다. 차가운데 따뜻하다.

그는 자신의 일이 좋다. 인생은 불공평하지만 계약은 누구에게나 공평하지 않은가. 덫에 걸린 듯 고통 속을 살아가야 하는 불쌍한 인간들에게 자신은 일종의 로또니까.

"천국을 위해 지옥 같은 현생을 살 것인가, 천국 같은 현생을 살고 지옥에 갈 것인가." 간단한 문제다. 무서울 것 없는 구원의 소망은 단 하나. 포식자로 폼 나게 영생을 사는 것.

'하찮은 인간과는 다르다' 자만하는 그는 참으로 능력 있는 데몬이었다. 그녀를 만나기 전까지는.

한편, 200년이 넘는 시간 동안 이름을 바꿔 가며 대물림인 척 선월재단 이사장직을 지내는 구원을 보고 사정 모르는 사람들은 '씨도둑은 못 한다'라며 감탄한다.

정일원, 정이원, 정삼원… 정구원은 그의 아홉 번째 이름이다.

구원은 곧 '정십원'이 될 자신의 운명이 괴롭다.

"하필 이름을 정일원으로 시작해서….."

도도희라는 이상한 여자는 그의 이름이 달콤하단다.

인공 감미료 같은 가짜 달콤함이라나 뭐라나.

CHARACTER

미래 그룹

주석훈 이상이

천숙의 조카. 미국에서 경영학 학위를 딴 미래 투자 대표.

전 세계를 떠돌아다니는 히피 부모님의 영향일까?
언제나 자유로운 모습의 석훈은 미국 유학 시절, 도희와 볼 꼴 못
볼 꼴 다 본 사이로 천숙의 가족 중 도희가 유일하게 의지할 수 있
는 존재다.
하지만 도희의 곁에 정구원이 등장하는 순간,
마음 깊은 곳에서 무언가가 꿈틀거리는 걸 느끼는데….

주천숙 김해숙

괴팍하지만 미워할 수 없는 우리의 주 여사.

맨손으로 미래 그룹을 일궈 굴지의 대기업으로 만든 창업주로
잘나가는 사업과는 달리 자식 농사는 폭망이다.
독실한 천주교 신자로 매일 하느님께 고해 성사를 하는 그녀는
도희에게 진실을 말하지 못해 괴로워한다.
과연 천숙이 숨기고 있는 진실은 무엇일까?

노석민 김태훈

천숙의 첫째 아들로 미래 전자 대표.

엘리자베스 2세가 최장기간 왕위에 있는 바람에 일흔이 넘도록 2인
자에 머물렀던 찰스 왕세자와 비슷한 처지다. 어렸을 때부터 사고
를 많이 친 탓에 일찌감치 천숙의 눈 밖에 났다. 그 후, 신뢰를 되
찾기 위해 말 잘 듣는 장남 코스프레를 충실히 이행하는 중이다.

노수안 이윤지

천숙의 둘째 딸이자 미래 어패럴의 대표.

프랑스 파리에 미쳐 혼자만의 파리 속에서 사는 그녀를 사람들은 파리 수안이라 부른다. 고상한 척하지만 쌍둥이 아들 오스틴, 저스틴에 의해 항상 본모습이 튀어나온다.

김세라 조연희

석민의 아내이자 미래 전자의 상무.

대한민국을 대표하는 제약 회사의 첫째 딸로 상류층의 전형이다. 온실 속의 화초처럼 사회적 가면을 쓰고 살며, 감정을 쉽게 드러내지 않는다.

노도경 강승호

석민과 세라의 외아들로 미래 전자 본부장.

부모 앞에서는 투명 인간처럼 행동하지만 실은 분노를 억누른 채 위태롭게 살아간다. 그의 뒤틀린 분노는 약자를 만났을 때 가감 없이 드러나는데, 특히 도희에게 적대적인 감정을 대놓고 표출한다.

오스틴 박도윤 저스틴 강다온

수안의 쌍둥이 아들로 별명이 필요 없는, 이름 그 자체가 별명 같은 검은 머리 외국인이다. 고작 1분 차이의 서열을 가리기 위한 싸움에 인생을 낭비하지만 말할 때만큼은 화음이 딱 들어맞는, 세상에 둘도 없는 소울메이트다.

신 비서 (신다정) 서정연

도희의 전담 비서, 풀네임은 신다정.

마치 A.I처럼 보이나 할 말은 은근히 다 하는 캐릭터로 도희 눈빛만 봐도 속내를 파악할 만큼 눈치가 빠르다. 회사에서는 누구보다 도희에게 충실한 월급 노예지만 공과 사가 아주 명확하기에 퇴근 후에는 얄짤없다.
무성으로 사는 게 세상의 평화를 위해서도 좋다며 '무성애자'를 지향하는 신 비서는 쓸데없이 오지랖 넓은 복규만 만나면 으르렁댄다.

한민수 박진우

미래 F&B 홍보팀 팀장

부하 직원 입장에선 짜증 나는 워커홀릭으로 애사심이 상당하다. 그토록 열정적인 그이건만 정미의 카리스마에 밀려 어쩐지 종종 바지 팀장 같은 처지다.
회식 마니아로 언제나 회식하자는 말을 달고 산다.

최정미 이지원

미래 F&B 홍보팀 대리

타로 카드, 사주, 손금, 관상 등 온갖 미신에 심취한 그녀는 무신론자 아닌 '미신론자'다. 숨 쉬듯 타로 카드로 운명을 점치는 정미는 이내 용하다 소문이 나며 사내 전속 점성술사가 되어 버리는데…
한 팀장에게 개기는 맛으로 회사에 다니는 듯한 정미는 시니컬한 언변이 특기다.

이한성 홍진기

미래 F&B 홍보팀 신입

해맑고 눈치 없다. 언제나 문과 출신의 정체성을 잃지 않고 세상의 모든 것을 상징과 은유로 해석하는 그의 꿈은 반전 없게도 소설가다.

진가영 조혜주

본인 피셜 구원의 유일한 반려 인간.

전통 쌍검무가 특기인 가영은 어릴 적 벼랑 끝에서 구원을 만나 그
에게 구원 받았다 여긴다.
마치 새끼 오리의 각인 효과처럼 그를 졸졸 따라다니는 가영은
구원의 유일한 반려 인간 역할에 만족하며 살았다.
도희가 나타나기 전까지는.

구원 옆에 도도희라는 저 여자가 붙어 있으면서부터
자신이 간신히 파고들던 구원의 틈이 아예 사라지는 것 같다.

박복규 허정도

선월재단의 실장.

구원의 집사를 자처하며 구원이 인간으로서의 삶을 영위할 수 있도
록 돕는다. 구원의 말을 빌리자면, 복규는 불량품 같은 인간이다.
구원과의 전생을 기억하기 때문이다! 200년 전 구원의 첫 번째 계약자
였던 복규는 현대에 구원과 다시 계약을 하려다 전생을 기억해 낸다.
치 떨리는 지옥에서의 기억까지 모두 떠오른 복규는 구원에게 달
려들며 외친다.
"이 악마 새끼… 내가 너 때문에 얼마나 개고생한 줄 알아?!"
어쩐지 모쏠의 향기가 가득한 그는 운명적 사랑을 꿈꾸는 로맨티
스트기도 하다.

노숙녀 차청화

길거리 위의 도박꾼 노숙자.

영화 '나 홀로 집에' 속 비둘기 할머니 같은 몰골로 배회하는 그녀
는 정신이 오락가락하는 듯 보이는데…
구원과 도희의 곁을 맴도는 어딘가 묘한 그녀의 정체는…?

CONTENTS

I

안개 속을 살다

S#1.	**해안 도로 (밤)**
	암전 위 한 줄씩 차례대로 떠오르는 자막.
자막	데몬 Demon. '운명을 나누다.'는 뜻의 고대 그리스어 'daiomai' 가 어원. 본래 데몬은 인간의 곁에 머물며 인간을 지켜 주던 인간의 수호신이었다.
	자막 사라지고 천사와 악마가 공존하는 그림1이 동전처럼 뒤 집히며, 천사가 부각되었다 악마가 부각되었다 하며 점점 빠 르게 뒤집히며 날아와 안개로 오버랩.

1

자욱한 안개가 깔린 해안 도로 위, 실루엣 하나가 다가오며 모습 드러나면 도망치듯 달려오는 도희다.
앞을 보고 멈춰 서는 도희, 숨을 헉헉거리는데 저만치 앞의 안개 속에서 다가오는 검은 실루엣.

도희　　　(E) 내 삶은 안개 속을 사는 것과 같다. 누가 적군이고 누가 아군인지. 혹은 그저 온통 적들에 둘러싸였을 뿐인지 알 수 없다.

실루엣이 가까워지자 뒤를 돌아보면 뒤에서도 또 다른 실루엣이 다가온다.

도희　　　(E) 안개 너머로 다가오는 저 존재는 과연 악마일까 천사일까. 혹은 구원자일까 파괴자일까.

가쁜 숨을 내쉬는 도희의 혼란스러운 눈빛.

도희　　　(E) 진실은 너무도 연약한 탓에 옅은 안개에도 쉽게 숨어 버린다.

#타이틀　　<안개 속을 살다>

타이틀 사라지고….

S#2.　　　　　교우촌 천막 성당 (밤) - 조선 시대

숲속 안, 호롱 불빛이 새어 나오는 천막 위 '200년 전, 조선
시대' 자막 떴다 사라지고…
천막 안, 경건하게 미사 지내는 신도들. 기도를 진행하는 신
부와 그 옆의 꾀죄죄한 꼬마 복사²도 보인다.

신부　　　　　기도합시다. 전능하신 하느님, 저희가 언제나 하느님의 뜻을
새기고 말과 행동으로 실천하게 하소서.

모두 눈 감고 기도하는 사이 뒤에서 입구를 가린 천을 걷으
며 들어서는 검은 후드 망토를 덮어쓴 남자.

신부　　　　　(off) 마귀는 하느님의 말씀인 성경을 인용하며 주님의 어린
양을 현혹한다 하였습니다.

남자, 호롱 아래 놓인 성수로 다가가면 성수 위로 비치는 '이
성수로 저의 죄를 씻어 주시고 마귀를 몰아내 주소서. 아멘.'
하는 족자 문구.
남자가 손가락을 담그자 문구 흐트러지고 남자 손목에 새겨
진 작은 십자가 타투 위로 불꽃이 일렁이는가 싶더니 휘휘
젓는 물살을 따라 붉은 꽃잎이 생겨난다.
이내 성수 위로 둥실 피어오르는 장미 한 송이.

2　　　　복사(服事): 미사를 지낼 때 사제를 도와 시중을 드는 사람

남자, 장미를 들고 십자가를 향해 걸어가면 걸음마다 바닥에 놓인 호롱불 꺼지고.

신부   우리를 하느님에게서 떼어 놓고 그분의 권세와 영광을 차지하려는 마귀의 유혹을 물리치기 위해 우리는 오늘도 주님께서 주신 힘으로….

이상한 기적에 신부, 눈 뜨며 기도 멈추면 신자들도 눈을 떠 남자를 본다.
정체 모를 남자의 등장에 다들 긴장하는데…
남자, 천천히 고개를 드는 순간 십자가를 비추는 단상 위 호롱마저 '훅' 꺼지며 암전.
신부, 다급히 부싯돌로 다시 호롱을 켜면 하얀 천막 위 절로 써지는 붉은 색 히브리어.

כל זאת אוכל בעזרת המשיח הנותן כח בקרבי:
הפיליפינים 4:13

자막   '내게 능력 주시는 자 안에서 내가 모든 것을 할 수 있느니라.
- 빌립보서 4:13'

놀란 신부, 호롱불로 이리저리 비추면 신도들을 에워싸듯 사방에서 흘러내리는 붉은 글씨가 마치 피로 쓴 그라피티 같다.
남자의 입가에 짓궂은 미소 어리고 공포로 가득 차는 신도들의 눈빛.

신도 1 마⋯ 마귀다!

신도들 혼비백산해 도망가면 적막 속 홀로 남는 남자.
후드를 벗으면 아름다운 얼굴 드러나는데⋯ 구원이다.
십자가 아래 장미를 내려놓고 인사하듯 십자가를 올려다보는 구원.
돌아서려는 순간 뒤에서 나무 십자가가 날아들어 뺨을 스치고 생채기에서 배어 나오는 붉은 피.
구원, 돌아보면 십자가를 던진 복사 아이의 겁먹었지만 분노한 눈빛.
숨어 있던 신부가 튀어나와 아이를 끌어안아 보호하고⋯
바닥에 떨어진 피 묻은 십자가를 집어 들고 두 사람에게 다가가는 구원.
신부와 아이, 겁먹은 눈으로 구원을 올려다보는데⋯
허리 숙여 아이에게 십자가 건네며 '싱긋' 웃어 보이는 구원.
그 미소에 홀린 듯 아이, 멍하니 십자가를 받아 들면, 구원, 뒤돌아 천막을 빠져나간다.
위풍당당한 걸음과 함께 구원의 뺨 위 상처 '스륵' 사라지고⋯
신부와 아이는 손 짚은 채 '부스스' 일어나 그 뒷모습을 멍하니 바라본다.
구원, 핑거스냅을 '딱!' 치면, 불타기 시작하는 검은 망토의 아랫단.
입구를 가린 천 걷으며 나서면⋯.

S#3.   **교우촌 천막 성당 밖 (새벽) - 조선 시대**

어느새 갓을 쓴 양반복 차림으로 변한 구원.
그새 밝아오기 시작하는 하늘에 갓 끝을 잡고 해를 올려다보
며 싱그럽게 웃는다.

구원   오늘도 역시 난 대단해.

이내 숲을 걷기 시작하는 구원의 나비처럼 우아하고도 화려
한 모습 위로.

구원   (E) 천학을 믿는 이들은 사람에게 세 가지 원수가 있다 말한
다. 자기 몸이 첫째로 게으름과 같이 내면으로부터 나를 공격
한다. 세속이 둘째로 바깥으로부터 나를 침범한다.

S#4.   **외진 해안가 (낮) - 조선 시대**

인적 없는 해안가 바위 위, 홀로 그물을 끌어올리는 복규.
잡혀 올라온 거라고는 불가사리뿐이자 그물 내팽개치며 주
저앉아 한숨만 푹푹 쉬는데… 그의 머리 위로 드리워지는 검
은 그림자.
복규, 기운 없이 올려다보면 햇빛을 등진 채 선 구원의 모습.

구원   (E) 마지막으로 세 번째 원수는 바로, 마귀다.
복규   (후광처럼 쏟아지는 햇빛에 눈이 부셔 찡그리는) 뉘신지…?

구원   (상냥한 양반의 말투로) 한동안 아무것도 먹지 못했나 보군.

복규   (한숨 쉬며 바다 보는) 요즘 같은 시절에 안 그런 인간이 몇이나 있겠습니까.

구원   자네가 바라는 건 그저 배고프지 않는 것인가?

복규   말해 뭐 합니까? 배만 안 고프면 아주 극락이 따로 없지.

구원   (눈을 빛내는) 그럼 내가 평생 배불리 먹게 해 주랴?

복규   거 뉘신진 모르나 나라님도 못하는 걸 무슨 수로….

구원   (바다 보며) 널린 게 물고기지 않느냐. 저리 은빛으로 빛나고 있는데.

그 소리에 복규, 고개 돌려 보면 바다 위 반짝이는 윤슬.

복규   저건 그냥 바닷물이 햇빛에 반짝이는 거 아닙니까? 글 모르는 무식한 나도 아는구먼…. (한심해 하는데)

구원   그래?

구원, 핑거스냅을 '딱!' 치면 순식간에 물고기 떼로 변하는 윤슬.
눈앞의 장관에 복규, 잘못 봤나 싶어 눈을 비비는데.

복규   이게 무슨… 알았다. (손가락 들어 구원을 가리키며) 너 정체가….

구원   (이제 알았구나 싶어 거만한 표정)

복규   도깨비구나!

구원   (빠직, 본래 말투로) 어디 그런 울룩불룩하게 생긴 잡귀 따위를….

복규	그럼 용왕님?
구원	(짜증) 늙었잖아. 그 양반은.
복규	(눈 굴리며 고민하다 자신 없게) 구미호?
구원	털 날려. 개 냄새 나고.
복규	(짜증) 아, 뭔데 그럼!
구원	나는… (거만하게 턱을 들며) 마계에서 온 데몬이다. 너희들은 이 렇게 부르지. 마귀.

둘 사이 정적이 흐르고….

복규	(주섬주섬 자리 잡으며) 하도 굶었더니 이따위 헛것을 다 보고… 여기가 내가 누울 자리로구나~ (하고 누우려는데, 튀어 오른 물고 기 하나가 발아래서 팔딱이자 놀라 벌떡 일어나는) 아이고머니나. 이게 뭐야! 진짜였어?!

복규, 허겁지겁 그물을 드는데 그의 눈앞에 창호지를 '촥!' 펼
치는 구원.

구원	물론 공짠 아니지. 나랑 계약을 하나 해야 돼.
복규	계약…? (글 못 읽고 눈만 끔뻑끔뻑)
구원	계약 기간은 십 년. 그동안 넌 내게 종속되지 않고 네 맘대로 살면 돼. 물론 배고플 일은 절대 없지. 그게 네 소원이니까.
복규	(혹하는 듯하다 정신 차리며) 잠깐. 십 년 뒤엔 어찌 되는데?
구원	너의 육신은 죽고 영혼은 내가 온 곳으로 가게 돼.

복규	네가 온 곳이라면….
구원	거기도 너희들이 부르는 이름이 있지. 지옥.
복규	(그물을 툭 떨구며) 지… 옥….
구원	그곳에서도 십 년이야. 십 년 동안 누린 행운의 대가를 치르는 거지.
복규	(눈빛 흔들리는가 싶더니 주먹을 꽉 쥐는) 니미, 제 살점을 보고도 침이 고이는 세상이야. 여기보다 더 끔찍한 데가 어딨다고. (결연한 눈빛으로 계약서 가져가면)
구원	화끈하네. 생긴 거랑 다르게.
복규	내가 어떻게 생겼는데?
구원	(말 돌리는) 그럼 바로 계약을 진행하지. (소매에서 깃털 펜촉을 꺼내면)
복규	거참 희한한 물건일세.
구원	먼 나라에서 쓰는 붓이야.
복규	오~ (신기해 만져 보려 손 뻗으면)
구원	(펜촉으로 복규의 중지 끝을 찌른다)
복규	아야! (중지 잡으며) 뭐 하는 거야! 아프잖아!
구원	계약은 자신의 피로 할 것. 그게 규칙이라. 이름이…?

점프하면, '피계약자 박복규'라고 쓰인 계약서에 손바닥을 올려놓은 복규.

크게 심호흡하고는 수장을 그리려 먹 대신 펜촉에 찔린 손가락을 가져가면 손가락 끝에 맺힌 붉은 핏방울의 선명하고 탐스러운 빛깔 위로….

구원	ⓔ 마귀는 거만하면서도 매혹적인 수단으로 나를 속이고 어지럽혀 안팎으로 자신을 공격한다.

이내 바다를 향해 힘차게 그물을 내던지는 복규.
그물이 늘어나듯 '촤악' 커지며 그물 아래 은빛 물고기가 한가득 펄떡이자 복규, 입이 떡 벌어진다.

구원	(계약서 챙겨 돌아서며) 십 년 뒤에 보자.
복규	(신나게 그물 끌어올리며 눈물까지 글썽이는) 인간 박복규, 이 박복한 인생에 이런 날이 오다니… (하늘 향해) 부처님, 감사합니다!
구원	(멀어지며 혼잣말) 그쪽이 아니라니까 그러네.

유유히 걸어가는 구원의 손 위에서 계약서, '화르륵' 불타 사라지고…
휘날리는 도포 자락이 화면을 가리며 암전.

S#5.   **해리스 호텔 사우나실 안 - 밖 (낮)**
모래시계 속 쉴 새 없이 빠져나가는 모래알.
그 너머 누군가의 팔뚝 위 이빨을 드러낸 들개 타투 보이면…
사우나실 한가운데 홀로 앉아 땀을 빼는 두툼한 살집의 들개파 보스다.
그 옆에 다가와 서는 넘버 투.

넘버 투	(지장 찍힌 채 구겨진 관광호텔 나이트 인수권을 보이며) 김 사장은 영업권 넘기기로 했습니다.
보스	아주 바보는 아니네. 지 목숨이 제일 소중한 줄은 아는 걸 보니.

나가 보라는 손짓에 넘버 투, 묵례하고 나가면 혼자 남는 보스.

보스	(기름진 살결을 요란하게 '촥촥' 처대며) 으어~ 어헛!

하더니, 모래시계를 뒤집어 창턱에 놓고 기대앉는데 이상한 느낌에 보면, 모래알이 내려오지 않는다.

보스	? (시계 흔들어 보고 들여다보며) 이게 막혔나….

싸한 느낌에 천천히 고개 들면 맞은편에 앉은 누군가.
보스의 덩치에 가려졌다 드러나면 슈트 차림으로 낡은 계약서를 돌돌 말아 쥔 구원이다.

보스	(굳은 얼굴로) 오늘이… 벌써?
구원	설마 까먹은 거야?
보스	(덜덜 떨기 시작하고)
구원	이렇게 중요한 날을 잊다니. 또 나만 진심이지, 나만.

모래시계를 냅다 구원의 얼굴에 던지고 후다닥 도망치는 보스.
문손잡이를 잡아당기지만 얼굴이 벌게지도록 꼼짝 않는다.

뒤돌아보면 구원의 손바닥 위로 둥실 떠오른 모래시계가 빙글 뒤집히고.

구원	이렇게 손 하나 까딱해서 시간이 무한정 생겨나면 얼마나 좋겠어.
보스	잠깐! 뭔가 다른 방법이 있을 거야! 계약 연장이라든가… 아냐, 아냐. 아예 계약을 새로 하는 건 어때?
구원	잘 아시는 분이. 괜히 땀 빼지 말고 아름답게 가자.
보스	(구원의 얼굴을 향해 수건을 뿌려 대며 저항하는) 안 돼! 못 가!
구원	하긴. 순순히 죽겠다면 그게 어디 인간인가. 다행이야. 그래도 마지막 순간만큼은 인간미가 넘쳐서.
보스	(흐느끼며) 한 번만 봐줘, 응? 내가 여기까지 어떻게 왔는데!
구원	어떻게 오긴. 내 덕에 왔지. 네 소원은 돈과 권력을 한 손에 쥐는 거였어. 그러니까 넌 어떤 식으로든 성공했을 거야. 그 방법은 네가 선택한 거고.
보스	원하는 거 다 줄게! 그래! 다른 놈들 목숨으로 열 배, 아니 백 배는 어때? 그럼 너도 손해 보는 장사는 아니잖아?
구원	나는 내 일을 좋아해. 왠 줄 알아? 계약은 누구에게나 공평하거든. 내가 원하는 건 오로지 피계약자의 영혼. (끝나 버린 모래시계 '탁!' 내려놓는) 그뿐이야.
보스	(투우처럼 달려드는) 으아아!!

그새 구원 사라지고, 벽에 혼자 '쾅!' 부딪치는 보스.
그 소리에 밖에 지키고 선 넘버 투, 사우나실을 들여다보면

의자에 널브러져 앉은 보스만이 보이는데 그저 느긋하게 사우나를 즐기는 듯하다.

똘마니 1   큰형님 오늘따라 파이팅 넘치시는데요?

넘버 투   골치 아픈 일이 해결돼서 기분 좋으시겠지. (대수롭지 않게 다시 앞을 보는)

맥없이 널브러진 보스 앞에 구원, 다가와 서면.

보스   (가슴 부여잡으며 숨을 몰아쉬는) 수, 숨을 못 쉬겠어.

구원   사인은 심장 마비가 될 거야.

보스   (포기하는 눈빛) 지옥은 어떤 곳이야? 많이 힘든가?

구원   뭐… 끊임없이 맷돌 위를 뛰어다니는 나태지옥….

보스   (겁먹기 시작하고)

구원   뼈와 살이 녹을 만큼 뜨겁게 타오르는 지옥 불….

보스   (더 겁먹는데)

구원   그런 거 다 옛날 얘기야.

보스   (안도의 한숨 쉬면)

구원   그딴 건 껌이지. 지금 네가 가는 곳에 비하면.

보스   (공포에 질려) 그런 말은 없었잖아.

구원   (허리 숙여 귀에 대고 속삭이듯) 안 물어봤잖아. (보스의 눈을 보며) 계약이 아니었어도 어차피 넌 지옥에 갔어. 손해 보는 장사는 아니었다고. 넌 꽤 괜찮은 선택을 한 거야.

보스   씨발… 어이없게 그 말이 위안이 되네….

구원, 상냥한 손길로 보스의 눈을 감겨 주면 손을 '툭' 떨구며 숨 멎는 보스.
넘버 투, 다시 안을 들여다보면 기운 없이 늘어진 보스의 모습이 미심쩍다.

넘버 투   (똘마니 1에게) 문 열어 봐.

똘마니들이 문 여는 사이, 이상한 기운에 돌아보는 넘버 투.
유리문 너머 복도로 사라지는 구원의 슈트 자락이 살풋 보이고.

구원   (E) 허나 누가 마귀를 보았는가.
똘마니 1   (뒤에서 off) 큰형님!

놀라 사우나실을 보는 넘버 투.

S#6.   **해리스 호텔 사우나실 복도 (낮)**
유유히 걸어가는 구원의 손 위에 떠올라 펼쳐지는 낡은 계약서.

구원   (E) 설사 마귀가 있다 해도 그것은 외물이다. 외물에 유혹되어 자신의 본성을 잃어버리는 일이 더러 있지만 사람이 선하지 못한 것은 욕망 때문인데 어찌 모두 마귀의 일이겠는가.

걸어가는 구원의 손 위에서 낡은 계약서, '화르륵' 불타 사라
지고….

S#7.   **선월극장 이사장실 (낮)**

이사장실 한쪽 벽면을 가득 채운 바늘 시계들.
평범한 시계와 달리 1부터 10까지의 숫자만 쓰여 있고, 각자
다른 숫자를 가리키고 있는데…
그중 하나로 다가가면 시곗바늘이 10에서 '달칵' 멈춘다.

S#8.   **해리스 호텔 컨퍼런스 장 (낮)**

알록달록한 음료와 제과가 놓인 케이터링 테이블.
그 앞에 선 도희, 세팅된 음료 중 한 종류만 압도적으로 줄어
드는 걸 보고 섰는데 양복 차림의 펀드 매니저 하나가 휴대
폰 보며 다가온다.

펀드 남1   (고개도 들지 않은 채) 카페인 없는 걸로 아무거나.

도희   (별말 없이 붉은색 음료가 든 컵을 건네면)

펀드 남1   (컵 받으며 도희 보더니 좌악 훑는) 알바?

도희   (옆에서 음료 가져가는 걸 보며 중얼) 역시 무알콜 모히또가 인기가
많네.

중얼거리는 도희 눈앞에 손가락에 끼운 명함을 내미는 펀드 남.

도희	?
펀드남1	주식 좀 해요? 요즘엔 개나 소나 다 하던데. 주식하면 들어 봤을 거예요. 한명 투자 증권이라고.
도희	(명함 보며) 아~
펀드남1	내가 거기 에이스. 나한테 조언 한마디 들어보겠다고 줄 선 사람이 수백 명인데 지금 그쪽을 맨 앞에 새치기 시켜 줄 생각이라… 어때요?
도희	이유가?
펀드남1	쥐꼬리만한 알바비로 월세 내랴 카드 값 내랴 이쁜 그쪽 얼굴이 세월을 정통으로 맞을 생각을 하니 내가 가슴이 아파서. (휴대폰 건네며) 끝나고 한잔 살게요.
사회자	(off) 2023년 대한민국 식품 부문 올해의 최고 경영인상 수상이 있겠습니다.

사회자의 말에 도희, 휴대폰을 받아 들면, 펀드남 1, 그럼 그렇지 싶은 미소.

사회자	수상자께선 단상으로 올라와 주세요.
도희	(번호 찍고 휴대폰 돌려주며) 내 비서 번호예요. 투자 문의는 그쪽으로.
펀드남1	?
도희	쥐꼬리만한 월급으로 술값 내랴 카드 값 내랴 그쪽 머리숱이 세월을 정통으로 맞을 생각을 하니 내가 가슴이 아파서.

도희, 자켓 벗으면 드러나는 화려한 색감의 명품 블라우스.
무채색 양복을 입은 남성 무리를 가르며 도희, 도도하게 걸어
단상에 오르면 벙찌는 펀드남 1.

펀드남 2	(다가와) 이야~ 너 야망 있다? 미래 그룹 소공녀한테 작업을 다 하고.
펀드남 1	소공녀?
펀드남 2	왜~ 인스타그램을 집어삼킨 디저트계의 아이유, 식음료계의 김연아라는 바로 그….
사회자	(off) 2년 연속 평가 최우수 등급에 오른 미래 F&B의….
펀드남 1	(도희 보며) 에르메스를 입은 악마….

펀드 남 1, 들고 있던 컵 떨구면 바닥에 떨어지는 붉은 음료수.

사회자	(off) 도도희 대표님. 축하드립니다.

도희, 상패 받아 들고 마이크 앞에 서 모두를 내려다보며.

도희	안녕하세요, 도도희입니다.

S#9. **해리스 호텔 로비 - 병원 MRI실 (낮)**
호텔 로비를 걸으며 태블릿으로 뉴스를 읽는 도희.
옆에서는 신 비서가 보조 맞춰 걷고 있다.

'단독! 칠링 주스, 알고 보니 설탕 덩어리?'라는 기사 헤드라인 보며.

도희	과당 함유량을 꼭 설탕 넣은 것처럼 교묘하게 풀었네. 누구예요?
신 비서	(특유의 감정 없는 말투) 알아보는 중입니다.
도희	우리 실적에 가장 배 아픈 게 누굴까….
신 비서	경쟁사 혹은 내부 계열사….
도희	난 어쩐지 내부 총질의 냄새가 나네요. (태블릿 건네고)
신 비서	중점적으로 살피겠습니다.
도희	(고민하더니 방향 휙 틀며) 바로 회사로 가죠.
신 비서	하지만….
도희	내가 지금 맞선이나 보고 있을 때예요?

그때 도희, 휴대폰 울려서 보면 발신자명 '주님'.
멈칫 선 채 휴대폰 내려다보며 고민하면.

신 비서	피한다고 될 일이 아닙니다. 회장님 성격 아시면서.
도희	알죠. 아주 자알~ 알죠. (한숨 쉬고는 애써 밝게 전화 받는) 어, 주 여사.
천숙	(E) 가고 있지?
도희	(휙 돌아 도로 레스토랑 향하며) 바로 앞이에요. 검사는요?

병원 MRI 기계 안에 누운 채 전화 통화 중인 천숙.
의료진들, 안전벨트 채우느라 옆에서 부산스러운데.

천숙　나야 이미 기계 안에 누웠지.

도희　(걸음 멈추고) 근데 주 여사, 내가 오늘 회사에 급한 일이 생겨서….

천숙, 한 손 들어 보이면 의료진들 일제히 얼음.

천숙　그래서. 없던 일로 하자?

도희　급한 일 먼저 처리하고 맞선은 나중에….

천숙, 벨트 풀라는 손짓에 의료진들 벨트 푸느라 부산하고.

천숙　그럼 검사도 나중에 하지 뭐. (기계에서 내려가려 하면)

도희　알았어, 알았어. 맞선 볼게. 보면 되잖아요.

천숙　싫음 하지 마. 맞선이 죽기보다 싫을 수도 있어. 이해해. 나도
　　　건강 검진이 그렇거든.

도희　누가 싫대? 나 맞선 좋아해. 비싼 밥 먹으면서 소개팅 하는 걸
　　　왜 싫어해?

천숙　그래? (도로 누우면 다시 서둘러 벨트를 채우는 의료진들)

도희　즐거운 마음으로 맞선 볼 테니까 주 여사도 검사 싹 하고 추
　　　가적으로 정밀 검사 필요하다고 하면….

천숙　(전화 뚝 끊고 휴대폰 건네며) 시작하자고.

도희　(끊긴 휴대폰 보며 신 비서에게) 맞선 자리에 얼마나 있어야 예의
　　　다. 뭐 그렇게 나라에서 정한 거 있어요?

신 비서　글쎄요. 못해도 삼십 분은 있어야 하지 않을까요?

도희　오케이. 신 비서님도 식사하고 오세요. 삼십 분만 인형처럼

앉아 있죠 뭐. (레스토랑으로 향하면)

신 비서　　(도희 뒷모습 보며 표정 없이) 사탄의 인형 처키도 인형이긴 하니까요.

S#10.　　**해리스 호텔 레스토랑 (낮)**

　　　　　도희, 당당한 걸음으로 들어서면 홀 매니저, 다가와 앞을 가로막는다.

매니저　　죄송하지만 오늘은 예약이 꽉 찼습니다.

도희　　　(텅 빈 레스토랑을 둘러보고는 설명 요구하는 표정 지으면)

매니저　　손님 한 분께서 통째로 빌리셔서.

도희　　　미쳐… 오늘이 내 생일인 거까지 오픈한 거야? (매니저에게) 지금 남자 한 명 와 있죠? 내가 그 손님의 손님이에요.

매니저　　아! 바로 안내해 드리겠습니다.

도희　　　(레스토랑 질러가며) 이 유난스러움이란… 주 여사랑 아주 영혼의 단짝이네. 이럴 거면 그냥 본인이 재혼을 하는 게….

　　　　　도희, 도착하면, 맞은편에 앉은 남자, 신문을 들어 읽느라 얼굴이 가렸다.
　　　　　말끔한 슈트와 헤어스타일, 꼬고 앉은 다리 하며 기다란 손가락까지… 느낌이 나쁘지 않은데.

도희　　　(도도하게 앉으며) 요즘에도 종이 신문을 보는 사람이 다 있네요? 비행기도 아닌데. 혹시 콘셉트?

그 말에 신문지 위를 '톡' 꺾어 한쪽 눈만 내미는 남자, 구원
이다.

도희　미리 말해 두는데 나는 일이랑 결혼했어요. 남자한텐 관심이
　　　일도 없….

구원, 신문 내리면 매혹적인 얼굴 드러나며 슬로우.

도희　(머엉) … 어요.

구원이 신문을 '촥!' 접자, 도희, 정신 차리고.

구원　그쪽이 일이랑 결혼했든 베개랑 결혼했든 나랑 무슨 상관이
　　　지? 개인 정보 유출이 취미면 차라리 계좌 비밀번호가 덜 지
　　　루하겠는데.
도희　우리 혹시 초중고 동창?
구원　그럴 리가.
도희　그럼 사귀었던 사이?
구원　날 기억 못 할 리가.
도희　동창도 아니고 구 남친도 아니면 (싸해지는) 얻다 대고 반말?
구원　내 눈에 인간들은 다 하찮거든.
도희　(E) 뭐야? 이 잘생긴 또라이는.

도희, 상대할 필요 없다 싶어 자리에서 일어나 휙 뒤도는 순간 '깨똑!' 알람음.
휴대폰 보면 '주님의 말씀'이라는 카톡명이다.

천숙　(E) '난 잘하고 있어. 너도 잘하고 있지?'
도희　(휴대폰 보며) 주님… 어찌하여 나에게 이런 시련을 주시나이까.

눈 질끈 감는 도희, 휴대폰으로 30분 타이머 맞추더니 자리로 돌아가 식사 준비한다.

구원　(갸웃) 내가 여길 통으로 빌린 건 조용히 식사하고 싶어 선데.
도희　좋은 생각이야. 조용하면 어색하고 좋지.
구원　정 식사를 하고 싶으면 다른 식당도 많아.
도희　그쪽이 나가면 되겠네. 아는 식당도 많은데.
구원　(E) 뭐야? 이 철벽 또라이는.

S#11.　**헤리스 호텔 레스토랑 (낮)**
한편 갈매기 눈썹을 한 맞선남, 홀로 자리에 앉아 메뉴를 탐독 중이다.

맞선남　(직원에게) 저기요! 이걸로 두 개. 와인은 도수가 가장 높은 걸로. (찡긋해 보이면)
직원　아… 네.

콧노래 부르며 도희를 기다리는 맞선남.

S#12.   **해리스 호텔 레스토랑 (낮)**
팽팽하게 마주 앉아 스테이크에 칼질하는 구원과 도희.
깨작이던 도희, 구원을 보면 음식으로 해골 모양을 만들고
있다.

도희	하는 짓이 완전 초딩이네… (구원이 보면) 아, 칭찬이야. 젊게 산다는.
구원	내가 심각하게 동안이긴 하지. 그쪽도 배가 고픈 건 아닌 거 같은데 이유가 뭐야? 이렇게 꾸역꾸역 식사 자리를 지키려는 이유.
도희	삼십 분 정도는 참아 주는 게 예의라길래.
구원	누구를 위한 예의? 내 입장에선 더할 나위 없이 무례한데.
도희	난 거울 같은 사람이야. 상대가 무례하면 똑같이 무례해져. (입 닦고는) 우리 이유는 적당히 둘러대는 게 좋겠지? 그쪽은 내가 너무 예뻐서 부담스럽다는 게 어때?
구원	(나이프와 포크를 '탕' 내려놓는) 나한테 진짜 왜 이래?
도희	나라고 좋아서 이러겠어? 어쩔 수 없잖아. 위에서 시키는데.
구원	위?
도희	우리 주님의 하늘 같은 말씀을 거역할 수가 있어야지.
구원	(위를 올려다보더니 긴장한 눈으로 도희 보며) 너 정체가 뭐야.
도희	맞다. 이런 자리에선 호구 조사가 필수지? (명함 꺼내 건네면)

구원	(받아 들어 보는) 도도희?
도희	(손 내밀고)
구원	?
도희	그쪽 명함.
구원	난 누구처럼 개인 정보 유출에 취미가 없어서.
도희	그쪽도 나만큼이나 억지로 끌려 나온 건 알겠는데 최소한의 협조는 해야 우리가 이 난관을 헤쳐 나가지 않겠어?

그 말에 안주머니에서 명함 꺼내 건네는 구원.
도희, 받아 보면 '선월재단 이사장 정구원'이라는 직함.

도희	정구원… 이름 좋네. 상당히 안 어울리지만. 선월재단이라… 들어본 거 같은데.
구원	(기계적으로 다다다) 전통 소리꾼, 전통 무용가와 같은 전통 문화인을 지원하고 수준 높은 전통 공연을 정기적으로 올리는 유구한 전통의 선월재단을 모르다니. 문화적 소양이 너무 부족한 거 아냐?
도희	전통, 전통, 전통. 그 말밖에 안 들리네. 나도 그거 좋아해, 전통. 근데 정자에서 거문고를 튕기기엔 내 인생이 워낙 총알이 난무하는 슈팅게임이라.
구원	대체 위에 있는 양반이 무슨 일을 꾸미는 거야?
도희	설마 이 자리가 뭔지도 모르고 나온 거야? (중얼) 블라인드 데이트야 뭐야.
구원	데이트?

도희	그쪽도 장난 아니었나 보네. 오죽하면 속여서 이 자리에 내보냈을까.
구원	그니까 이 자리가 도대체 뭐냐고.
도희	맞선. 우리 지금 맞선 보는 중이잖아.
구원	(황당) 지금 네 말은. 신이 나한테 맞선을 주선했다 그 말이야?
도희	신이라는 표현까진 좀… 아무리 우리 주천숙 여사랑 영혼의 단짝이어도 그렇지.
구원	주천숙 여사? 그럼 네가 말한 주님이 바로….

헛웃음 터지는 구원. 끌끌대며 웃기 시작하고….

| 도희 | (물 잔 들어 마시며 중얼) 충격이 큰가 보네. |

그때 레스토랑에 들어서는 서슬 퍼런 넘버 투와 들개파 똘마니들.

| 매니저 | (앞에 나서며) 죄송하지만 오늘은 예약이…. |

넘버 투, 매니저 얼굴 밀어 치우고 둘러보면 저만치 앉은 구원.

| 구원 | 재밌네. 날 이렇게 긴장시킨 인간은 네가 처음이야. |
| 도희 | 다행이야. 한 사람이라도 재밌었다니. (휴대폰 알람 울리자 끄며) 한참 재밌는 타이밍에 미안한데 신데렐라는 시간이 다 돼서 이만. |

도희, 핸드백 챙겨 자리에서 일어서고 들개파들, 성큼 다가서는데…

케이크를 든 채 앞서가던 직원을 치우듯 밀어 버리는 넘버 투.

그 바람에 케이크, 허공으로 둥실 날아오르고…

그것을 본 구원, 케이크의 동선을 눈으로 좇으면 포물선을 그리며 떨어져 새침하게 돌아서는 도희 머리 위로 낙하하기 직전이다.

손 뻗으며 놀라는 매니저의 시선에 뒤늦게 고개 드는 도희.

케이크를 발견하지만 이미 늦었다.

얼굴에 정통으로 케이크를 맞으려는 순간… 도희의 팔을 잡아끄는 구원.

도희, 구원의 품에 쏙 안기고, 구원, 다른 한 손으로 케이크를 '척!' 받는다.

도희, 구원 올려다보면 고혹적인 음악과 함께 그의 턱선과 입술 보이며.

도희   (E) 냉담하지만 상냥하고 순수한데 야해. 19금이 사람으로 태어나면 이렇지 않을까 싶을 만큼.

도희의 시선이 구원의 무심한 눈빛에 도달하면….

구원   (무심히 내려다보더니) 무사해서 다행이야.

도희   (얼굴 확 달아오르며) 화, 화장실 좀….

도희, 도망치듯 화장실로 향하고.
구원, 손 위에 놓인 케이크 보며.

구원   내 소중한 케이크.

테이블에 케이크를 소중히 내려놓고 앉는 구원을 노려보고
선 들개파들.

S#13.   **해리스 호텔 여자 화장실 (낮)**
        화장실에 들어서는 도희, 붉어진 얼굴로 문에 기대서며.

도희   뭐야… 영 싸가지는 아니네. 생일이라고 케이크까지 준비한
        거야?

그때 블라우스에 떨어진 붉은 시럽을 발견하는 도희.

S#14.   **해리스 호텔 레스토랑 (낮)**
        붉은 시럽이 올려진 케이크 끝을 포크로 신중히 자르는 구원,
        기대에 찬 눈빛으로 입에 가져가려는데….

넘버 투   (포크 쳐내며) 너 이 새끼, 우리 형님한테 무슨 짓을 한 거야!
구원   (멈칫, 고개도 들지 않은 채) 내가 이걸 먹으려고 한 달 전에 예약

하고 그 지루한 코스 요리도 견뎠거든? 대화는 맛 좀 보고 나서 하지.

구원, 새 포크 들면 화가 치민 넘버 투, 케이크 정중앙에 주먹을 꽂아 버린다.
파편이 된 케이크를 가만히 내려다보는 구원, 천천히 고개를 들면 차갑게 화난 눈빛.

S#15.　　　**해리스 호텔 여자 화장실 (낮)**
　　　　　도희, 세면대 앞에 서서 핸드타월로 블라우스 위의 시럽을 문질러 대면 더 크게 번지는 얼룩.

도희　　　아~ 안 지워지네… 근데 뭐 저렇게 혹 들어와? 깜빡이도 안켜고. 컸나?

　　　　　도희, 기억 더듬으면….

인서트　　**조금 전, 구원이 미소가 가시지 않은 얼굴로.**

구원　　　*날 이렇게 긴장시킨 인간은 네가 처음이야.*

도희　　　(혹) 내가 방심했네. 나도 모르는 사이에 또 매력을 대방출하고. 날 이렇게 대하는 여자는 네가 처음이야, 뭐 그런 류? (거

올에 비친 얼굴 보더니 바싹 붙어 서며) 이거 설마… 홍조? 나 지금 얼굴 붉힌 거니? (팩트 꺼내 찍어 바르기 시작하며) 왜 이래, 도도희. 이런 일이 어디 한두 번이야? 이름값 좀 하자~

S#16.   **해리스 호텔 레스토랑 (낮)**
테이블 위에 접어둔 신문지를 집어 들며 일어서는 구원.

구원   쓰레기도 종류가 있던데 너희들은 뭘까? 재활용 쓰레기? 음식물 쓰레기?

넘버 투   너 이 새끼 지금 상황 판단이 안 돼?

구원   재활용은 불가능해 보이고 영양가도 일절 없어 보이는 게… 아, 일반 쓰레기구나~

넘버 투   (똘마니들에게) 쳐!

똘마니 1, 구원에게 주먹을 날리면 재빨리 신문을 펄럭 펼쳤다 접는 구원.
똘마니 1이 감쪽같이 사라졌다.
다들 놀라 두리번대고 구원, 신문 펼쳐 보면 신문 속 사진에 흑백으로 박제된 똘마니 1.
상황을 모르는 똘마니들 당황해 '으아아!' 달려드는데….

S#17.   **해리스 호텔 여자 화장실 (낮)**

팩트를 '탁!' 접는 도희.

도희   내가 요새 일만 하느라 연애를 너무 오래 쉬었네. (자연스럽게 립스틱을 바르다 화들짝) 립스틱은 또 왜 고치고 난리? 뭘 바라는 거야, 지금? (고혹적인 음악과 함께 얼굴 '보옹~' 달아오르면 거울 보더니) 또오~?

다시 볼에 팩트를 '팡팡' 두드려 대고….

S#18.   **해리스 호텔 레스토랑 (낮)**
구원, 신문지를 펄럭일 때마다 한 명씩 신문 속에 갇히고, 결국 혼자 남은 넘버 투, 뒤로 주춤주춤 물러서며.

넘버 투   너, 지금 뭐 하는 거야?
구원   (다가가며) 보면 몰라? 청소 중이잖아. 일반 쓰레기는 땅에 묻거나 태워 버리던데… 넌 어떻게 해 줄까?
넘버 투   이 새끼가!!

하며, 달려드는 넘버 투마저 '펄럭' 신문으로 가둬 버리는 구원.
신문 속 박제된 들개파들로 가득한 사진을 보며.

구원   (짜증) 감히 나의 소중한 디저트 타임을 망치다니….

그때 도도한 표정으로 무장한 도희, 구원 뒤로 다가오며.

도희   아무리 바빠도 케이크까진 먹고 가야 예의겠… 지? (처참하게
파편이 된 케이크에 말문 막히는)

구원   (도희 슬쩍 보더니) 파티는 끝났어. (신문지 접는)

도희   혼자?

구원   혼밥도 하는데 파티라고 혼자 못하나?

도희   그래도 내 생일 케이크를 나 없이….

구원   그게 왜 네 케이크야? 네 생일 따위가 나한테 무슨 의미라고.

도희   (민망하고 실망스러운) 아….

구원   알았으면 가 봐. 난 분리수거하느라 더 이상 너랑 놀아 줄 시
간 없으니까.

기가 찬 도희, 표정 차갑고 도도해지더니 구원 앞에 마주 서서.

도희   만나서 반가웠어. 오늘 하루 너의 앞길에 불행이 가득하길 바
랄게.

구원   (미간 살짝 찌푸리며 '피식')

도희   (팽하니 돌아서 몇 걸음 걷다) 아, 그리고. (뒤돌아) 혹시라도 다시 보
게 되면 그땐 존댓말 부탁해. 남들이 보면 구 남친인 줄 오해
하니까.

구원   부탁이라면 좀 더 정중해야 되는 거 아닌가?

도희   부탁 아냐. (가 버리면)

혼자 남은 구원, 무심한 표정으로 신문지를 들고 도희와 반대로 돌아선다.

S#19.   **해리스 호텔 남자 화장실 (낮)**

거울에 비친 제 모습을 살피며 옷매무새를 가다듬는 구원.

쓰레기통에 신문 버리고 화장실을 나서며 핑거스냅을 '딱!' 치면…

닫힌 문에서 다시 쓰레기통으로 돌아오자 쓰레기통에서 튀어나온 듯 온몸에 휴지를 묻힌 채 뒤엉켜 앉은 들개파.

끙끙대며 신음하는 똘마니들 가운데 끼여 앉은 넘버 투는 넋이 나갔다.

S#20.   **도희의 차 안 (낮)**

신 비서, 운전 중이고 뒷좌석에 앉은 도희, 팔짱 낀 채 불쾌한 표정인데.

도희   주 여사는 대체 뭘 보고 저런 인성 쓰레기를… (신 비서에게) 설탕 주스는 알아봤어요?

신 비서 (룸 미러로 도희 보며) 말씀하신 대로 내부 총질이었습니다.

도희   어느 쪽이에요?

신 비서 미래 어패럴 노수안 대표입니다. 첫 기사를 낸 중소 언론사와 최근 패션쇼에서 만나 친분을 쌓았습니다.

| 도희 | 평화롭게 살려는 사람을 또 이렇게 건드리네. |

도희, 생각에 잠겨 창문 밖을 보면 건물 전광판 위 미래 그룹 광고.
차창 유리에 비친 미래 그룹 로고가 마치 도희를 짓누르는 듯하다.

| 도희 | (E) 대한민국 10대 그룹 안에 드는 미래 그룹은 지금 내전 중이다. |

| S#21. | **연회장 (낮) - 회상** |

자막 '1년 전' 떴다 사라지고 '축 주천숙 회장님 고희연' 플래카드 아래 지팡이를 들고 앉은 천숙.
심기 불편한 천숙의 표정 프리즈 되면 명함처럼 꼬리표가 따라붙는다. '미래 家의 주님, 미래 그룹 회장 주천숙'.

| 도희 | (E) 그런 미래 왕국을 창조한 우리의 주님, 주천숙 회장. 바로 나의 주 여사다. |

프리즈 풀리면 점잖은 석민과 우아한 세라, 그리고 주눅 든 도경이 다가와.

| 석민 | 어머니, 만수무강하세요. |

천숙	걱정 마. 너보다 오래 사니까.
석민	그러셔야죠.

익숙한 듯 덤덤한 석민의 얼굴 프리즈 되며 옆에 붙는 꼬리표. '미래 전자 대표 노석민'.

도희	(E) 주 회장의 첫째 아들 노석민. 엄마에게 밀려 평생 2인자에 머무는 비운의 황태자.
천숙	넌 요새도 술독에 빠져 사냐?
석민	저 술 안 마신 지 10년이 넘었어요, 어머니.
천숙	(못 미더운 표정인데)
세라	(애써 밝게 끼어들며) 어머님~ 오늘 너무 아름다우세요.
천숙	너는 그새 고쳤니?
세라	아뇨~ 좋은 날이라 신경 좀 썼더니. (미소)
천숙	좀 고쳐야겠다.

주위 시선 의식하는 세라 프리즈 되며 '미래 전자 상무 김세라'.

도희	(E) 며느리 김세라. 남의 시선에 목을 매는 우아한 공작새.

자기한테도 불똥 튈까 눈치 보며 고개 숙여 인사인 듯 스윽 지나가는 도경 프리즈 되며 '미래 전자 본부장 노도경'.

도희	(E) 그들의 외아들 노도경은 생존을 위해 투명 인간의 스킬을

장착했다.

이어 화려한 차림으로 요란하게 등장하는 수안.

수안   (불어로 생일 축하) 마망~ 본 아니박세흐~

비주를 하려 들이대는 걸 피하며 저만치 향해 혀를 '끌끌' 차
는 천숙.
수안이 보면 똑 닮은 쌍둥이가 헤드록을 해 가며 싸우고 있다.

수안   (버럭) 오스틴! 저스틴!

포효하는 수안 프리즈 되며 '미래 어패럴 대표 노수안'.

도희   (E) 주 회장의 둘째 딸 노수안. 프랑스 파리에 미쳐 혼자 파리
       속을 살아가는 그를 사람들은 파리 수안이라 부른다.

성질 감추고 우아한 미소 지으며 쌍둥이를 억지로 앞에 세우
는 수안.

수안   (상냥한 투) 오스틴, 저스틴~?
쌍둥이   (하모니 이루며 동시에) 그랜 마, 해피 벌스데이.

억지 인사하는 쌍둥이 프리즈 되며 '쌍둥이 오스틴, 저스틴'.

도희	⒠ 1분 차이로 태어난 수안의 쌍둥이 아들 오스틴, 저스틴. 그 1분 차이를 두고 서열 싸움에 인생을 낭비 중이다.
천숙	글로벌하게 지랄들이네….
수안	우리 그이가 논문 스케줄이랑 겹치는 바람에 못 와서 죄송하다고 미국에서 이렇게 선물을…. (선물 상자 내밀면)
천숙	이미 받았는데, 선물?
수안	?
천숙	그 면상 안 보는 게 선물이지.

점프, 수안에 의해 쓰레기통에 처박히는 선물 프리즈 되며
'유니콘의 선물'.

도희	⒠ 미국 아이비리그 교수인 수안의 남편은 그 실체를 보기가 힘들어 유니콘이라 부른다.

부스스한 머리에 흐트러진 차림의 석훈이 천숙에게 다가오며.

석훈	고모님, 생일 축하해요.
천숙	(반어법) 넌 오늘도 아주 멀끔하구나.
석훈	고모님 돈 불려 주느라 바빠서 그렇죠.

흐트러진 앞머리 넘기며 웃는 석훈의 모습 프리즈 되며 '미래 투자 대표 주석훈'.

도희	(E) 주 회장의 조카 주석훈. 유일하게 같은 주 씨지만 주 회장 과는 비즈니스 관계에 가까운 쿨한 사이다.
천숙	네 엄마 아빠 아직도 몽골인지 어딘지에 있는 거야?
석훈	페루요. (휴대폰으로 동영상 켜면)

영상	**구릿빛 피부의 노년 부부가 알파카 무리를 뒤로한 채 서서.**

석훈 부	(E) 시스터~ 또 한 살 늙었네. 축하해~
석훈 모	(E) 형님도 빨리 은퇴하고 우리처럼 여행이나 하세요.

알파카가 화면 가리자 프리즈 되며 '중년의 히피 주재림, 박 혜연'.

도희	(E) 석훈의 부모이자 천숙의 남동생 부부인 두 사람은 돈을 혐오하는 히피 부부다.
천숙	씻고는 다닌다니? 어느 쪽이 알파칸지 도통 구분이 안 가….
사진사	다 오셨으면 이제 사진 찍을까요?
천숙	도희는?
석훈	(시계 보며) 늦나 본데요.
수안	가족들은 다 모였네. 그냥 찍자.
세라	그래요, 어머님. 시간도 없는데.
천숙	됐어. 도희 없으면 안 찍어. (가 버리려는데)
도희	(바삐 들어서며) 미안해요~ 회의가 길어져서.

천숙, 도로 앉으면 미소로 도희를 맞이하는 이들.

수안	왔니?
세라	어머님이 얼마나 기다리셨는지 몰라요.
천숙	기다리긴. 사진 찍기 싫어 핑계 댄 거지.
도희	(못 말린다는 듯 미소)
석민	도희가 어머니 옆에 서.

사진 대형으로 선 이들 사이를 비집고 들어서는 도희 위로.

도희	(E) 그리고 이들 중 누구와도 피 한 방울 섞이지 않은 나, 도도희.

도희와 석훈, 시선 교환하며 미소 나누고.

도희	(E) 그들에게 난 바이러스 같은 존재지만 그들은 쉽게 적의를 드러내지 않는다.
도희	(천숙 옆에 서 포즈 취하며 속닥) 오늘 같은 날 표정이 왜 그래요?
천숙	나 늙는 거 축하하는 속내들이야 뻔하지.
도희	으이그~ 웃어요. 그래야 이쁘게 찍히지.
사진사	(off) 찍습니다~ 스마일~
도희	(E) 그들의 무기는 바로 '미소'다.

'찰칵' 사진 찍히면 모두가 우아하게 미소 짓고 있는 모습이
그럴싸한 가족 같은데….

| 도희 | (E) 과연 미래 그룹의 왕좌를 누가 차지할 것인가. 그것이 이 전쟁의 끝이자 새로운 전쟁의 시작이다. |

S#22. **도희의 차 안 - 공중 화장실 칸막이 안 (낮)**

회상에서 빠져나온 도희의 블라우스 위 얼룩이 마치 핏자국 같은데…

전광판 속 미래 그룹 광고 끝에 떠오르는 문구, '사람이 사랑이다. 신뢰가 행복이다'를 보고 '피식' 웃는 도희.

그때 휴대폰이 울려 보면, 발신자명 없는 휴대폰 번호.

도희	(전화 받는) 네.
차 팀장	(E) 도도희 대표님 되십니까?
도희	그런데요.

화장실 칸막이 안, 식은땀을 흘리며 통화 중인 차 팀장의 모습.
문 틈새로 비쳐 들어오는 불빛에 불안한 눈빛이 빛나는데….

차 팀장	저는 미래 그룹 재무팀장 차태준이라고 합니다. 중요한 정보가 있어서 연락 드렸는데요.
도희	중요한 정보라면…?
차 팀장	전화로 자세히 말씀드리긴 좀 그렇고… 대표님을 미래 그룹의 회장으로 만들어 줄 대단한 카드라는 것만 우선 말씀드리죠.
도희	(미간 찡그리는) 제 번호는 어떻게 아셨죠?

차 팀장	값어치를 매기기 힘든 정보입니다. 생각해 보고 연락 주세요.
	(뚝 끊는)
도희	(신호음만 가는 휴대폰을 든 채) 다들 날 진흙탕 싸움에 끼우지 못해 안달이네.
신 비서	무슨 전화길래….
도희	스팸이에요. (잠시 생각하더니) 평화로운 방법만으론 평화를 지킬 수 없죠. 노수안 대표 스케줄 따세요.

그때 '깨똑!' 하는 알람에 도희, 휴대폰 열어 보면.

천숙	(E) '할미 먼저 간다. 하늘나라에서 보자.'
도희	!

S#23. **병원 VIP실 (낮)**

도희	(다급히 문 열고 들어서며) 주 여사!

저만치 눈감은 채 누운 천숙이 보이고…
그를 향해 천천히 다가가는 도희.
평온한 천숙의 얼굴을 보자 아니길 바랐던 현실에 도희, 숨을 내뱉으며 털썩 주저앉는다.

도희	안 돼… 주 여사, 가지 마… 나 두고 가지 마. 주 여사… (천숙의

손을 붙들고 눈물 차오르는데)

천숙 (off) 뭐 하냐?

도희 (놀라 고개 들면 위에서 빤히 자신을 보고 누운 천숙) 주 여사…?

천숙 깜빡 졸았더니 왜 신파를 찍고 앉았어?

도희 … (눈물 그렁한 눈에 화가 치밀어 오르더니 벌떡 일어나 병실 나서고)

천숙 (일어나 앉으며) 어디 가?

도희 (홱 뒤돌아) 무슨 이런 장난을 해? 내가 얼마나 놀란 줄 알아?

천숙 놀랄 게 뭐 있어? 나이 들면 언제든 가는 게 당연하지.

도희 천국은 멀리 있지 않다더니 엘리베이터 타고 올라오니까 금 방이네. 근데 주 여사 그거 아나? 거짓말하면 천국 못 가요.

천숙 그럴 줄 알고 뇌물을 잔뜩 먹여 놨지. 내가 성금을 얼마나 꼬 박꼬박 내는데.

도희 왜 이래요? 이러시는 이유가 있을 거 아니에요.

천숙 (뒤에 숨겨 둔 케이크 상자 내밀며) 서프라이즈다, 이것아.

도희 (황당) 이건 서프라이즈가 아니라 쇼크지. 갑자기 왜 안 하던 짓을 해? 내가 언제 생일 챙기는 거 봤어요?

천숙 네가 안 챙기니까 내가 챙기지. (상자에서 케이크 꺼내며) 마지막 이라고 생각하니까 어떻든? 나와의 추억이 주마등처럼 머릿 속을 막 스치든?

도희 어디 주마등 정돈가, 한 편의 영화가 따로 없지. 마귀할멈 같 은 주 여사 덕에 장르는 완전 호러고.

천숙 내가 마귀할멈이면 넌 악마 새끼지. 뭔 일평생이 사춘기야. 대학생 돼서까지 가출을 하지 않나.

도희 그건 입학식 때 주 여사가 리무진 끌고 와서 그런 거고.

천숙	고아라고 애들이 우습게 볼까 그랬지.
도희	남친한테 봉투 내밀면서 헤어지라고 한 건?
천숙	갠 관상이 영 아녔어.
도희	아침 드라마를 찍으려면 제대로 찍던가. 수표 다발도 아니고 문화상품권이 뭐야?
천숙	새파란 애송이가 문상이면 충분하지. 하여튼 저거랑은 싸우다가 정들었어.
도희	(화 풀리는) 그래서 내가 종교가 없잖아. 나한테 주님은 우리 주 여사뿐이라.
천숙	('피식') 맞선은?
도희	최악이야.
천숙	너 그렇게 남자 얼굴만 보고 그러면 못 써!
도희	무슨 소리야. 얼굴 빼고 다 별론데.

이내 휴대폰 들여다보는 도희와 천숙.
서울지검 검사의 화려한 이력 위로 갈매기 눈썹을 한 맞선남
의 사진.

천숙	(손가락으로 사진을 키워 보며) 사진빨이 영 별론가? 나처럼.
도희	아니야. 내가 만난 건 이 사람인데…. (가방 뒤져 명함 찾고)

'똑, 똑' 노크 소리와 함께 문 열고 들어서는 신 비서.

신 비서	커플 매니저가 호텔 이름을 전하는데 착오가 있었습니다.

도희	(구원의 명함 찾아든 채 얼음)
천숙	(도희 손에 들린 명함 확 가져가 노안에 멀찍이 보며) 정구원? 얜 또 뭐야?

S#24. **선월극장 로비 (낮)**

선월극장 로비를 걸어가는 구원.

청자며 달항아리며, 고가의 유물과 신윤복의 '혜원 전신첩'이

걸린 벽을 지나 전통 악기 연주가 흘러나오는 극장 문으로

향하는데….

S#25. **선월극장 - 병원 VIP실 (낮)**

구원이 극장 문을 열고 들어서면 무대 위 홀로 검무 연습 중

인 가영.

구원의 등장에 몸은 움직이지만 온통 신경이 쏠린다.

맨 뒤 좌석에 턱을 괴고 관전 중인 복규.

구원이 옆자리에 앉자 눈을 번쩍 뜨며 안 잔 척.

복규	감독님, 조명이 좀 단조롭다고 생각하지 않으세요?
구원	일하는 척하려면 침이라도 좀 닦던가.
복규	(침 닦고)
구원	(가영 보며) 진가영 컨디션은 어때?
복규	그거야 이사장한텐 달렸지. 우리 진스타한텐 이사장이 피로 회복제잖아.

구원	처음 이 공연 기획할 때 박 실장님이 나한테 뭐라 그랬어. 나 귀찮게 안 한다고 했지?
복규	(감독 보이자 일어나 내빼는) 감독님! 조명이 좀 단조롭다고 생각 하지 않으세요?
구원	(낚였다 싶은데 휴대폰 울리자 받는) 여보세요.
신 비서	(E) 정구원 이사장님 되십니까?
구원	그런데.

병실에서 스피커폰으로 전화 거는 신 비서 보이고…
옆에 앉아 통화를 듣는 도희와 천숙.

신 비서	저는 미래 F&B 도도희 대표님 비서 신다정이라고 합니다.
구원	그래서?
신 비서	오늘 저희 측의 착오로 식사 시간을 방해한 것 사과드립니다. 사과의 의미로 식사비는 물론 성의 표시를….
구원	필요 없어. (뚝 끊어 버리면)
신 비서	… (무표정하게 신호음만 가는 휴대폰 들고 있고)
도희	한결같이 누구에게나 쓰레기네.
천숙	인연인가 했더니 악연인가? 그러면 보자…. (휴대폰으로 뭔가 열 심인데)
도희	(불길한) 뭘 보는데?
천숙	맞선 다시 잡아야지.
도희	(휴대폰 뺏으며) 됐거든? 건강 검진을 볼모로 억지로 한 맞선은 내 인생에 한 번이면 족해.

천숙	(휴대폰 도로 뺏으며) 아잇, 내 놔.
도희	내 나이가 몇인데 벌써부터 결혼 타령이야?
천숙	스물여덟이면 금방 서른이고 눈 깜짝할 새 마흔이야. 나 죽기 전에 너 결혼하는 거 보고 죽는 게 소원이라고.
도희	(손가락으로 케이크 찍어 먹으며) 안 죽으니까 됐네요. 그렇게 결혼이 좋으면 주 여사가 재혼하든가.
천숙	(등짝 때리는)
도희	(등짝 아파하며) 아야!
신 비서	맘껏 싸우시죠. 전 이만. (나가면)
천숙	내 편 하나 있는 인생이랑 없는 인생. 그거 완전 천지 차이다, 너?
도희	죄다 도둑놈들뿐이라며. 세상에 내 편이 어딨어?
천숙	없지. 언제든 뒤통수를 칠 수 있는 게 인간이니까. 근데 그놈이 내 뒤통수를 치면 내가 기꺼이 맞겠다 싶은 놈. 그게 내 편인 거야. 뭐든 이유가 있어서 내 뒤통수를 쳤겠거니 이해가 가는 놈 말이야.
도희	마더 테레사야 뭐야. 자기도 못 그러면서.
천숙	너. 네가 나한텐 그래.

그 말에 도희, 찡해지는데 선물 상자를 꺼내 여는 천숙.
안에 든 건 반지 한 쌍이다.

천숙	내가 다 만들어 놨으니까 넌 이거 끼울 손가락만 만들어 와.
도희	주 여사, 도대체 혼자 어디까지 가는 거야.

천숙	(도희 왼손 약지에 반지 끼워 주고 다른 하나는 엄지에 끼워 주며) 이러고 다니다 맘에 드는 놈 만나면 한 번씩 끼워 봐.
도희	(반지를 만지작대며) 무슨 신데렐라야?
천숙	구두보다야 반지가 훨 낫지. (케이크에 초 꽂으며 무심한 척) 이십 년 가까이 챙겨 온 네 엄마 아빠 기일은 이제 오늘로 끝내고.
도희	(멈칫)
천숙	앞으로는 기일이 아니라 네 생일로 해. (초에 불 켜 도희 앞에 내밀면)
도희	(씁쓸한 미소 짓더니 두 손 모아 기도하듯) 앞으로도 오래오래 주 여사가 내 뒤통수치게 해 주세요~
천숙	그건 내가 자신 있지.

도희, 초를 '후-' 불어 끄고 천숙, 그런 도희를 애잔하게 보는데.

천숙	그런 의미에서 다음 맞선 날짜는….
도희	초 불었으면 다 끝난 거지? 아~ 바쁘다.

내빼듯 가 버리는 도희를 보며 얕은 한숨을 쉬는 천숙.

S#26.　　**병원 앞 (낮)**
도희의 차 앞에 서서 무선 이어폰으로 통화 중인 신 비서, 도희가 나오자 전화 끊고 다가와.

신 비서	노수안 대표 스케줄 땄습니다. 지금 속초에 있는 계열사 호텔

에서 호캉스 중이랍니다.

도희	신 비서님은 퇴근하세요. 직접 운전해서 갈 테니까.
신 비서	그럼 사양치 않고. (차 키 건네면)
도희	사양할 줄 알았는데.
신 비서	저는 대표님 말씀이라면 무조건 따르다 보니.
도희	언제부터요?
신 비서	마음속에선 늘. 내적 충성이랄까요.
도희	그렇구나. 신 비서님 내향적이시구나~

키를 받아 앞에 세워진 차의 운전석에 올라타는 도희.

S#27.   **공중화장실 (낮)**
텅 빈 공중화장실, 세면대에서 손을 닦는 차 팀장.
불안을 씻으려는 듯 강박적으로 손을 비비며 중얼거린다.

차 팀장   왜 연락이 없어? 내가 뭐 팔 데가 도도희 너밖에 없는 줄 알아?

옆 세면대에 스윽 다가와 손 닦는 누군가, 검은 모자를 눌러
쓴 광철이다.
뒷목 목덜미에 딱지 앉은 상처들 보이고….

S#28.   **공중화장실 칸막이 안 (낮)**

텅 빈 공중화장실을 지나 칸막이로 다가가면 문 아래 틈으로
보이는 차 팀장의 발버둥 치는 발.
그 옆에는 차 팀장의 휴대폰이 바닥에 떨어져 있다.

S#29.	**선월극장 (낮)**

구원, 자리에서 일어나면.

복규	(감독과 얘기하다) 벌써 가게?
구원	눈에 하나도 안 들어와. 계약 끝내고 케이크를 못 먹었더니.
복규	뭐 하느라 그렇게 바빴대?
구원	데이트.
가영	뭐? 데이트?! (칼 내던지면 음악, '삐리리…' 기운 없이 멈추고)
복규	어머나, 귀도 밝지.
가영	누구랑? 여자랑? 잤어?

스태프와 연주자들, 일제히 하던 일 멈추고 귀가 솔깃해 구원
을 보면.

구원	(복규에게) 결재할 서류 있지 않아요?
복규	산더미처럼 쌓였죠.

극장을 빠져나가는 두 사람의 뒤에서 '쩌렁쩌렁' 울리는 가
영의 목소리.

| 가영 | 잤네! 잤어! |

S#30.   **선월극장 이사장실 (낮)**

한쪽 벽면을 가득 채운 바늘 시계 보이고…

구원이 책상에 다리를 올리고 눕듯이 앉아 등 뒤에 걸린 수묵 채색화에 손 내밀면 그림 속 새가 손가락에 올라탄다.

구원이 양손을 바꿔 가며 새와 노는 사이 책상 위 스스로 서류에 사인하는 깃털 펜.

복규	(홈 바에서 허브티를 따르며) 이사장은 블랙커피?
구원	난 바로 일하러 나가야 돼.
복규	오늘도 또 하나의 불쌍한 영혼이 탄생하는 건가~
구원	오늘도 또 하나의 불쌍한 영혼이 로또를 맞는 거지.
복규	로또긴 로또인데 어마어마한 대가가 따르니까 문제지.
구원	어마어마한 행운이니까. 세상에 공짜가 어딨어?
가영	(그때 문 '쾅!' 열리며 들어서는) 누구야, 그년이.

그 바람에 놀란 새, 포르르 날아가 벽에 부딪치면 벽지에 생기는 새 그림.

벽지 무늬와 어우러져 정글로 돌아간 듯하다.

| 복규 | 워워, 스타께서 말이 너무 험하신 거 아닌가? |
| 가영 | 이뻐? 나보다 어려? |

구원	(피곤) 이렇게 선 넘는 인간인 줄 알았으면 그냥 죽게 냅두는 건데.
가영	아닐걸? 난 이사장을 이해하는 유일한 반려 인간이니까.
복규	유일하다니. 듣는 박 실장 섭섭하게 그런 말을.
가영	박 실장님하곤 계약 관계, 나랑은 비즈니스가 얽히지 않은 순수한 관계.
복규	계약은 전생에 한 거고 현생에선 나도 순수한….
가영	월급 받잖아요.
복규	출연료 받잖아요.
가영	뭐래. 집사 주제에.
복규	뭐래. 딴따라 주제에.
구원	뭐래. 인간들 주제에. (두 사람의 뒤에서 한심하게 보는)
가영	왜 이래? 나 한국 무용계의 비욘세 진가영이야. 월드 투어로 바쁜 와중에 파리만 날리는 선월극장을 구원하러 온 진스타라고.
복규	내 말. 배트맨도 집사 할배 없인 그냥 은둔형 외톨이일 뿐이거든?
가영	(복규 보며) 뭔 소리야?
구원	내 눈에 둘은 그저 똑같이 불량품일 뿐이야.
두 사람	(동시에) 우리가 왜!
구원	(복규 보며) 전생을 기억하질 않나. (가영 보며) 데몬을 상대로 덕질을 하지 않나. 이게 어디 정상적인 인간의 모습이야?
복규	(가영에게) 진스타, 상처 받지 마. 이사장 지금 우리한테 정 떼려고 괜히 저러는 거야. 지금까지 곁을 줬다가 혼자 남고 그

런 일이 어디 한두 번이었겠어? (구원 보며) 난 이사장 이해해. 영생을 산다는 건 분명 무척이나 외롭고 쓸쓸한 일이겠지. 마음에 바리케이드를 치는 것도 당연해.

가영 ('그런가?') 진짜 어때? 영생을 사는 기분.

구원 솔직히?

두 사람 (끄덕끄덕)

구원 한 마디로… (슬픈 눈 되는가 싶더니) 개꿀이야. 완벽한 외모. 지성. 말 빨. 유머 감각까지. 뭐 하나 부족함 없이 영생을 포식자로 사는 삶이라니. 끝내줘. 나에게 소원이 있다면 단 하나. 이 평화로움이 영원하길 바랄 뿐.

두 사람 (뻥찐)

구원 (일어나며) 다들 공연 준비나 해. 하여튼 인간들이란. 하찮고 귀찮기가 한정 없어. (나가 버리고)

복규 자기도 원래 인간이었으면서 내추럴 본 데몬인 척은.

가영 이사장은 인간일 때도 멋있었겠지? (상상하다 뒤늦게 번뜩) 그래서, 그 여잔 누군데?!

S#31. **속초 호텔 데스크 (해질 녘)**
바닷가 앞 호텔 프런트 데스크에 선 도희.

도희 벌써 체크아웃을 했다고요?

도희, 황당하고….

S#32.　　　**속초 바닷가 (해 질 녘)**
이내 허탈한 표정으로 홀로 해변가에 나서는 도희.

도희　　　하여튼 변덕이라니까, 노수안… (바다 보더니) 여기도 오랜만
　　　　이네.

　　　　저만치 바다를 보면 '우루루 쾅쾅!' 하더니 갑자기 폭우가 쏟
　　　　아지고….

S#33.　　　**속초 바닷가 (낮) - 회상**
해변에서 피크닉 하던 어린 도희와 도희 부모, 쏟아지는 폭우
에 허둥지둥 짐을 들고 파라솔 아래로 뛰어 들어와 피한다.

도희 모　　도희야! 빨리빨리.

　　　　짐을 끌어안은 도희가 마지막으로 파라솔 아래로 뛰어들면
　　　　비에 젖어 붙어 선 채 오들오들 떠는 세 사람.

어린 도희　(입이 댓 발은 나와) 오늘은 진짜 나오기 싫다니까.
도희 부　　우리 도희는 벌써부터 혼자 놀려고 해, 섭섭하게.
어린 도희　아빠 친구 없어? 친구랑 놀아.
도희 모　　아빠는 친구 없어. 그니까 우리가 놀아 줘야 돼.
어린 도희　어차피 비 와서 놀지도 못하는데 뭐.

| 도희부 | 걱정 마. 소나기야. 금방 갤 거야. |

세 사람, 멀리 맑은 하늘을 보면 거짓말처럼 비가 개는가 싶더니….

| S#34. | **속초 바닷가 (해 질 녘)** |
| | 그 자리에 남은 건 그리운 눈빛을 한 현재의 도희다. |

| 도희 | 가는 곳마다 이렇게 추억이 발길에 차이면 나보고 어떻게 살라는 거야. 좀만 덜 성실하고 덜 부지런하고… 덜 좋은 부모일 순 없었어? |

텅 빈 바닷가에 쓸쓸하게 홀로 선 도희.

S#35.	**고층 빌딩 옥상 - 속초 바닷가 (밤)**
	화려한 야경이 펼쳐지는 고층 빌딩 옥상.
	구원이 허공 밖으로 다리를 내놓고 위태롭게 앉았다.

| 구원 | (습관처럼 목에 걸린 십자가 목걸이를 만지작대며) 오늘은 이상하게 조용하네. |

고개 들어 하늘 보면 휘영청 밝은 보름달이 보이고.

십자가 목걸이를 옷 속에 넣고 일어나 옥상 끝에 위태롭게 서는 구원.
한편 달빛이 비치는 해변에 앉아 슬픔이 가득한 눈으로 보름달을 보는 도희.
소주를 병째 들이켜고는 휴대폰 들어 12시가 된 걸 보더니.

도희 드디어 끝났네. 저주 받은 내 생일.

    다시 소주병을 들어 마시려는데 이미 술병이 비었다.
    그런 도희에게 다가가는 누군가의 뒷모습.
    도희, 고개 돌려 보더니 비틀대며 일어서 가방에서 차 키 꺼내 건네며.

도희 주소는 네비에 있어요.

    차 키 받는 사람의 뒷목에 지저분한 상처 보이고…
    앞모습 드러나면 모자를 눌러써 눈을 가린 광철이다.

S#36. **도희의 차 안 (밤)**
    고요하게 이동하는 차 안. 뒷좌석의 도희, 눈 감고 앉았는데
    자동으로 '철컥!' 문 잠기는 소리 들리고…
    도희, 무심결에 휴대폰 들어 대리 어플을 보는데 대리 기사의
    현 위치가 움직이는 도희의 현 위치와 떨어진 곳에 멈춰 있다.

인서트   **주차장에 세워진 대리 기사의 차 안.**

고개 뒤로 젖히고 잠든 듯한 대리 기사의 목에 감긴 전선 보이고 하얗게 돌아간 눈동자.

달리는 차 안의 도희, 천천히 시선 들면 뒷목의 상처 보이고 그 너머 룸 미러에는 광철의 하관만 비친다.
이상할 정도로 조용한 차 안 공기에 도희, 숨 가빠지면 스르르 멈추는 차.

도희   ⋯ 누가 보낸 거야?

광철   질문이 잘못됐잖아. 왜냐고 물어야지. 네가 죽는 이유 말이야.

도희, 다급히 잠금 장치를 풀고 차 문을 여는데 미처 풀지 못한 안전벨트에 '덜컥!' 몸이 걸려 버리고⋯
뒤에서 도희의 코와 입을 막으며 덮치는 광철.

광철   (도희의 귀에 대고 속닥이듯) 주천숙. 그게 이유야. 네가 죽는 이유.

도희, 발버둥 쳐보지만 소용없고 점점 눈이 감기며 얼굴을 떨군다. 광철, 천천히 수건을 떼는데⋯
순간, 반지 낀 주먹을 휘둘러 광철의 눈가를 할퀴는 도희.
광철이 아파하는 사이 도희, 벨트 풀고 도망치면 광철, 칼을 꺼내 들고 뒤를 쫓는다.

S#37.   **해안 도로 - 고층 빌딩 옥상 (밤)**
도희, 차가 달려온 방향으로 미친 듯 뛰고…
옥상 끝에 선 구원, 발아래 깔린 도시를 내려다보며.

구원   어디 있을 텐데 오늘의 먹잇감이….

달리는 도희의 겁에 질린 표정.

구원   절박하고 외롭고 겁에 잔뜩 질린.

쫓아오나 싶어 뒤를 돌아보는 도희의 황망한 손에 끼워진 피
묻은 반지.

구원   그래서 내가 내민 손을 덥석 잡을 영혼이….

안개 속을 헤치며 달리던 도희, 어디로 갈지 몰라 빙글 도는
순간.

구원   (눈을 빛내는) 찾았다!

도희, 빙글빙글 돌며 방향을 잡으려 애쓰는데…
저만치 안개 너머로 다가오는 검은 실루엣.

도희   (그를 향해 팔을 흔들며) 여기요! 도와주세요! 여기, 여기요….

실루엣 가까워지며 실체 드러나면… 구원이다!

도희 (충격) 정구원…? 네가 여길 왜… 설마 한패…?

도희, 돌아보면 칼 들고 뛰어오던 광철, 구원 보더니 멈칫하고 구원 역시 무심한 얼굴로 멈춘다.
두 사람의 공기를 읽는 도희.

도희 (E) 아니. 한패가 아냐. (구원을 보며) 그럼 여태 날 스토킹한 거야?

도희를 사이에 두고 대치한 두 남자.
광철이 모자를 깊게 눌러쓰고 천천히 다가오기 시작하면.

도희 뒤에는 살인마, 앞에는 스토커….

혼란스러운 도희의 눈빛 위로.

도희 (E) 내 삶은 안개 속을 사는 것과 같다. 누가 적군이고 누가 아군인지. 혹은 그저 온통 적들에 둘러싸였을 뿐인지 알 수 없다.

양쪽에서 다가오며 조여드는 구원과 광철.

도희 (E) 그렇게 아무것도 믿을 수 없고 아무도 믿을 수 없는 순간….

도희, 좌절하듯 고개 숙이는데….

도희   (E) 내가 믿을 수 있는 건 오직… (고개 들면 도희의 강한 눈빛) 나
　　　　 자신뿐이다.

구원을 향해 달려가는 도희, 구원 앞에 멈춰 서 숨을 몰아쉬며.

도희   도와줘.
구원   (느긋한) 이번엔 부탁인 건가?
도희   그래! 부탁이야, 제발.
구원   (흔쾌히) 좋아.
도희   (반색)
구원   근데 그 전에 나랑 계약을 해야 되는데 말이야.
도희   (황당) 저놈 칼 든 거 안 보여? 지금이 계약이니 뭐니 그런 얘
　　　　 기 할 상황이야?
구원   세상에 공짜는 없거든.

도희, 마음 급해져 뒤를 보면 광철이 칼을 세워 잡으며 다가
오고….

도희   (다시 구원 보며) 알았어! 무슨 계약인데?
구원   설명하자면 긴데 지금이 그런 얘기 할 상황인가? 무슨 티타
　　　　 임도 아니고.
도희   (빠직) 조건도 모르고 계약하는 그런 미친 짓을 내가 할 거 같아?

구원   뭐, 그렇다면. (미련 없이 돌아서고)

도희   할게! 그 미친 짓.

그 말에 구원, 돌아서 광철을 보면, 전투태세로 빠르게 다가
온다.

구원   나도 원래 사인하기 전에 먼저 소원 들어주는 그런 미친 짓
은 안 하는데… 저놈 생긴 게 맘에 안 들어.

광철을 향해 저벅저벅 걸어가는 구원.
광철, 구원을 살피듯 옆으로 빙 돌면 구원 역시 광철을 보며
돈다.

도희   (그 모습을 보며) 난 그런 멍청한 계약은 안 해. 두 미친놈이 싸우
는 동안 난 도망갈 거야.

자신의 차가 있는 방향으로 도망치는 도희.
그때 뒤에서 나는 '퍽! 퍽!' 소리에 놀라 돌아보면 안개가 자
욱해 아무것도 보이지 않고…
다시 앞을 보면 저만치 흐릿하게 보이는 차의 헤드라이트
불빛.

S#38.   **도희의 차 안 (밤)**

차에 올라탄 도희, 시동을 걸려는데 차 키가 없다.
도희, 고개 들어 창밖을 보면 한 치 앞이 보이지 않는 뿌연
안개.
그 고요한 풍경이 불길한데…
'부웅-' 날아들어 차창에 부딪히는 광철의 몸뚱어리.

도희   아악!

광철, 모자 벗겨지며 차창을 미끄러지고…
금 간 차창 너머, 안개를 뚫고 걸어 나오는 구원.
구원의 검은 눈동자에 핏빛 붉은 기가 돈다.

도희   !

S#39.   **해안 도로 (밤)**
기절한 광철 앞에 서서 그를 차갑게 내려다보는 구원.
눈동자가 본래의 색으로 돌아왔다.
구원, 고개 들면 차 안에 있던 도희가 그새 사라졌는데…
가드레일 뒤에 쪼그려 앉아 숨은 도희, '뚜벅뚜벅' 다가오는
구둣발 소리에 올려다보면 그런 도희를 내려다보는 구원.

구원   (악수하듯 손 내밀며) 계약은 잊지 않았겠지?

천천히 일어나 가드레일을 사이에 둔 채 구원과 마주 서는 도희.

도희, 구원의 손을 보며 갈등하다 조심스레 손을 잡는 순간, 구원의 뒤에서 달려드는 도희의 차!

머리에서 흘러내린 피로 온통 붉어진 운전석의 광철이 괴물 같은데…

놀란 도희 표정에 구원, 슬쩍 돌아보며 여유롭게 핑거스냅을 '딱!' 친다.

하지만 멈추지 않고 구원의 등을 덮치듯 치는 차.

찰나 구원의 눈에 당혹감이 스치고…

차가 가드레일을 박으며 멈추면 충격으로 밀린 구원, 앞에 선 도희를 끌어안듯 한 덩이가 되어 절벽으로 추락한다.

'풍덩!' 물에 빠지는 두 사람.

S#40.   **바닷물 속 (밤)**

물속에 빠진 도희, 허우적대며 정신 차리려 애쓰고 구원은 정신을 잃었다.

도희, 헤엄쳐 수면 위로 오르다 밑을 보면 하염없이 가라앉는 구원.

힘없이 물속에서 흔들리는 구원의 손을 보며 갈등하던 도희, 결국 혼자 올라가는가 싶은데…

이내 구원의 손을 덥석 잡는 도희의 손.

구원의 손을 잡은 채 도희, 한 팔로 헤엄쳐 올라간다.

하지만 구원이 가라앉는 통에 힘에 부치고…
도희, 수면을 코앞에 두고 정신이 흐려지며.

도희   (E) 이 남자를 버려야 내가 사는데….

하지만 구원의 손을 차마 놓지 못하는 도희.
그때 구원 손목 안쪽의 십자가 타투가 '스르륵' 도희의 손목
으로 옮겨 가기 시작하지만 도희는 그것도 모른 채 서서히
눈이 감긴다.

도희   (E) 구원. 이게 다 그 이름 때문이야….

도희의 눈 완전히 감기고 절로 손아귀 힘이 풀려 구원의 손
놓치며 F.O.

S#41.   해안가 (낮)
          F.I. 되면 해변 위에서 눈을 뜨는 도희.
          힘겹게 일어나 앉는데 구원이 보이지 않자 놀라 일어난다.
          저만치 파도치는 바위 위에 선 구원의 뒷모습 보이고…
          혼란스러운 눈빛의 구원, 망망대해를 보고 선 채.

구원   없어졌어….

타투가 사라져 깨끗한 구원의 손목.
그런 구원의 뒤로 도희, 다가서며.

도희   (안도하는) 다행히 빠져나왔네.

그 소리에 뒤도는 구원, 도희 손목 위 십자가 타투가 눈에 박
히고.

구원   !
도희   정말 죽는 줄 알았….

도희의 손목을 '확' 잡는 구원.
그때 커다란 파도가 들이쳐 두 사람을 덮치자 도희, 움츠리며
한 팔로 얼굴을 막고…
구원의 손가락 사이, 도희 손목의 타투 위로 일렁이듯 작게
빛나는 불꽃.
도희, 이상하리만치 고요한 느낌에 조심스레 고개 들면 마치
파도 속 서퍼의 시점처럼 두 사람 주위로 동그란 물의 터널
이 생겼다.
놀란 도희, 구원을 보고 구원 역시 강렬한 눈빛으로 도희를
보며….

1화 엔딩

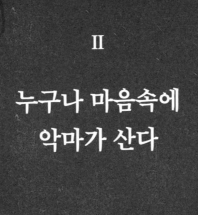

II

누구나 마음속에
악마가 산다

S#1.   **해안가 (낮)**

혼란스러운 눈빛의 구원, 망망대해를 보고 선 채.

구원   없어졌어….

타투가 사라져 깨끗한 구원의 손목.
그런 구원의 뒤로 도희, 다가서며.

도희   (안도하는) 다행히 빠져나왔네.

그 소리에 뒤도는 구원, 도희 손목 위 십자가 타투가 눈에 박히고.

구원   !

도희   정말 죽는 줄 알았….

도희의 손목을 '확' 잡는 구원.

그때 커다란 파도가 들이쳐 두 사람을 덮치자 도희, 움츠리며 한 팔로 얼굴을 막고…

구원의 손가락 사이, 도희 손목의 타투 위로 일렁이듯 작게 빛나는 불꽃.

도희, 이상하리만치 고요한 느낌에 조심스레 고개 들면 마치 파도 속 서퍼의 시점처럼 두 사람 주위로 동그란 물의 터널이 생겼다.

놀란 도희, 구원을 보며.

도희   너… 뭐야. 도대체 정체가….

구원   (분노에 찬) 나한테 무슨 짓을 한 거야.

혼란스러운 눈빛의 도희, 뭔가 답하려는 순간 정신 잃으며 구원 쪽으로 쓰러지고…

그런 도희 잡으려 구원, 손목 잡은 손을 풀자 물의 터널 사라지며 '철썩!'.

미처 잡지 못한 도희는 구원의 품에 안기듯 쓰러진다.

기절한 도희를 안은 채 내려다보는 구원의 혼란스러운 눈빛.

#타이틀   <누구나 마음속에 악마가 산다>

S#2.   **바닷물 속 (밤) - 꿈**

검은 물속에서 점점 의식을 잃어 가는 도희.

눈 완전히 감기며 손아귀 힘이 풀려 구원의 손 놓치는데…
도희의 손목을 '확' 잡으며 동시에 번쩍 뜨는 구원의 핏빛 눈
동자.

S#3.　　　**병원 1인실 (낮)**
'헉!' 하고 눈 뜨는 도희, 식은땀 흘리며 숨을 헉헉대면.

신 비서　　(걱정스러운 표정으로 내려다보는) 대표님?

도희　　　(신 비서 얼굴에 안도) 하아… 신 비서님….

신 비서　　괜찮으세요?

도희　　　그냥… 악몽을 좀 꿨어요. (자리에 일어나 앉는데)

구원　　　(off) 무슨 악몽이길래 이렇게 식은땀을….

행커치프로 도희의 이마 위 땀을 '톡톡' 두드려 닦는 자상한
손놀림.
도희, 천천히 고개 돌려 보면 침대 옆에 앉은 자상한 눈빛의
구원.

구원　　　깨어나서 정말 다행이에요. 내가 어찌나 가슴을 졸였는지.

도희　　　(황당해 굳은) 이것은 악몽의 연속?

구원　　　안심해요. 악몽 같은 시간은 끝났으니까.

도희　　　(더욱 황당하고)

신 비서　　여기 정구원 씨 연락 받고 제가 급히 병원으로 모셨습니다.

도희	병원… 나 다쳤어요? 얼마나 다쳤어요? 내가 지금 아파서 누워 있을 때가 아닌데! 나 얼마나 누워 있었던 거예요? (호들갑 떨면)
신 비서	정확히 5시간 38분 동안 숙면을 취하셨습니다.
도희	(민망) 아… 숙면.
구원	몸은 좀 어때요? (여기저기 살피며) 어지럽다거나 팔이 안 움직인다거나. 어디 이상한 덴 없어요?
도희	(경계하며 몸을 빼는) 왜 이래? 아까부터.
구원	(도희 억지로 뉘이고 이불까지 덮으며) 우선 좀 누워요. 의사가 괜찮다고 할 때까지 무리하지 않는 게 좋아요.
도희	(누운 채 썩은 표정)
신 비서	제가 불러오겠습니다, 의사.

신 비서 나가자마자, 이불을 걷어차며 벌떡 일어나는 도희.

도희	무슨 꿍꿍이야?
구원	(본래 말투로) 뭐가?
도희	그래. 원래 이런 캐릭터잖아. 젠틀. 자상. 그런 거랑은 거리가 아주 먼.
구원	남들이 보면 구 남친인 줄 오해한다며. 네 부탁대로 남들 앞에선 존댓말 하는데 왜.
도희	구 남친이 아니라 현 남친으로 오해하게 할 셈이야?
구원	이래도 불만 저래도 불만. 대체 어쩌란 건지.
도희	(문득) 우리 차로 친 범인은? 잡았어?

구원	금방 잡을 거야. 그렇게 디테일하게 인상착의를 설명했는데 못 잡으면 바보지. 그보다 몸은 정말 괜찮은 거야?
도희	여기저기 쑤시긴 하지만 괜찮은 거 같네… 그쪽도 괜찮은 거지?
구원	안타깝게도 난 전혀 괜찮지 못해. 그래서 여태 기다렸고. (손가락으로 도희 손목 가리키면)
도희	(그제야 타투 발견하고) 뭐야? 이 판박이 스티커는?
구원	(어이없는) 뭐 판박이…?
도희	내 손목에 왜 이런 촌스러운 게 있는데!
구원	뭐, 촌스러?!
도희	(문질러 지우려 하면)
구원	(놀라) 뭐 하는 거야?
도희	(침까지 묻혀 가며 벅벅 문지르며) 이게 왜 안 지워져?
구원	(잡아 말리며) 그만해! 잘못되면 어쩌려고!
도희	이거 설마… 진짜 타투? 어젯밤에 대체 무슨 일이 있었던 거야…?

도희, 기억 더듬으면.

인서트	*해안 도로 위, 금 간 차창 너머 안개를 뚫고 걸어 나오는 구원.* *검은 눈동자에 핏빛 붉은 기가 돈다.*

인서트	*도희, 고요한 느낌에 조심스레 고개 들어 보면…* *마치 파도 속 서퍼의 시점처럼 주위에 생겨난 동그란 물의 터널.*

도희	! (떠오른 기억에 입 막고 놀라는데)
구원	다행히 기억나나 보네. 그쪽까지 정황을 모르면 막막할 뻔….
도희	나 그렇게나 취했던 거야? 우리 홍대 갔니? 넌 내가 그러고 있을 동안 옆에서 안 말리고 뭐 했어?
구원	(황당)
도희	(침대에서 튀어 내려와) 안 되겠어. 당장 레이저로 지져 버려야지.
구원	(그 말에 놀라 앞을 막으며) 안 돼! 레이저는.
도희	뭐야? 비켜. (옆으로 가면)
구원	(또 그 앞을 막는) 내 눈에 흙이 들어와도 절대 안 돼!
도희	네가 무슨 조상님이야? 내가 내 손목에 레이저를 쏘든 뽀로로를 덮어 씌우든 네가 뭔 상관인데?
구원	(충격) 뽀로로… (손목 잡으며) 네 손목에 털끝 하나라도 건드렸단 봐. 내가 아주 가만 안 둬.
도희	(기가 막힌, 손목 빼며) 내 손목이거든?
구원	(다시 손목 잡는) 내 타투거든?
도희	그게 무슨 개소리야?
구원	나도 모르는 사정상 지금은 네 손목에 있지만 원랜 내 거라고!
도희	이런 또라이 같은… 놔!
구원	못 놔!
도희	놓으라니까!
구원	못 놓는다니까!

손목 잡고 실랑이하는데….

도희	좋은 말 할 때 놔.
구원	싫어. 무슨 짓을 할 줄 알고.
도희	마지막 경고야. 하나, 둘, 셋!

화난 도희, 다른 손으로 따귀 때리려는데…
구원이 그 손을 쳐다보자 막힌 듯 움직이지 않는 손.

| 도희 | 어? 이게 왜 안…. |

구원, 놀라 도희 손목 잡은 손을 내려다보면 손가락 사이로
일렁이며 빛나는 불꽃.
손 풀자 불빛 사라지며 구원의 뺨을 '쫙!' 후려치는 도희의 손.

도희	… 되네?
구원	(따귀 맞고 돌아간 구원의 뒤통수) …
도희	아니, 내가 세게 때리려고 한 건 아닌데 안 움직여서 힘을 주다 보니까….
구원	역시… (천천히 고개 돌리면 분노한 얼굴) 죽을 뻔한 걸 구해 줬더니 도둑질을 해?
도희	뭐 도둑질? (화나고)
구원	내가 미쳤지. 너 같은 인간은 살인마한테 죽든 말든 그냥 놔두는 건데.
도희	미친 건 나지. 너 같은 쓰레기는 그냥 물고기 밥이 되게 두는 건데. 물에 빠진 사람을 구해 줬더니 타투를 내놓아라?

구원	구하긴 누가 구해? 내가 널 구했지!

신 비서와 의료진 들어서자 싸움 멈추고 서로를 노려보는 두 사람.

의사	(도희에게 다가와) 어디 불편한 데 있으세요?
도희	마음이 불편하네요.
의사	(갸웃) 여기 좀 보실게요. (도희 동공에 플래시를 비추면)
구원	선생님, 도희 씨 설마 괜찮은 거 아니죠? 아, 괜찮냐고 묻는다는 게.
의사	탈진 증상도 사라졌고 모두 정상입니다.
도희	정상이라뇨, 선생님. 전 미친 게 틀림없는 걸요.
의사	?
신 비서	(수습) 저희 대표님이 워낙 일류시라 이런 때일수록 유머가 넘치십니다.
의사	아, 네….

서로를 노려보다 팽하니 고개 돌리는 구원과 도희.

S#4. **병원 복도 (낮)**
복도를 걸어오는 박 형사와 이 형사.
저만치 도희 병실에서 나온 의료진들 보이고.

박 형사	정구원이랬나?
이 형사	그 멀끔하게 생기고 말투 싸가지 없는 피해자요?
박 형사	(눈을 날카롭게 빛내며) 아무래도 맘에 자꾸 걸린단 말이야.
이 형사	(긴장) 왜요?
박 형사	그런 옷은 어디서 살까? 많이 비쌀까? 나한테도 어울릴 거 같지 않냐?
이 형사	박 형사님이 부러운 건 그 옷이 아니에요.
박 형사	그럼?
이 형사	그걸 입은 사람의 얼굴, 몸매. 뭐 존재 그 자체?
박 형사	(끄덕끄덕 수긍하다 기분 나쁜) 넌 수사할 때나 좀 그렇게 날카로워 봐라. 쓸데없는 데서 재능 낭비야.

병실 앞에 멈춰 문을 열고 들어서는 두 사람.

S#5. **병원 1인실 (낮)**

박 형사	안녕하십니까~ (구원 보더니) 어? 아직 계셨네요?
구원	네. (새침하게 타투 보며) 무사한 걸 보고 가야 마음이 놓일 거 같아서.
도희	보시다시피 너무 무사해서. 이제 가 보시는 게?
박 형사	무사하시다니 다행이네요. 아, 저는 대표님 사건 담당 박경수 경사입니다.
신 비서	(도희에게) 회장님은 물론 외부에 알려지지 않게 미리 부탁드

렸습니다.

도희   좋네요.

박 형사   이거 쉬셔야 하는데… 죄송합니다. 피해자 진술이 필요해서요.

도희   범인 잡는 게 우선이죠.

이 형사   (그 소리에 노트북을 펼치고)

박 형사   근데 두 분, 맞선 때문에 만나셨다면서요? 이 정도 인연이면
            결혼하셔야 되는 거 아니에요?

두 사람   (동시에) 아니에요!

도희   제가 비혼주의자라.

구원   전 독신주의자라.

신 비서   어쩌다 보니 비혼주의자와 독신주의자가 맞선을 다 봤네요.

구원   누가 그랬죠. (따지듯 도희 보며) 맞선과 교통사고는 나만 잘한다
            고 피할 수 있는 게 아니라고.

도희   (지지 않고 구원 보며) 과실 비율이란 게 있죠. 안전거리 미확보도
            과실이니까.

            그때 구원, 휴대폰 알람 울려 보면 '계약 만료' 일정.

구원   저는 이만 선약이 있어서.

박 형사   예, 예. 가 보셔야죠.

구원   도도희 씨. 그럼 몸 관리 잘 (강조) 하세요. 다시 볼 때까지 레
            이저도 뽀로로도 멀리하시길.

            묵례하고 나가는 구원의 뒷모습을 흘기며 타투가 새겨진 손

목을 비비는 도희.

S#6.   **선월극장 이사장실 (낮)**
'이사장 정구원' 이라는 명패 너머에 앉은 복규.
앞치마를 한 채 한 손에는 먼지떨이, 한 손에는 'Demon'이라
쓰인 녹색 양장본을 펼쳐 들고 읽는데…
구원이 들어서자 '후다닥' 책을 뒤로 숨긴다.

구원   내 놔.

복규   (책상을 빙빙 돌아 도망치며 소리 내 읽는) 데몬의 존재 이유는 계약이
          므로 새로운 계약을 하지 않거나 계약 만료의 약속을 일 초라
          도 어기면 자연 발화 된다… (놀라 걸음 멈추는) 자연 발화?

구원   (책 뺏으며) 왜 남의 걸 보고 그래?

복규   남이라니? 피보다 진한 월급으로 맺어진 우리 사이에.

구원   어떻게 찾아낸 거야? 분명히 내가 꽁꽁 숨겨 놨는데.

복규   대청소하다… 그냥 좀 보자. 집사인 내가 데몬 사용 설명서를
          못 보는 게 말이 돼?

구원   사용 설명서라니. 데몬이 무슨 무선 청소긴 줄 알아?

복규   사용 설명서가 아니면 뭔데?

구원   내 존재에 대한 모든 게 적혀 있는 일종의… (말문 막히는) 여튼
          엄청난 책이라고. (의자에 앉아 책상 서랍에 넣고 번호 키로 잠그는)

복규   자연 발화면 이사장이 불에 타 없어진다는 거야?

구원   … (말 없는 긍정)

복규	살벌하네… 계약은 며칠에 한 번씩 해야 되는데? 일주일? 한 달?
구원	몰라. 그래서 더 쫄린다고.
복규	어쩐지. 한량인 이사장답지 않게 너무 성실하다 했다.
구원	됐고, (도희 명함 건네며) 이 여자 뒷조사 좀 해 봐.
복규	(명함 받으면) 도도희?
구원	가족 관계, 혈액형, 연애사, 누구랑 사는지, 하다못해 탕수육이 부먹인지 찍먹인지 하는 사소한 취향까지 싹 다.
복규	누구길래 이사장이 이렇게까지 공을 들일까아~? 어제 데이트했다더니 혹시…. (은근한 눈빛으로 보면)
구원	도둑이야.
복규	(더 은근해지는 눈빛) 마음을 훔쳐 간 도둑?
구원	그 눈빛 참 맘에 안 드네.
복규	어? 그러고 보니 없어졌다.
구원	(뜨끔) 뭐가?
복규	(손목 가리키며) 타투.
구원	아~ 난 또.
복규	난 또? 사라진 게 타투 말고 뭐가 또 있나 봐?
구원	(시치미) 없어.
복규	그러고 보니 분위기도 뭔가 평소랑 다른 게….
구원	전혀.

복규, 책상 위 화병의 물을 촥 뿌리면, 구원, 재빨리 핑거스냅을 '딱!' 치지만 그대로 눈 감으며 물 맞고.

복규	능력이 없어졌다!
구원	(눈 감은 채 빠직) 적응 안 되네, 진짜.
복규	능력이 없어지면 우리 이사장은 불타서 없어지고 그럼 난 하루아침에 실직자가 되고… (입 막는) 헉. 나 이번에 새로 뽑은 차 할부는 어떡해?
구원	(발끈) 지금 이 상황에서 할부가 중요해? 내가 능력을 잃었는데?
복규	(급 차분해지는) 역시 능력이 없어진 게 맞구나? (구원의 행커치프 뽑아 얼굴 닦아 주고)
구원	(행커치프 확 뺏어 스스로 닦으며) 아니야, 없어진 거. 그냥….
복규	그냥?
구원	잠시 대여를 해 줬달까?
복규	아~ (명함 가리키며) 이 도둑님께? 어쩌다.
구원	몰라. 그 여자가 무슨 짓을 했는지 능력이 말을 안 듣더니 타투도 옮겨 갔어.
복규	자세히 좀 얘기해 봐.
구원	나중에. (이사장실 나서면)
복규	능력 찾으러 가게?
구원	급한 불부터 꺼야지. 오늘 만료되는 계약 있어.
복규	뭘 어쩌려고 능력도 없는 주제에.
구원	왜 이래~ 나 데몬이야~ 내가 데몬으로 살아온 세월만 이백 년인데 영혼 수거 따위 껌이지.

구원, 자신만만한 표정으로 나서는데….

S#7.　　　　레슬링장 복도 (낮)

'우당탕탕!' 요란하게 밖으로 내던져지는 구원.

아파하는 구원 앞에 서는 레슬링 복 차림의 두환, 씹던 껌을 '퉷!' 뱉자.

구원　　　(안 아픈 척 털고 일어서며) 껌을 왜 아무 데나 뱉고 그래. 너 바닥에 눌러 붙은 껌 떼기가 얼마나 힘든 줄 알아?

그때 두환의 뒤로 나타나는 열 명 남짓의 레슬러들.

똑같은 포즈로 흔들흔들 레슬링 공격 자세를 취하자.

구원　　　왜 이렇게들 모여 있어, 징그럽게.

두환　　　맘에 들어? 내가 진짜 올림픽도 이 정도론 준비 안 했다.

구원　　　감동은 충분히 받았고 이제 그만 아름답게 가자.

두환　　　알아보니까 과도한 대가를 요구하는 계약을 불공정 계약이라고 하더라고. 그 말은 내가 빚진 게 없다 이 말이지.

구원　　　이제 이 짓도 못 해 먹겠네. 인간들이 갈수록 뻔뻔해져. (요란하게 몸 풀며) 너희들이 지금 누굴 상대하는지 모르나 본데, 그렇다면 내가 가르쳐 주지. 덤벼! 한 명씩. (우루루 덤비자) 한 명씩 덤비라니까. 이렇게 스포츠맨십이 없어서야.

떼로 달려드는 레슬러들의 레슬링 복 나시 끈을 '우다다' 당겼다 놓는 구원. 레슬러들, 고무줄처럼 맞고 따가워 죽는데…

뒷줄에서 달려드는 레슬러들과 육탄전을 벌이는 구원.

한 명의 얼굴에 주먹을 날리고는 갸우뚱.

구원   넌 아까 나한테 맞지 않았어? 다들 왜 이렇게 똑같이 생겼어?

그때 구원 뒤의 문 벌컥 열리면, 문 뒤에 선 수십 명의 레슬러.

구원   하! 내가 진짜 이렇게까진 안 하려고 했는데….

구원의 매서운 눈빛에 두환, 움찔하는데…
창밖으로 휙 몸을 던지는 구원, '우당탕탕' 차양을 부수며 떨
어진다.

구원   (차양 깔고 누운 채) 으으으~

두환과 레슬러들, 창밖으로 고개 빼꼼 내밀어 구원을 보면.

구원   (주섬주섬 자리에서 일어나 위를 향해 큰소리) 너 내가 가만 안 둬! 아
주 혼쭐낼 거야!

두환과 레슬러들이 창을 뛰어넘으려 하자, 도망쳐 달리는 구원.

S#8.   **병원 1인실 (낮)**
         환자복을 벗고 일상복으로 갈아입는 도희, 블라우스 단추를

잠그며 생각에 잠겼다.

신 비서, 뒤에서 기다리고 선 채.

신비서   사고 난 대표님 차량은 폐차 처리했고 오늘부터 새로운 차로
           이동하실 수 있게 준비했습니다.

도희   하필 그 레스토랑에서 혼자 식사를 하고, 또 하필 그 새벽에
           해안 도로에 나타나고. 그냥 우연이라기엔 말이 안 돼요. 이
           건 백 퍼센트 확실한….

신비서   … 운명?

도희   신 비서님 보기보다 낭만적이시다.

신비서   죄송합니다. 낭만적이라.

도희   수작이죠. 내 주위를 빙빙 돌면서 틈을 노리는 수작.

신비서   틈이요?

도희   계약을 성사시킬 틈. 남이 죽게 생겼는데 계약 어쩌고 하더라
           고요.

신비서   도대체 무슨 계약이길래 그렇게까지….

도희   그니까. 하지만 궁금해 할 필요도 없어요. 그렇게 집요하고 치
           졸한 방법을 쓴다는 건 분명 우리에게 유리하지 않은 계약이
           란 뜻이니까. (소매 단추 채우면)

신비서   타투 하셨네요?

도희   술이 웬수죠.

단추 다 채운 도희, 손 내밀면 신 비서, 태블릿을 건네고 태블
릿 속 미래 F&B 주가가 파란색 화살표로 내리막이다.

도희	설탕 주스 기사 터진 지 하루 만에 10프로나 떨어졌네요?
신 비서	외국인과 기관의 매도율이 심상치 않습니다.
도희	(태블릿 도로 건네고)
신 비서	회사로 바로 갈까요?

도희, 거울을 통해 옷매무새를 점검하며 다시 생각에 잠기는데.

인서트	**수건으로 코와 입이 막힌 도희의 뒤에서 광철, 속닥이듯.**

광철	*주천숙. 그게 이유야. 네가 죽는 이유.*

도희, 표정 심각해지며.

도희	주 여사한테 먼저 들릴게요.

S#9.	**형사과 (낮)**
	프린터에서 출력되는 광철의 몽타주를 집어 가는 이 형사의 손.

이 형사	(박 형사에게 건네며) 몽타주 나왔습니다.
박 형사	(받아 보더니) 크… 몽타주 퀄리티 봐라~ 이제 잡는 건 시간문제네.

몽타주로 줌 인 되면.

S#10. **소극장 (낮)**

동굴처럼 어두컴컴한 지하 극단에 울려 퍼지는 이치현과 벗님들의 '당신만이' 노랫소리.

소리를 따라 분장실로 다가가면….

S#11. **소극장 분장실 (낮)**

거울에 붙은 조명만이 빛을 밝히는 어두운 분장실.

머리에서 흘러내린 피가 온 얼굴에 말라붙은 광철이 얼굴을 뜯어내고 있다. 그의 손길에 몽타주 속 특징들이 모두 뜯겨 나가고…

매끈해진 얼굴을 손으로 비비면 드러나는 광철의 민낯.

평범하다 못해 말갛기까지 한데…

도희가 해변가에 앉아 술 마시는 사진을 들어 벽에 붙이는 광철.

그 옆으로 열댓 개의 사진이 붙었는데 차 팀장과 대리 기사를 포함해 사진 속 인물들이 하나같이 목을 긋듯 붉은 선이 그어져 있다.

유일하게 표시가 없는 사진 속 도희를 보며 피가 말라붙은 손으로 뒷목을 '벅벅' 긁어 대는 광철.

긁던 손을 들어 사진 속 도희의 얼굴을 만지려는데…

'쾅! 쾅! 쾅!' 요란하게 문 두드리는 소리에 '휙' 고개 돌리는
광철.

S#12. **소극장 앞 (낮)**
'환상 소극장'이라는 낡은 간판 아래 철문을 두드려 대는 희
끗한 머리의 할아버지.

건물주 안에 있어? (중얼) 소리는 들리는데….

다시 문 두드리려는 순간 문이 반만 열리며 모습을 드러내는
광철.
모자를 눌러써 머리의 상처를 가렸다.

광철 무슨 일이시죠?
건물주 아니 월세는 꼬박꼬박 들어오는데 사람은 코빼기도 안 보이
   니까. (광철의 시선에) 아, 나 여기 건물주. 극단주 양반은 안에
   있나? (기웃거리면)
광철 (막아서는) 아뇨. 지방 공연 중이셔서. 오시면 연락드리라고 할
   게요. (황급히 문 닫으려는데)
건물주 (문 잡고 광철 얼굴 살피며) 낯이 익은데… 배우야?
광철 … 네.
건물주 언제부터 여기 있었어? 내가 모를 리가 없는데.
광철 관두고 다른 일 좀 하다 돌아온 거라….

건물주	하긴, 천성이 어디 가나. 천성은 못 버리지.
광철	그니까요. 한번 맛을 보니까 못 끊겠더라고요. (입가에 슬쩍 떠오르는 미소)
건물주	(문 잡은 광철의 손 보더니) 손에 그 피는 뭐야?
광철	(손 치우며) 아… 분장이에요.
건물주	누가 보면 사람 죽인 줄 알겠네.
광철	(눈빛 싸해지고)
건물주	극단주 양반 오면 내가 얼굴 좀 보잔다 전해 줘. (돌아서는데)
광철	저기….
건물주	(돌아보면)
광철	천장에서 물이 좀 새는데요….
건물주	어디?
광철	무대 뒤쪽에… 한번 보시겠어요?
건물주	그게 왜 또 그런대….

건물주, 구시렁거리며 들어서면 주위 살피며 문 닫는 광철.
서서히 닫히는 문 너머 광철의 눈빛, 빛나는데…
이내 문 닫히며 '철컹'.

S#13.   **병원 VIP실 (낮)**
천숙의 병실에 도희, 들어서면 일상복으로 갈아입은 천숙이
앉아 옷매무새를 만지고 있다.

도희	검사 다 끝났어?
천숙	그래. 아주 깨끗하대.
도희	다행이다~ 깨끗하다니까 얼마나 마음이 편해. 막상 해 보니까 별거 아니지?
천숙	괜히 시간만 버렸지 뭐. 우리 화초 새끼들은 잘 있으려나~ 빨리 가서 비료 줘야 하는데.
도희	내가 집까지 모셔다드릴게.
천숙	(도희 보며) 안 바빠? 너네 회사 시가 총액이 이천육백억이나 빠졌던데.
도희	수습 중이에요.
천숙	누구 짓이야?
도희	(숨기는) 몰라요, 아직.
천숙	도움 필요하진 않고?
도희	됐어요. 도움 받으려면 진작에 받았지. 이제 와서 주 여사 빽 쓰면 내가 억울해.
천숙	('피식' 웃으며 지팡이 들고 일어서는데)
도희	저기… 주 여사. 실은 나 물어볼 게 있는데….

그때 '똑똑' 두드리는 노크 소리 들리고.

| 천숙 | 네~ |

의사들을 줄줄이 데리고 들어서는 병원 원장.

최 원장	주 회장님~
천숙	어~ 최 원장. 뭐 하러 배웅까지.
최 원장	계시는 동안 불편한 건 없으셨나 싶어서.
천숙	불편은. 덕분에 내가 푹 쉬었다 가지.

지팡이를 짚고 절뚝이며 줄줄이 선 의료진들과 악수하는 천숙을 보며 도희, 질문을 삼키고….

S#14. **주천숙 자택 온실 (낮)**
이내 화초들을 정성스레 살피는 천숙의 손길.

천숙	아유~ 이놈들 그새 시들해진 거 봐.
도희	똑같네, 뭘.
천숙	똑같긴. 그동안 나 없어서 잎이 축 처졌구먼. (쪼그리고 앉아 비료 주기 시작하면)
도희	좀 쉬어. 또 무릎 아프단 소리 하지 말고.
천숙	아프단 소리 안 해. (가방에서 약통 꺼내 보이며) 이거 잔뜩 받아 왔거든.
도희	진통제가 무슨 보약인 줄 알아. 꼬박꼬박 챙겨 먹게. (모종삽 뺏는) 줘요. 내가 할게.
천숙	관둬. 옷 버려.
도희	(장갑 끼며) 애초에 아플 일을 안 만들면 되잖아. 진통제 자꾸 먹다가 큰일 난다니까. 중독이야 뭐야?

천숙 진통제가 나빠 봤자 네 잔소리만 할까. 늙으면 원래 그냥 가
      만히만 있어도 아파. 그나마 이렇게 움직여서 덜 아픈 거래
      도. (화초에 맺힌 꽃망울들을 사랑스럽게 보며) 꽤 여물었네, 요놈들.
      조만간 피겠어.

도희 (비료 주며 표정 진지해지는) 실은 나 물어볼 게 있는데….

천숙 (꽃망울에 정신 팔려) 물어봐.

도희 주 여사… 혹시… 혹시 말이야….

천숙 뭔데 너답지 않게 이렇게 뜸을 들여? (가위 들어 가지치기 시작하고)

도희 나한테 뭐 숨기는 거 없지?

천숙 없긴. 난 몸속에 피 대신 뻥이 흐르는 인간이야. 사업하는 인
      간이 솔직하면 그걸 얻다 써먹어?

      천숙의 손끝에서 잔가지들이 싹둑싹둑 잘려 나가는데….

도희 나 진지해.

      천숙, 고개 들어 도희를 보면 도희의 심각한 얼굴.

천숙 (그런 도희 빤히 보더니) 네가 솔직하라면 솔직할게.

도희 정말 나한테 뭐 숨기는 거 있어?

천숙 (뭔가 말하려나 싶더니) 없어. 내가 너 같은 귀신한테 뭘 어떻게
      숨겨?

도희 그럴 줄 알았어, 내가 우리 주 여사 말을 믿어야지 누구 말을
      믿어.

천숙	어디서 무슨 소릴 들었길래?
도희	아니야~ 그냥 갑자기 궁금해서.
천숙	싱겁긴….

도희, 홀가분한 표정으로 비료를 마저 주고, 가지치기하는 천숙의 얼굴에 불안감 스치는데….

석훈	(off) 오자마자 바쁘시네요.

도희와 천숙이 보면 입구에 선 석훈, 한 손에 서류를 들었다.

도희	좀 쉬래도 말을 안 들어.
천숙	자식 농사는 망쳤으니 화초 농사라도 잘해야 될 거 아냐.
석훈	(다가와 서며) 요샌 다들 조용하지 않아요?
도희	그니까. 석민 오빠 완전히 정신 차린 거 같던데.
천숙	지도 나이가 있는데 그래야지. 그놈 정신 차리게 하려고 내가 별짓을 다 했는데.
석훈	(서류 건네며) 지난 분기 수익률 보고서요.
천숙	(서류 뒤집어 제일 마지막 장만 보고는) 괜찮네.
석훈	결과만 보지 말고 과정도 좀 봐줘요. 내가 얼마나 애썼는지.
천숙	내가 그것까지 알아야 되냐?
석훈	이렇게 칭찬에 인색하시다.
도희	(장갑 벗고 일어서며) 난 이제 가 볼게요.
석훈	같이 가자.

천숙	(석훈에게) 넌 오자마자 가?
석훈	고모님 돈 불려 주려면 쉴 틈이 어딨어요. (도희에게) 사무실로 가지?
도희	응.
천숙	(나란히 선 도희와 석훈 보더니 슬쩍 떠보듯) 니들 그렇게 혼자 일만 하다 늙어 갈 거 같으면 둘이 결혼하는 건 어때?
석훈	(당황) 네?

석훈이 뭐라 말하기도 전에 도희, 몸서리치며.

도희	아~ 진짜. 왜 이상한 소릴 하고 그래?
천숙	뭐가 이상해? 니들이 피가 섞이길 했어, 호적이 얽히길 했어?
석훈	고모님도 참….
도희	(석훈에게) 신경 쓰지 마. 주 여사 요새 내 결혼에 완전 꽂혀서 저래. 갈게, 주 여사. 계속 있다간 또 무슨 말을 들을지 무섭네.
천숙	알았어. 둘이 아니면 아닌 거지.
석훈	(머리 긁적이며) 담에 봬요, 고모님.

가위 치기 하며 보지도 않고 손짓으로 가 보라고 하는 천숙.
뒤늦게 고개 돌려 나가는 도희 뒷모습 보는 천숙의 표정 어두워지는데…
다시 고개 돌려 가지치기하는 천숙의 가위에 싹둑 잘려 나가는 꽃망울 하나.

S#15.　　**주천숙 자택 온실 앞 (낮)**

온실을 나서 나란히 걷는 도희와 석훈.

도희　　　오빠도 사무실?

석훈　　　응. (주머니에서 차 키 꺼내는데)

도희　　　(그걸 미처 모르고) 데려다줄까? 아, 오빠도 차 갖고 왔지?

석훈　　　아니. (차 키 도로 넣으며) 택시 타고 오는데 잘됐다. 내가 운전해
　　　　　줄게.

도희　　　오빠가?

석훈　　　간만에 드라이브 좀 하고 싶네.

도희, 갸웃하고 기분 좋은 미소 띠는 석훈.

S#16.　　**도희의 차 안 (낮)**

운전 중인 석훈, 이게 아닌데 싶은 표정인데…
빠지면 그 옆에 앉은 건 표정 없는 신 비서다.
뒷자리에 앉은 도희, 석훈의 표정에.

도희　　　왜 그래? 어디 불편해?

석훈　　　아니. 완전 편해. (신 비서에게) 신 비서님도 편하시죠?

신 비서　　(태블릿 보며) 덕분에 업무도 볼 수 있고, 감사합니다.

석훈　　　뭐 이 정도 가지고.

신 비서　　(도희에게) 정구원 씨한텐 어떤 식으로든 사례를 하는 게 좋지

	않을까요? 지난번 식사비도 그렇고.
도희	맞네요. 이대론 빚진 기분이니까.
석훈	누군데 네가 빚을 져?
도희	응, 나랑 맞선 본 남자.
석훈	('끼익' 급정거)

다들 앞으로 '훅' 쏠리고.

석훈	도희야! 괜찮아?
도희	어. 괜찮아.

도희 먼저 살핀 석훈, 옆의 신 비서를 보는데…
신 비서, 엎어졌던 고개를 들면 쌍코피가 주룩.

석훈	헉. 신 비서님….

점프하면, 휴지로 코를 막은 신 비서가 운전하고 뒷좌석에 나
란히 앉은 도희와 석훈.

석훈	(미안한) 신 비서님 정말 괜찮으세요?
신 비서	제가 운전하면 괜찮습니다.
석훈	죄송해요.
도희	내가 맞선 본 게 그렇게나 놀랄 일이야?
석훈	아직 너무 이르기도 하고 너답지 않으니까… 갑자기 맞선은

	왜 본 거야?
도희	맞선을 뭐 하러 보겠어.
석훈	너… 결혼하게?
도희	아니. 주 여사가 하도 소원이라길래.
석훈	아~ (안심하고)
도희	난 결혼 생각 없어.
석훈	그럼 나도 없어.
신 비서	(귀 쫑긋)
도희	그럼 나도?
석훈	(당황) 아니, 네가 안 한다니까 그게 유행인가 해서.
도희	유행이라면 유행이지. (석훈 셔츠의 얼룩이 눈에 띄자 들여다보며) 근데 이건… 짬뽕 국물?
석훈	어? 어제 먹었는데.
도희	으~ 증말 싫다. 집에 좀 들어가. 투자사 대표라는 사람이 넥타이는 또 이게 뭐냐?
석훈	(만지작대며) 이 정도면 훌륭하지. 이게 내 최선이야.
도희	(넥타이 풀어 다시 매주기 시작하며) 멀쩡하게 생겨서 도대체 뭐가 문젠지…
석훈	나한테는 히피의 피가 흐르잖아.
도희	('피식' 웃고)
석훈	(그런 도희를 내려다보며) 도희야.
도희	응?
석훈	너네 회사 주가 떨어진 건 우리가 최대한 매수할 테니까….
도희	(넥타이 꽉 올리면)

석훈	컥.
도희	이래서 주가 조작, 내부 거래 그런 말이 생기는 거야.
석훈	(목 막힌 채) 투자의 측면으로만 봐도 미래 F&B 주식은 충분히 매력적이야. 아무리 너라도 가능성 없으면 단 일 원도 투자 안 해.
도희	(느슨하게 풀어 주며) 걱정 마. 내 손으로 해결할 거야.
석훈	내가 깜빡했네. 도도희 멋진 거.

넥타이를 완성한 도희, 손 떼는데 앞은 짧고 뒤가 길고 엉망이다.

도희	다시 매자. (넥타이에 달려들면)
석훈	(피하며) 왜 난 맘에 드는데? 신 비서님, 멋지지 않아요?
신 비서	(힐끗 보더니) 네. 무척이나 그렇네요.
석훈	역시 도희 넌 트렌드 세터야.
도희	또 놀린다.
석훈	놀리는 거 아냐.
도희	다시 하자니까.
석훈	싫다니까~

실랑이하는 도희와 석훈이 안 들리고 안 보이는 듯 운전에만 집중하는 신 비서.

S#17.   **선월극장 이사장실 (낮)**

책상에 앉아 'Demon' 양장본을 훑는 구원, 책의 마지막 장이
끝나자.

구원   없어? 타투를 어떻게 찾아오는지는커녕 옮겨 간다는 얘기 자
체가 없잖아?

책을 '탁!' 덮는 구원, 휴대폰을 들어 전화를 건다.

구원   박 실장님? 도도희 뒷조사는 어떻게 됐어?

S#18.   **미래 F&B 앞 (낮)**
미래 F&B 건물 앞에 도희의 차가 도착하면…
차 문이 열리고 땅을 딛는 도희의 하이힐.

S#19.   **미래 F&B 사무실 - 미래 F&B 로비 (낮)**
책상 위 타로카드를 '주르륵' 펼쳐 한 장 뽑아 드는 손.
악마 카드다!
카드를 뽑은 홍보팀 정미와 뒤에 선 한 팀장, 한성 동시에 '히
익~' 놀라 부산스레 허둥대는데…
비장한 음악과 함께 로비를 가로지르는 도희의 모습 슬로우
되며.

복규	⒠ 이름 도도희. 혈액형은 AB형. 미래 그룹 소공녀, 에르메스를 입은 악마, 도도희의 탈을 쓴 도라희 등등 아주 별명 부자야.

S#20.	**선월극장 이사장실 (낮)** 소파에 앉아 허브티를 마시며 설명하는 복규.
복규	원래 재벌가 출신은 아니고 부친은 가전에 들어가는 메탈 크로스 베어링을 개발한 기술자, 모친은 미용실을 운영하던 미용사였어. 늦은 결혼에 귀하게 얻은 외동딸이지. 복규 너머 책상에 앉아 포털 사이트에 뜬 도희의 인물 정보란을 보고 있는 구원의 감정 없는 표정 위로.
복규	(off) 17년 전 생일에 교통사고로 부모님을 잃었는데 당시 도도희의 나이는 11살. 고아가 된 도도희를 미래 그룹 주천숙 회장이 거둬들였어. 부친이 주천숙 회장과 함께 미래 그룹의 모기업, 미래 전자를 만든 창립 멤버거든.

S#21.	**미래 F&B 엘리베이터 앞 (낮)** 엘리베이터를 기다리며 선 도희와 신 비서. 도희, 엘리베이터가 내려오는 화살표를 올려다보며 '띠-' 한 표정인데.

도희	저 화살표, 지금 우리 회사 꼬라지 같지 않아요?
신 비서	원래 사람이 실연하면 모든 노래가 다 내 사연 같고 그런 법이죠.
도희	난 안 그러던데.
신 비서	대표님께선 항상 찬 쪽이니까.
도희	그럼 내가 지금 남친이랑 헤어질 때도 못 느끼던 감정을 느끼는 거다?

'띵!' 하는 소리와 함께 엘리베이터 도착하자 올라타는 두 사람.

S#22.　　**선월극장 이사장실 (낮)**

복규　　그동안 아주 빡세게 살았더라고. 전교 1등을 놓친 적이 없고 대학교도 조기 졸업. 대학 때 직접 디저트 회사를 차렸는데 7년 만에 업계 1위로 만들었어. 그게 바로 미래 F&B. 미래 그룹이 계열사로 인수했거든.

구원, 책상 위에 놓인 음료를 마시려다 병을 보면 선명히 박힌 미래 F&B 로고.

S#23.　　**미래 F&B 엘리베이터 안 (낮)**

적막 속 엘리베이터를 타고 올라가는 도희와 신 비서.

광고판에서는 어울리지 않게 발랄한 음악이 흘러나온다.

도희   내일 우리 회사의 꼬라지는….

고개 들어 층수 표시판을 보면 올라가는 빨간 화살표.

도희   (눈빛 변하며) 저래야 해요. 반드시.

S#24.   **미래 F&B 회의실 (낮)**
도희가 자리에 앉으면 쪼르르 들어서는 홍보팀들.
한 팀장과 정미, 눈알을 굴리며 분위기 살피는데 한성은 눈치
없이 해맑다.

한성   안녕하십니까!
도희   안녕은 못하죠. 이천육백억을 손해 봤는데.
한 팀장   반박 기사를 계속해서 내고 있습니다.
도희   효과가 없네요?
정미   왜곡 기사, 악플. 보이는 대로 고소를 때리고 있습니다.
도희   그것도 마찬가지. 뭔가 파격적인 아이디어 없어요?
한성   무대응은 어떨까요? 시간은 모든 걸 희미하게 만드니까.
도희   아주…. (뜸 들이는 도희에 다들 긴장하고)
한성   (기대에 차) … 신박하다?
도희   시를 쓰고 앉았네요.

한 팀장	얘가 문과 출신이라.
도희	문학 공모전에 나가 봐요.
한성	(밝아지는 표정)
도희	떨어지겠지만.
한성	(시무룩) 죄송합니다.
도희	공룡이 왜 멸종한 줄 알아요?
한 팀장	행성 어쩌고 했던 거 같은데….
도희	(도리도리) 몸값에 걸맞은 성과를 못 내서. 그래서 멸종한 거예요.

홍보팀, 고개 숙이고….

신 비서	(속닥) 노수안 대표 스케줄 확인했습니다.
도희	(홍보팀에게) 문제를 해결하려는 방어적인 태도에 갇혀 있지 말고 공격적으로 생각하세요. 청소는 더럽힌 사람한테 맡길 거니까.

S#25.   **선월극장 이사장실 (낮)**
다시 이사장실로 돌아오면.

복규	현재는 싱글. 몇 명 사귀긴 했는데 공부하랴 일하랴 다들 오래가진 못했더라고. 아, 그리고 탕수육은 부먹.
구원	이런. 탕수육은 찍먹인데.

여태 감정 없이 듣던 구원, 진심으로 안타까워한다.

S#26. **미래 F&B 사무실 (낮)**
       회의실을 나서는 도희, 옆에 따라붙어 걷는 신 비서에게.

도희   혼자 갈 테니까 신 비서님은 법무팀이랑 회의하고 보고서 올
        리세요.

신 비서 제가 모시겠습니다.

도희   내 말이라면 무조건 따르신다던 분이?

신 비서 어제 그렇게 혼자 가시게 하는 게 아녔어요.

도희   (뒤돌아 신 비서의 걱정스러운 눈빛 보더니) 난 그냥 운이 나빴을 뿐
        이에요. 신 비서님 잘못은 물론 내 잘못도 아니라고요.

신 비서 하지만….

도희   나 자신을 탓하고 주위 사람을 탓하고, 그렇게 약해지고 싶지
        않아요. 그럼 그놈한테 지는 거니까. 날 지게 할 셈이에요?

신 비서 (옅은 미소) 그럴 순 없죠.

       신 비서를 등지고 홀로 걸어가는 도희, 굳건한 표정으로 스스
       로에게 말한다.

도희   이럴 때일수록 흔들리면 안 돼.

S#27.	선월극장 이사장실 (낮)

복규, 다 마신 빈 찻잔을 내려놓으며.

복규 내가 알아본 건 여기까지. 자, 이제 어떡할 거야?

생각에 잠기는 구원.
물이 담긴 와인 잔을 손가락으로 빙 돌리면 '우웅~' 울리며 진동음이 생기는데…
이내 손바닥을 '탁' 덮어 진동 멈추고는.

구원 내가 제일 잘하는 걸 해야지.
복규 그게 뭔데?
구원 인간의 마음을 홀리는 거.

자신만만한 미소가 구원의 입가에 떠오른다.

S#28.	백화점 프라이빗 쇼핑룸 (낮)

옷이 즐비하게 걸린 행거를 끌고 방에 들어서는 백화점 직원들.
소파에 앉은 수안이 손짓하면 직원들 옷 들어 보이고, 수안, 맘에 드는 옷을 가리킨다.
수안이 삼면거울 앞에 서자 앞에 옷을 대 보이는 비서.

수안	괜찮네.

수안, 거울 앞으로 다가가면 비서, 옷 걸고 커튼 치며 빠진다.

수안	(옷 갈아입으며) 지금 미래 F&B는 난리겠네. 마이너스 몇 프로라고?
비서	20프로 좀 못 돼서 장 마감했습니다.
수안	(웃음 띤 얼굴로 말투만 걱정스럽게) 어떡하니. 우리 도희~ 기사 한 방이 이렇게 무섭다? 위로의 뜻으로 꽃이라도 보낼까 봐.

이내 커튼 거둬지면 수안, 새 옷을 뽐내며 나오는데…
그새 소파에 앉아 기다리는 도희.
수안과 같은 옷을 입고 화보처럼 앉았다.

도희	꽃은 됐어. 마음만 받을게.
수안	(당황) 너 지금 여기서 뭐해?
도희	뭐 하긴. 쇼핑하지.
수안	네가 지금 그럴 정신이 있어?
도희	쇼핑을 정신으로 하나? 돈으로 하지.

도희, 일어나 수안 옆에서 거울 보며 옷태를 뽐내면 도희의
젊음에 빛을 잃는 수안.

도희	역시 미래 어패럴 대표라 그런가 언닌 남자 보는 눈보단 옷

보는 눈이 훨씬 낫네.

부글부글 표정 관리 힘든 수안인데.

S#29.　　　**백화점 프라이빗 쇼핑 룸 밖 (낮)**
　　　　　점프하면, 문에 귀를 대고 엿듣는 비서와 직원들.

S#30.　　　**백화점 프라이빗 쇼핑 룸 - 구원의 차 안 (해 질 녘)**
　　　　　룸 안에는 도희와 수안, 단둘만 남았다.

수안　　　뭐 하는 거야? 아랫사람들 앞에서.
도희　　　그냥, 난 언니가 걱정돼서.
수안　　　(기가 찬) 네가 나를 걱정해?
도희　　　주식이야 열심히 하면 다시 오르지만 사생활이 까발려지는
　　　　　건 회생 불가잖아.
수안　　　사생활이라니? 누가 들으면 내가 무슨 대단한….

　　　　　도희가 말 대신 사진 한 장을 눈앞에 내밀면 말 멈추는 수안.
　　　　　한강변에 세워진 차 안에서 수안이 젊은 모델과 뜨거운 눈빛
　　　　　으로 서로를 탐하는 모습이다.

도희　　　언니만 나한테 관심 많은 거 아냐. 나도 언니한테 관심이 얼

마나 많은데.

수안   내가 분명히 다 막았는데. 네가 이걸 어떻게….

도희   언니보다 돈을 더 썼거든. 사랑에 빠진 게 죄는 아니지만 공
공장소에서 이러는 건 죄야. 공연음란죄는 1년 이하의 징역
이나 오백만 원 이하의 벌금에 처한다. 형법 제245조.

수안   너 지금 나 협박하니?

도희   아니. 협박은 아직 시작도 안 했는데? (휴대폰 울리자 받는) 여보
세요.

운전 중인 구원, 핸즈프리로.

구원   어디야?

도희   정구원?

구원   우리 좀 보지? 내가 지금 사고 후유증이 심각해서 말이야.

도희   뭐가 얼마나 심각한데?

구원   생업에 지장이 있을 정도야.

도희   아깐 멀쩡했잖아.

구원   못 믿겠으면 직접 눈으로 확인하는 게 어때?

도희   (생각에 잠겼다가) 잠실 대현 백화점으로 와. 나 시간 없거든? 늦
으면 그냥 간다. (전화 뚝 끊고)

구원   나야말로 시간이 없어.

인서트   **선월극장 이사장실 벽에 붙은 시계 하나.**
시곗바늘이 '달칵' 숫자 10 바로 앞으로 움직인다.

'부웅-' 속도를 높이는 구원.

도희   어디까지 얘기했더라? 아, 협박. (수안에게 바싹 붙어 서며) 잘 들
         어, 언니. 이제부터가 협박이니까.

수안   (뒤로 주춤)

도희   언니의 뜨거운 사생활이 기사화되면 미래 어패럴의 기업 이
         미지는 바닥을 칠 거야. 그뿐인가? 주 여사는 또 얼마나 노발
         대발할지….

수안   엄마한테 입만 뻥끗해 봐. 내가 너 진짜 가만 안 둬.

도희   곤란하네. 나랑 주 여사 사이엔 비밀이 없는데… 그럼 이건
         어때? 언니가 싼 똥은 언니가 치우는 거야. 그럼 나도 불편한
         진실을 굳이 떠벌리진 않을게. 세상엔 가끔 불필요한 진실도
         있는 법이니까.

수안   (분한 표정으로 고개 돌리면)

도희   언니. 앞으로 나한테 괜히 힘 빼지 마. 전쟁놀이는 사이좋게
         남매끼리 하라고.

         빙그레 웃는 도희.

S#31.   **성당 고해 성사실 (해 질 녘)**
         고해 성사실에 묵주를 쥔 채 힘겹게 무릎을 꿇고 앉은 천숙.

천숙   신부님. 저는 천국에 못 가겠죠….

창살 너머에 앉은 미카엘 신부 보이고.

천숙   그런데 전 지옥에 가는 것보다 다른 게 더 무섭네요. 그 아이
에게 용서 받지 못할 게….

미카엘   지옥은 자매님의 마음속에 있습니다. 이제 진실을 털어 놓고
자신을 놓아주세요.

천숙   진실…. (생각에 잠기면)

인서트   **어두운 도로 위 전복된 차량 한 대.**
아스팔트 위 액정 깨진 휴대폰 울리며 발신자명 '우리 딸 도희'.
그로부터 흐르는 한줄기 기름을 따라 내려오면 중년의 천숙
이 차를 보며 주춤주춤 뒤로 물러선다.
이내 '펑!' 소리 내며 폭발하는 차에 천숙, 튕겨 날아가고…
바닥에 떨어지며 무릎 한쪽이 부서지는 천숙.

현재로 돌아오면 천숙, 아픈 무릎을 짚으며 작은 창을 올려다
본다.
죄책감인 듯 두려움인 듯 얼굴 위로 십자가처럼 드리워지는
창살 그림자.

S#32.   **선월극장 이사장실 (밤)**
책상에 앉아 탐스럽게 붉은 사과를 깎는 복규.

복규 　이사장은 작업 들어갔을라나? 우리 이사장이 인간 홀리는 거 하난 기가 막히지. 오죽하면 내가 두 번이나 홀려서 넘어갔을까.

복규, 회상에 빠지면.

S#33. 　**일식 가게 (낮) - 회상**
번개탄에 불을 붙이는 복규.
하얀 연기를 맡으며 모로 털썩 쓰러져 누우면 비닐과 청 테이프로 막은 창문 틈새로 들어오는 한줄기 빛에 눈이 시리다.

복규 　망할 놈의 인생. 마지막으로 맡는 게 향냄샐 줄 알았는데 번개탄 냄새라니.

눈물 콧물 쏟으며 훌쩍이는데 저만치 빛 가리며 가까워지는 검은 실루엣.

복규 　오라는 손님은 죽어라 안 오더니 저승사잔 빨리도 오네. 이랏샤이 마세이….

가까워져 얼굴 드러나면 역광을 받고 선 구원의 훤한 얼굴.

복규 　오~ 지저스.

구원   으응~ 그거 아냐.

복규   ?

점프하면, 활짝 열린 창문 아래 계약서를 손에 든 복규.

복규   여기에 지장만 찍으면 된다 이거지?

구원   그래. 그럼 방금 본 가맹점 이천 개 프랜차이즈 브랜드가 네
        거야.

복규   까짓 거! 자영업 지옥보다 더한 지옥이 어딨다고. 찍을게, 인
        주 줘. (손 내밀면)

품 안에서 깃털 펜 꺼낸 구원, 펜촉으로 복규 중지 끝을 푹 찌
르면…
눈이 번쩍 뜨이는 복규.

인서트   *조선 시대 깃털 펜에 찔리는 복규의 중지.*

인서트   *눈물까지 글썽이며 신나게 그물 끌어올리는 복규.*

복규   인간 박복규, 이 박복한 인생에 이런 날이 오다니… *(하늘 향해)*
        부처님, 감사합니다!

현재의 복규, 두 눈 가득 분노가 차오르더니.

| 복규 | 이 악마 새끼… 내가 너 때문에 얼마나 개고생했는 줄 알아?! |

구원에게 달려드는 복규.

S#34. **선월극장 이사장실 (밤)**
회상을 마친 복규, 말끔히 깎인 사과를 하나 집어 먹으며.

| 복규 | 욕망이 있는 인간이라면 이사장한테 넘어갈 수밖에 없지. (멈칫) 잠깐. 근데 지금 이사장은 능력이 없잖아. 그럼 뭐로 홀리지? |

그때 뒤에서 과도로 사과를 '콕' 찍어 먹는 손.

| 가영 | (off) 능력이 왜 없는데? |
| 복규 | 그거야 그 여자한테 타투가 옮겨 갔으니까…. |

복규, 싸한 기분에 돌아보면 과도를 든 채 과일을 씹으며 내려보는 가영.
복규, 먹던 사과 슬그머니 내려놓으면.

| 가영 | (과도로 새 사과를 콱 찍으며) 싹 다 불어. 이사장한테 무슨 일이 생긴 건지. |

살벌한 가영에 복규, 겁먹고.

S#35.　　　**백화점 앞 분수 광장 (밤)**

백화점 앞 광장을 걸으며 구원에게 전화 거는 도희.

도희　　　어딨는 거야? 나오면 바로 보인다더니. (발신음 들으며) 후유증
　　　　　을 핑계로 또 수작을 걸려나 본데 이번에 확실히 정리를….

그때 뒤에서 분수가 '팡!' 터지는 소리에 뒤도는 도희.
솟구치는 분수 사이로 저만치 구원이 걸어오며 도희를 보면
그의 시선에 사로잡힌 듯 굳어 선 도희.
마치 시간이 멈춘 듯한데…
도희 앞에 멈춰 선 구원, 도희 손에 들린 휴대폰 통화 버튼을
눌러 끄면 구원의 등장 BGM처럼 흐르던 음악 멈춘다.
음악이 사라지자 정신 차리는 도희.

도희　　　(괜히 틱틱 대는) 뭐야? 후유증이 심각하다더니 멀쩡하다 못해
　　　　　빛이 나네.
구원　　　나한테서 빛이 났어?
도희　　　(말문 막히는) 됐고. (핸드백에서 두툼한 봉투 꺼내 내밀며) 자.
구원　　　?
도희　　　지난번 식사비도 그렇고 의도치 않게 신세 진 부분도 있고
　　　　　해서… 성의 표시야.
구원　　　필요 없다고 했을 텐데.
도희　　　내가 빚지곤 못 살아서.
구원　　　됐어. 나도 돈이라면 만만치 않아.

도희	그럼 나한테 바라는 게 뭐야? 후유증이니 뭐니 거짓말까지 해 가면서. 또 무슨 계약 같은 소리 하려는 거면….
구원	계약은 이제 됐어. 우리 사이에 더 이상 계약 따윈 중요하지 않아.
도희	우리 사이?
구원	후유증은 진짜야. 생업에 지장이 될 만큼 아주 심각하다고.
도희	증상이 어떤데?
구원	아무것도 못 하겠어. 너무도 무기력하고 더 이상 예전의 내가 아닌 것 같은, 난생처음 겪는 아주 낯설고 이상한 기분이야.
도희	그런 건 정신과를 가야지. 날 찾아오면….
구원	아니. (바싹 고개 들이대 도희를 보며) 너만이 해결해 줄 수 있어. 네가 내 후유증의 이유니까.

구원의 뜨거운 눈빛에 도희, 눈빛 흔들리고….

S#36. **구원의 차 안 (밤)**

운전 중인 구원과 그 옆 조수석에 새침하게 앉은 도희.

도희	분명히 말해 두는데 난 그저 도의적인 차원에서 치유의 목적으로 잠시 시간을 함께해 주는 것뿐이야. 데이트는 절대 아니라고.
구원	손 좀 주지?
도희	진도가 빠른 편이네? (냉큼 왼손 내밀며 새침하게 창밖으로 고개 돌리면)

| 구원 | 그쪽 말고. |

도희, 갸우뚱하며 오른손을 내밀면 손목을 '턱' 잡는 구원.
손목의 타투 위로 불꽃 일렁이고, 구원, 핸들을 확 꺾는다.

| 도희 | (놀라) 뭐 하는 거야! |
| 구원 | 드라이브. |

S#37. **도로 위 (밤)**
연달아 파란 불로 바뀌는 신호등.
구원의 차가 도로 위를 논스톱으로 달린다.

S#38. **레슬링장 앞 골목 (밤)**
스포츠 백을 메고 퇴근하는 두환과 레슬러 1, 2.
두환은 양쪽에 후배들을 끼고 걸으면서도 여전히 긴장을 놓지 않는다.

레슬러 1	아까 그 새낀 대체 무슨 깡으로 혼자 쳐들어왔대요?
레슬러 2	사채업자 맞죠? 형님은 금메달 연금이 얼만데 그걸 다 어쩌고….
두환	모르면 닥쳐. 어디 가서 한잔 빨고 가자.
레슬러 1	형님은 술, 담배, 여자. 운동선수가 멀리할 건 다 하면서도 어

떻게 성적이 그렇게 항상 좋아요?

두환   천재들은 원래 노력 안 해도 돼. 너희들한텐 어려운 게 나한텐 쉽거든.

레슬러1   역시. 타고난 사람은 못 이긴다니까~

그때 '끼익!' 드리프트 하며 앞을 막아서는 구원의 차에 레슬러들 놀라고…
차창 문 '지잉-' 내려가면 구원의 얼굴.

두환   !

구원, 오른손으로 도희 손목 잡은 채 왼손을 권총 모양으로 두환에게 겨누더니.

구원   (입으로) 퓩.

구원, 다시 액셀 밟아 출발하면, 쫄았던 레슬러 1과 2, 긴장 풀리며.

레슬러2   뭐야? 븅신~

레슬러1   저 새끼 저거 정신 승리하러 온 거?

레슬러 1과 2, 비웃으며 두환을 보는데…
두환, 얼굴이 하얗게 질린 채 가슴팍을 부여잡고 풀썩 쓰러진다.

레슬러들   형님!

S#39.   **구원의 차 안 (밤)**
운전하는 구원, 이제 일을 마친 개운한 표정인데…
옆에 앉은 도희 보이면 어이없는 표정으로 구원 보며.

도희   지금 그게 뭐….
구원   친구들이야. 동네 친구.
도희   오늘 밤 나한테 소개시켜 줄 친구가 앞으로 몇이나 남았어?
내가 마음의 준비를 좀 하려고.
구원   더 이상 없어. 이제 본론에 들어갔으면 하는데.
도희   본론?

S#40.   **한강변 - 구원의 차 안 (밤)**
한강변에 즐비한 선팅 짙은 차량 행렬 끝에 세워진 구원의 차.
창문 넘어 들썩이는 옆 차를 본 도희, '보옹~' 얼굴이 달아오
른다.

구원   여기서 너랑 해 볼 게 있어.
도희   (당황) 아니, 내가 그렇게 막 보수적인 편은 아닌데 우리 처음이

기도 하고 공공장소에서 이러는 건 공중도덕에 어긋나는….

어느새 나간 구원, 차 문 밖에 선 채.

구원   안 내릴 거야? 밖에서 해야 되는데.

도희   (더 당황) 밖에서? 그건 1년 이하의 징역이나 오백만 원 이하의 벌금에 처하는 형법 제245조에 해당하는 죄로써….

구원   한강 구경이 언제부터 죄였지?

도희   아….

머쓱한 도희, 차에서 내리면 강가에 선 채 강을 바라보고 선 구원.

도희   (나란히 서서 강을 보며) 내가 이상한 게 아니라 타이밍이 좀 그랬어. 내가 원래 그렇게 혼자 앞서가고 그런 사람이 아니거든.

구원   잠깐 숨 좀 참을 수 있나?

도희   숨? 숨은 왜…. (생각이 미치는)

도희   (E) 확실해. 이건 키스 타임이야.

도희가 또 혼자 앞서가는 그때 구원, 한 손으로 도희의 손목을 잡으면.

도희   ?

다른 한 팔로 도희의 어깨를 감싸 안고 함께 강으로 뛰어드는 구원.

S#41.   **한강 물속 (밤)**
         놀란 도희, 물속에서 허우적대고 구원은 자신의 손목을 보며 기다린다.

구원   (E) 돌아와. 나한테 다시 돌아오라고.

         도희, 손목을 비틀어 빼려 애쓰고 구원은 오로지 타투에만 정신 팔렸는데… 하지만 아무 일도 벌어지지 않고.

구원   (E) 이게 아냐?

         구원, 망연자실한 사이, 도희, 손을 뿌리쳐 수면 위로 올라가고. 홀로 물속에 남은 구원, 혼란스럽다.

S#42.   **한강변 (밤)**
         강변에 기어올라 캑캑거리는 도희.
         뒤늦게 강변에 올라온 구원, 허탈한 표정인데…
         그런 구원에게 씩씩거리며 다가와 밀치는 도희.

도희	뭐 하는 거야! 죽는 줄 알았잖아!
구원	진정해.
도희	지금 진정하게 생겼어? 내가 오늘 몇 번이나 죽을 뻔했는 줄 알아? 물귀신 같은 너 때문에 물에 빠져 죽을 뻔한 것만 두 번째야! 그뿐인 줄 알아? 웬 미친놈이 날 죽이려고 했는데 난 그놈이 누군지, 나한테 왜 그러는지도 몰라! 근데도 내가 지금 진정이 돼? 다들 나한테 왜 이러는데! 내가 뭘 그렇게 잘못했다고! (눈물까지 글썽이면)
구원	… (할 말 없고)
도희	(감정 추스르며) 왜 그랬어.
구원	확인해 볼 게 있어서 그랬어.
도희	그럼 나한테 먼저 말을 했어야지.
구원	말했으면 안 할 게 뻔하니까.
도희	(기가 찬) 역시 쓰레기….

차로 다가가 핸드백을 들고 오는 도희.
구원의 얼굴에 봉투째 내던지면 흩날리는 오만 원권들.

| 도희 | 이제 나 너한테 빚 진 거 없어. |

구원, 화난 얼굴로 가버리는 도희를 차마 잡지 못하고….

S#43.   **구원의 차 안 (밤)**

차에 타 한숨 쉬며 핸들에 머리를 박는 구원.

구원   이것도 아니면 도대체 방법이 뭐야?

그때 조수석 문 열리고 들어서는 누군가.
구원, 고개 들어 보면 복규다.

구원   박 실장님? 여기서 뭐 해?
복규   뒷조사 하라매. 그래서 뒷조사 중이었지.

구원이 보면 복규의 손에 가득한 지폐들.

복규   (슬그머니 돈 감추며) 주운 사람이 임자다.
구원   (앞을 보고 한숨 쉬면)
복규   근데 뭐가 어떻게 돼가는 거야? 홀린다더니 홀리긴커녕….
구원   시끄러.

'부웅' 출발해 버리는 구원.

S#44.   **택시 안 (밤)**
         아직 물기가 마르지 않은 채 지친 표정으로 차창에 기댄 도
         희의 얼굴.
         화는 사라지고 오히려 슬픔이 남았는데….

S#45.   **선월극장 분장실 (밤)**
거울 앞에 앉아 휴대폰으로 포털 사이트에 도도희를 검색해
보는 가영.
도희 프로필 사진을 보며.

가영   왜 하필 타투가 이 여자한테 간 거야? 나한테 오지.

못마땅한 표정으로 휴대폰 내려놓더니 쌍검을 들고 일어선다.

S#46.   **주천숙 자택 서재 (밤)**
서재에 앉아 묵주를 매만지며 중얼중얼 기도하던 천숙.
눈을 뜨고 묵주 위 십자가 보며.

천숙   하느님… 저에게 용기를 주세요. 진실을 마주할 용기를….

S#47.   **칼춤 몽타주 (밤)**
선월극장 안에서 흘러나오는 음악이 울려 퍼지는 로비.
벽 한 켠에 붙은 '혜원 전신첩' 속 쌍검을 추는 두 기생 여인
의 모습 보이고…
마치 그림 속 여인들처럼 칼춤을 추는 가영.
잡생각을 없애려는 듯 연습에 몰두하는데…
그의 손에 들린 서슬 퍼런 칼날 사이사이 주 씨 일가의 모습

이 보인다.

클레이 사격장의 석민.

총을 쏘아 클레이를 맞추려는데 새가 날아들어 날개를 맞고 떨어진다. 새가 떨어진 곳으로 걸어가 퍼덕이는 새를 차갑게 내려다보는 석민.

새를 향해 총을 겨누고… '탕!' 울려 퍼지는 총소리.

한편 카지노에 여자 딜러와 마주 앉은 도경.

딜러가 카드 두 장을 나눠 주자 도경, 숫자 확인하면 1과 3이다.

표정 확 구기며 카드를 내던지는 도경.

열이 올라 윗옷을 확 벗어젖히면 팔뚝의 화상 자국이 살짝 드러나고… 그걸 본 딜러가 놀라자.

도경   예쁘지? 너도 해 줄까?

겁에 질린 딜러를 보며 차갑게 비웃는 도경의 광기 어린 눈빛.

피부 관리실에서 얼굴 위에 팩을 올린 채 누운 세라.

팔뚝에 주삿바늘이 꽂히고 하얀 우윳빛 프로포폴 주사액이 놓아지면.

세라   으음….

신음소리 내며 몸이 축 처지는 세라.

지하 주차장의 수안, 휴대폰으로 통화하며 차에서 쇼핑백을 잔뜩 들고 내리는데.

수안	입금 바로 할게요. 수정 기사 확실히 내세요. (상대가 뭐라 뭐라 애기하자) 하라면 그냥 좀 해! 기사 올린 것도 내 맘이니까 내 리는 것도 내 맘이잖아!

전화를 확 끊는 수안, 치밀어 오르는 화를 참지 못해 쇼핑백을 내던지며.

수안	도도희! 내가 너 죽일 거야!

한편 미래 투자 사무실에서 밤을 새우는 석훈.
어둠 속 모니터 불빛만이 비추는 가운데 모니터 속 데이터는 미래 F&B 재무제표다.
책상 위에 풀어 둔 넥타이를 들어 허공에 비춰 보면 도희가 매준 타이가 마치 교수형 올가미 같은데…
그걸 보는 석훈의 싸한 눈빛.

S#48.   **지하철 코인 로커 앞 (밤)**
차 팀장의 휴대폰을 크라프트 종이봉투에 담는 광철.

S#49.   **지하철 코인 로커 (밤)**
코인 로커를 열어 크라프트 종이봉투를 놓고 로커 문 닫으면 암전.

잠시 후, 문 열리며 봉투를 가져가는 가죽 장갑 낀 누군가의 손.

S#50.　　**홈시어터 (밤)**

책상 뒤 의자에 앉은 누군가.

가죽 장갑을 낀 손으로 봉투에서 차 팀장의 휴대폰을 꺼내들면 최신 통화 목록 가장 상단에 보이는 연락처 '도도희 대표'.

다른 손에 들린 지포 라이터를 '쳉!' 하고 여는 가죽 장갑 낀 손.

S#51.　　**도희 집 앞 대로변 (밤)**

횡단보도 앞에 멈춘 택시에서 내리는 도희.

마침 신호등이 파란불로 바뀌자 서둘러 횡단보도를 건너기 시작하는데… 저만치 전광판에 떠오르는 뉴스에 시선 뺏긴다.

'대기업 재무팀장 차모 씨, 성악공원 공중화장실에서 목매단 채 발견' '횡령 혐의 조사 중 자살 추정' 등의 자막이 흘러가면 바쁘게 움직이는 인파 속, 서서히 느려지는 도희의 걸음.

도희　　(E) 구원은 파괴의 잔해 속에서 이뤄진다.

뉴스 화면에 바다에 떨어진 차 팀장의 사원증 나오면 사원증 속 선명한 미래 그룹 로고.

도희　　(E) 나를 둘러싼 익숙한 세상이 무너지고 평범했던 모든 것이 더 이상 평범하지 못한 그 파괴의 순간.

모두 길을 건넌 텅 빈 횡단보도에 도희가 충격으로 우두커니
섰는데… 신호등이 빨간불로 바뀌는 순간 빠른 속도로 달려
오는 오토바이 한 대.
도희 옆을 쌩 지나치는가 싶더니 헬멧 쓴 운전자가 도희를
향해 병에 든 용액을 '촤악!' 뿌린다.
속수무책으로 굳어 선 도희, 용액을 얼굴에 맞으려는 순간…
어느새 나타나 앞을 막아서는 누군가. 구원이다!
구원의 등을 날카롭게 가로지르며 뿌려진 용액이 순식간에
옷을 녹이고 피부마저 타들어 가는데…
놀란 도희, 구원을 올려다보면 그의 머리 뒤로 차량의 헤드라
이트 불빛이 후광처럼 빛난다.

도희   ⓔ 위태로운 내 인생에 박치기해 들어온 이 남자. 누구보다도
　　　　　낯설고 수상한 나의 구원.

서로의 얼굴에서 시선을 떼지 못하는 두 사람의 모습에서.

2화 엔딩

III

악마의 손을 잡다

S#1. **도희 집 앞 대로변 (밤)**

아직 물기가 다 마르지 않은 채 지친 표정으로 횡단보도를 건너는 도희.

저만치 전광판에 떠오르는 뉴스에 시선 뺏겨 보면…

'대기업 재무팀장 차모 씨, 성악공원 공중화장실에서 목매단 채 발견' '횡령 혐의 조사 중 자살 추정' 등의 자막이 흘러간다.

바쁘게 움직이는 인파 속, 도희의 걸음이 서서히 느려지고…

뉴스 화면에 바닥에 떨어진 차 팀장의 사원증이 나오면 사원증 속 선명한 미래 그룹 로고.

도희   !

모두 길을 건넌 텅 빈 횡단보도에 도희가 충격으로 우두커니 섰는데… 신호등이 빨간불로 바뀌는 순간 빠른 속도로 달려오는 오토바이 한 대.

도희 옆을 쌩 지나치는가 싶더니 헬멧 쓴 운전자가 도희를 향해 병에 든 용액을 '촤악!' 뿌린다.

속수무책으로 굳어 선 도희, 용액을 얼굴에 맞으려는 순간…

어느새 나타나 앞을 막아서는 누군가. 구원이다!

구원의 등을 날카롭게 가로지르며 뿌려진 용액이 순식간에 옷을 녹이고 피부마저 타들어 가는데…

놀란 도희, 구원을 올려다보면 그의 머리 뒤로 차량의 헤드라이트 불빛이 후광처럼 빛난다.

도희	정구원….
구원	(고통에 인상 살짝 찌푸리며) 남의 소중한 걸 지녔으면 책임감을 좀 가지지?

도희, 구원의 소매에 튄 용액에 시선 빼앗기는데…

옷을 녹이고 들어가 피부까지 타들어 가고 있다.

도희	염산… 너… 그럼 지금…!

다급히 구원의 등 쪽으로 걸음 옮기려는 도희의 손목을 잡는 구원. 화상으로 타들어 가던 구원 등의 상처가 빠르게 아물기 시작하고…

도희, 이상한 느낌에 자신을 잡은 구원의 손을 내려다보면 화상으로 타들어 가던 팔의 상처가 아물고 있다.

그 믿지 못할 광경을 경이롭게 바라보는 도희, 구원에게 잡힌 손목을 돌려 보면 타투 위로 작은 불꽃이 일렁이고.

도희	그때도 내가 잘못 본 게 아니었어… (구원 보며) 너, 진짜 정체가 뭐야?
구원	나는 (사이) 데몬이야. 너희들은 이렇게도 부르지. 악마.
도희	!

충격 받은 도희의 얼굴 위로 클랙슨 소리 '빠앙-' 경고처럼 울리고….

 # 타이틀   **< 악마의 손을 잡다 >**

S#2.   **형사과 취조실 (밤)**

취조실에 홀로 앉은 도희, 멍하니 타투를 만지작대며 생각에 잠겼는데.

박형사	(서류 한 장을 들고 들어서며) 바닥에 떨어진 용액을 확인한 결과 테러에 사용된 건 황산입니다.
도희	(정신 차리며) 염산이 아니라 황산이었네요?
박형사	황산이 훨씬 위험합니다. 시중에서도 98%까지 높은 농도를 구할 수 있거든요. 빗맞아서 다행이지 범행에 쓰인 농도와 양을 얼굴에 맞는다면 얼굴이 녹아내려 사망까지 이를 수 있습니다. 이쯤 되면 대표님을 표적으로 한 범죄가 확실하네요. 뭐 짚이는 거 없으세요? 원한 관계라거나….
도희	최근 수안 언니, 아. 미래 어패럴 노수안 대표와 트러블이 있긴 했는데….

박 형사	트러블이라면 어떤…?
도희	그냥 집안일로 말다툼을 좀 했어요. 하지만 아무리 그래도 이런 짓을 할 만큼 지독한 인간은 아닌데….
박 형사	(메모하더니) 또 다른 건 없으세요? 최근 있었던 이상한 점이라거나 변화 같은… 사소한 거라도 괜찮습니다.

도희, 생각에 잠기면.

인서트   **차 안에서 차 팀장의 전화를 받는 도희.**

차 팀장	(E) 중요한 정보가 있어서 연락 드렸는데요.

인서트   **전광판에 떠오른 차 팀장의 자살 뉴스.**

차 팀장이 떠오른 도희, 불길한 예감에 사로잡히는데….

박 형사	(그런 도희의 표정에) 뭔가 떠오르신 게…?
도희	(표정 숨기는) 아뇨. 아무리 생각해도 이럴 정도로 원한을 산 적은 없네요.
박 형사	아…. (실망)

차 팀장이 마음에 걸리지만 숨기는 도희.

S#3.　　　형사과 (밤)

빈 책상 앞에 앉아 도희를 기다리는 구원.

옆자리 취객이 구원의 어깨에 기대자 보지도 않고 옆으로 슥 피한다.

구원　　　(그대로 바닥에 널브러져 잠드는 취객을 내려다보며) 하찮기는….

그때 줄줄이 도박범 무리를 데리고 들어서는 형사들.

허공에 대고 중얼거리는 꼬질한 노숙녀가 눈에 띄는데.

이 형사　　(믹스커피가 든 종이컵 들고 걸어오며) 요즘엔 하우스에서 노숙자까지 들여 보내?

최 형사　　애들도 불황이라.

최 형사가 얘기하며 한눈판 사이 노숙녀, 슬그머니 도망치려 하자.

이 형사　　어어!!

최 형사　　(그 소리에 뒤돌아 노숙녀의 뒷덜미 잡으며) 어디 가시게.

노숙녀　　이거 놔. 숙녀한테 이게 뭐 하는 짓이야?

최 형사　　급하신 모양인데 제일 먼저 해 드릴게. (노숙녀 앉히고) 주민등록번호가?

이 형사　　(구원 앞에 종이컵 내려놓으며) 이거라도 마시면서 기다리세요.

구원　　　난 그런 하찮은 건 안 먹어.

이 형사	(빈정 상하는) 근데 볼 때마다 말투가 참… 어디 외국에서 살다 왔어요?
구원	내가 워낙 동안이라 그렇지 나이가 많거든.
이 형사	(황당)
구원	(중얼) 도도희는 왜 이렇게 오래 걸리는 거야?
최 형사	(신원 조회 모니터에 뜬 '노숙녀' 이름에) 어라? 진짜 숙녀네?

최 형사, 고개 들면 그새 사라진 노숙녀.
어느새 구원 옆에 앉아 종이컵을 스윽 가져가 향기를 음미하며.

노숙녀	으음~ 구수한 아라비카의 향.

더러운 손가락으로 휘휘 저어 쪽 빨아 먹는 노숙녀에 구원, 비위 상한다.

노숙녀	(그런 구원 힐끗 보더니) 너도 이젠 파리 목숨이네?
구원	?
노숙녀	너 그러다 죽어. 그것도 아주 하찮게.

'씨익' 웃는 노숙녀의 시커먼 이빨.
마침 도희가 취조실에서 나오자 구원, 벌떡 일어나 걸어가며.

구원	요샌 정신 나간 인간들이 너무 많다니까. (도희에게 다가가) 끝난 거야?

박 형사	여태 기다리셨구나~? (도희 보며) 덕분에 참 든든하시겠어요.
도희	수사에 진전 있으면 연락 주세요.
박 형사	예~ 조심히 들어가세요~

묵례하고 나서는 도희를 구원이 따르고 박 형사, 그 뒷모습 보며 흐뭇한데. 이 형사가 옆에 와 서자.

박 형사	저 둘 결혼까지 갈 거 같지 않냐?
이 형사	어딜 봐서요?
박 형사	형사 생활 십 년이면 궁합도 보인다.

이 형사, 그런가 싶은데 두 사람 사이로 불쑥 끼어드는 노숙녀.

노숙녀	(의미심장한 눈빛) 드디어 룰렛이 돌아가기 시작했구먼.
박 형사	룰렛…?
노숙녀	(꼬깃한 천 원을 내밀며) 난 홀수에 올인.
이 형사	(속닥) 도박쟁이….
박 형사	아~

S#4. **구원의 차 안 (밤)**
구원, 운전 중이고. 조수석에 앉은 도희, 생각에 잠겼는데.

구원	자기 한 몸 간수하는 게 그렇게나 힘든 일인가? 내가 조금만 늦

었으면 어쩔 뻔했어? 내 소중한 타투가 녹아 없어질 뻔했잖아.

도희   그래서. 네가 데몬이다?

구원   (거만한 표정 짓는)

도희   악마면 악마지 데몬은 또 뭐야? 포켓몬도 아니고 오글거리게.

구원   뭐 포켓… (꾹 참고) 잘 들어. 데몬은 인간과 계약을 하기 위해 존재하는 아주 고귀한 존재야.

도희   (곱씹는) 그래, 계약… 그 계약이란 게 정확히 뭔데?

구원   쉽게 말해 인간들의 소원을 들어주는 거지.

도희   그건 요술램프 지니고.

구원   (발끈) 어디 그딴 벌크 업 된 스머프 같은 애를…! (또 참는) 너도 내 능력 봤잖아. 내가 데몬이 아니면 뭐겠어.

도희   우린 그런 걸 보통 초능력자라고 불러.

구원   됐어. 그냥 네가 믿고 싶은 대로 믿어.

도희   그럼 요술램프 지니….

구원   그것만 빼고.

도희   솔직히 난 네가 악마든 천사든 난 상관없어.

구원   안 믿는구나?

도희   믿는가 안 믿는가는 중요하지 않아. 중요한 건 너한테 놀라운 능력이 있고 그 원천인 타투가 나한테 있다는 거지.

구원   안 믿는구나.

도희   응. 안 믿어.

구원   그럼 그렇지. 어떻게 된 게 인간들은 한 번에 믿는 법이 없어.

도희   (손목 위 타투를 보며) 왜 그렇게 타투에 집착하나 했더니… 너도 그동안 참 곤란했겠다. 힘을 쓰려면 내가 필요한데 내 옆에 있을 명분은 없고. 현 남친은커녕 구 남친도 아니고 말이야. 지금 너에게 필요한 건 명분이 되어 줄 그 어떤 역할 같은데. 안 그래?

구원   무슨 소리가 하고 싶은 거야?

도희   우리는 운명 공동체다. 그 소리가 하고 싶은 거야.

구원   (불쾌) 운명?

도희   의도치 않게 한 배를 탄 우리가 서로 윈윈할 수 있는 방법이 있지 않을까?

구원   그래서.

도희   너 내 경호원 하자.

구원   경호원? 그게 무슨…!

도희   영어로는 보디가드. 위험 요소로부터 경호 대상을 보호하는….

구원   누가 지금 경호원의 사전적 의미를 몰라서 물어? 나 데몬이야~ 데몬인 나보고 지금 하찮은 인간 따윌 지키라는 거야?

도희   하찮은 내가 아니라 고귀한 네 타투를 지키는 거라고 정신 승리하는 건 어때?

구원   싫어.

도희   지키는 게 싫으면 그냥 나쁜 놈을 상대로 싸우는 건?

구원   나 보고 지금 너 대신 싸우라는 거야? 데몬이 진짜 포켓몬인 줄 아나.

도희   막말로 내가 죽어 버리면 너도 곤란하잖아. 내가 죽으면 네 타투는 어떡해?

구원   … (말문 막히고)

도희   (진심에 호소하는) 너도 알다시피 난 지금 위험해. 누가, 왜 날 노리는진 몰라도 분명한 건 날 죽이려고 한다는 거야. 넌 이 타투가 필요하고 난 네 능력이 필요하고. 경호원은 우리 둘 다 상생할 수 있는 유일한 길이라고.

대답 없이 핸들 돌려 지하 주차장에 들어서는 구원.

S#5.　　　**도희 집 지하 주차장 - 구원의 차 안 (밤)**
　　　　　지하 주차장에 멈춘 차.

도희　　　경호원 하는 거지?
구원　　　내 대답은 절대 노야. (먼저 내리고)
도희　　　(따라 내려) 그럼 말해 봐. 경호원보다 더 좋은 방법이 있어?
구원　　　(멈칫. 딱히 떠오르지 않자) 여튼 경호원은 안 돼. (새침하게 걸어가면)

그런 구원을 뒤에서 흘기는 도희.

도희　　　어디 가?
구원　　　그놈이 또 노릴지도 모르잖아. 현관까지 데려다줄게.
도희　　　(쫓으며) 이런 게 바로 경호원이야. 경호원이 뭐 대단한 건 줄 알아?
구원　　　몇 번을 말해. 경호원은 절대 안 한다고. 앞으로 가. 내가 뒤에 서 밀착 마크할 테니까. (둘러보며) 여기 보안은 철저한 거지?
도희　　　(중얼) 언행불일치 쩌네.

함께 보안문에 들어서는 구원과 도희를 지켜보는 누군가의 시선. 황산을 뿌린 오토바이 운전자다.

거칠게 헬멧 쉴드를 내리고는 '부웅' 소리 내며 사라지는데….

S#6.   **소극장 분장실 (밤)**

분장실에 들어서며 신경질적으로 헬멧을 벗어 던지면 드러나는 광철의 민낯.

도희 사진 앞에 다가가 사진 속 도희를 보며 간지러워 죽겠다는 듯 뒷목을 긁어 대자 피딱지가 뜯어지며 손끝이 피로 물든다. 피 묻은 손을 들어 사진 속 도희의 모습을 어루만지는 광철의 눈에 가득한 광기 어린 갈증.

S#7.   **선월극장 이사장실 (밤)**

차분히 핸드 드립 커피를 내리는 구원의 손.

구원   오늘도 역시 난 대단… (동그랗게 원을 그리던 물줄기가 삐끗하고) … 하지 않아. (좌절) 나의 엄청난 능력이 그런 하찮고 연약해 빠진 인간의 손목 따위에 달려 있다니. 그놈이 집까지 쳐들어가면 어쩌지? 그 여자가 죽어 버리고 내 능력이 사라지면 앞으로 계약은 어떡해? (불안한데)

복규   (옆에서 티포트에 허브티를 우리며) 그렇게 걱정되면 그냥 경호원 하지?

구원	박 실장님까지 왜 그래? 데몬인 내가 어떻게 경호원을 하라는 거야?
복규	원래 데몬은 경호원 출신이잖아.
구원	무슨 그런 말도 안 되는.
복규	(데몬 책 꺼내 들어 읽는) '본래 데몬은 인간의 곁에 머물며 인간을 지켜 주던 인간의 수호신이었다.' 수호신이나 경호원이나.
구원	수호신도 경호원도 싫거든? (책 뺏으며) 난 데몬이 적성에 딱이라고. 이번엔 또 어떻게 꺼내선.
복규	책상 정리하다 그냥… 근데 도도희가 막 떠들고 다니면 어떡하지? 이사장 정체 말이야.
구원	그 여잔 내가 데몬이라는 거 믿지도 않아. 그리고 알잖아. 인간들이 어떤지.

S#8.　　**사이비 교회 (밤) - 회상**
사이비 교회의 단상에 올라 간증하는 여자.

간증녀	저는! 악마를 보았습니다!
목사	악마의 모습은 어땠습니까?
간증녀	악마는! 저를 유혹키 위해 딱 제 취향의 모습을 하고 제 앞에 나타났습니다. 오똑하지만 부담스럽지 않은 코. 뽀샵한 듯 매끈한 피부. 섹시하면서도 청순한 입술. 특히 그 우수에 찬 눈빛 하며 목소리는 또 얼마나 꿀 발라 놓은 듯 달콤한지….

점점 꿈꾸는 눈빛이 되며 줄줄이 찬양하는 말에 목사와 신도들 당황한다.

S#9.　　　TV 프로그램 (낮) - 회상
'세상에 어쩜 이런 일이'라는 프로그램 화면.

VJ　　　　악마를 보셨다고 해서 찾아왔는데요.

제보자　　네. 제가 자살하려고 동영상으로 유언을 찍고 있었거든요?
　　　　　근데 갑자기 악마가 나타나서…. (휴대폰 꺼내면)

VJ　　　　(흥분) 여러분! 최초로 공개되는 영상입니다.

휴대폰 속, 제보자가 카메라를 향해 눈물 콧물 흘리며 유언을 남긴다.

제보자　　(E) 통장에 남은 삼천오백육십만 오천 원은….

하는데, 갑자기 지직거리는 화면.

제보자　　바로 여기서! 악마가 나타나거든요? 근데 딱 이 부분만 지직거리잖아요. 악마의 편집이죠.

망했다 싶어 카메라를 향해 동공 지진 되는 VJ의 표정.

S#10.   **선월극장 이사장실 (밤)**
            자리에 앉아 블랙커피에 각설탕을 '풍당' 떨궈 티스푼으로
            휘휘 저어 녹이는 구원.

구원   어차피 아무도 안 믿고 결국 흔적도 없이 기억에서 사라지게
            될 거야.
복규   하긴. 나도 전생에 마귀 봤다고 했다가 곤장만 죽도록 맞았
            지. 아직도 비가 오면 그때 맞은 엉덩이가 시큰하다니까.
구원   엄살은. 전생에 맞은 게 무슨.
복규   근데 도도희가 죽으면 정말 능력도 같이 사라지나?
구원   그걸 모르니까 내가 이러는 거 아냐. 혹시라도 잘못될까 봐.
            (데몬 책 들어 흔들며) 정작 필요한 얘긴 하나도 없고 맨 겁주는
            얘기만 잔뜩인 이딴 설명서, 그냥 확 갖다 버릴까 보다.
복규   (중얼) 설명서 아니라더니….
구원   (책을 들고 자리에서 일어나 책장으로 향하는) 난 그저 평화롭고 개꿀이
            던 나의 본래 삶으로 돌아가고 싶을 뿐이라고. 최상위 포식자
            로 늙지도 죽지도 않는 완전무결한 마생을 영원히 영위하겠다
            는데. 그게 이렇게나 힘들 일이야? (데몬 책을 책장 높은 곳에 꽂으면)
복규   안 숨겨?
구원   (자리로 돌아오며) 어차피 또 찾아낼 거잖아.
복규   나름 찾아내는 맛이 있었는데…. (아쉬운)

            그때 '깨똑!' 하고 톡이 와서 보면 도희다.

도희	(E) 경호원 하자.
구원	끈질긴 인간.

또 '깨똑!'

도희	(E) 나 당장 피부과 가서 레이저로 타투 지져 버린다?
구원	지금 감히 데몬을 협박하는 거야?

연이어 톡이 쏟아지는데.

도희	(E) 피부과 예약 완료! ('깨똑!') 시술 5초 전. ('깨똑!') 뽀로로 완성!
구원	('깨똑, 깨깨똑!' 해 대며 쏟아지는 톡을 보며) 이런 도라희….

도도희의 번호를 '도라희'로 저장하는 구원의 짜증 난 얼굴.

S#11.   **도희 집 거실 - 주천숙 자택 서재 (밤)**

도희   (답 없는 휴대폰을 보며) 아~ 안 낚이네.

도희, 생각에 잠기면.

인서트   **도희 집 앞 대로변, 놀라 구원의 얼굴을 올려다보는 도희.**
그의 머리 뒤로 차량의 헤드라이트 불빛이 후광처럼 빛난다.

도희	또 날 구했어. 이번에도 또···.

그때 틀어 둔 TV에서 차 팀장의 뉴스가 나오자 표정 어두워
지는 도희.
잠시 생각하더니 휴대폰 들어 전화를 건다.
서재에서 안경을 쓰고 책을 읽던 천숙, 벨이 울리자 미소 지
으며 전화 받는다.

천숙	(표정과 달리) 왜 이렇게 질척거려? 본 지 얼마나 됐다고.
도희	좋으면서 그런다.
천숙	또 무슨 잔소리를 하려고?
도희	잔소리는 아니고··· (조심스레) 요새 회사는 별일 없지?
천숙	우리 회사? 왜?
도희	그게··· 뉴스에 미래 그룹 재무팀장이 자살했다고 나오길래.
천숙	(미간 찌푸리고)
도희	실은 어제 그 사람이 나한테 전화를 했거든. 무슨 중요한 정보가 있다고··· 돈이나 뜯어내려고 괜한 소리 하는구나 싶어서 무시했는데 자살했다니까 아무래도 이상해서.
천숙	(표정 굳지만 아무렇지 않은 척) 넌 너네 회사가 그 꼴인데 무슨 남의 회사 걱정을 해? 별일 아니니까 오지랖 떨지 말고 너네 회사나 잘해. (전화 뚝 끊으면)
도희	(끊긴 전화 보며) 그래··· 별일 아닐 거야.

말은 그렇게 하면서도 불길한 예감에서 벗어나지 못하는 도

희인데…

천숙, 심각한 표정으로 전화 거는.

천숙   윤 비서. 재무팀장 자살 사건 뉴스 정리해서 가져오고 십 년
간 재무제표도 가져와. 헤드며 계열사며 전부.

S#12.   **주천숙 자택 서재 (새벽)**
이제 막 해가 떠오르는 새벽녘의 서재. 책상 위 산더미처럼 쌓
인 서류 더미 너머 천숙이 형광펜을 들고 서류를 읽고 있다.
천숙, 안경 벗으며 들고 읽던 서류 내려놓으면 온통 형광 색
칠된 서류들.

천숙   (한숨) 여태 내가 눈뜬장님이었네.

S#13.   **선월극장 이사장실 (낮)**
어제와 달리 개운한 표정으로 핸드 드립 커피를 내리는 구원.
복규, 문 열리고 들어서며.

복규   굿모닝~ 이사장~
구원   왔어?
복규   오늘은 기분 좋아 보이네?
구원   생각해 보니까 그렇게 최악의 상황은 아니더라고. 타투가 사

라진 것도 아니고 그 여자 손목에 잘 보관돼 있잖아.

복규   우리 이사장은 참 회복 탄성력이 좋아~

구원   그리고 또 생각해 봤는데 그냥 무턱대고 물에 빠진다고 타투가 돌아오진 않겠더라고.

복규   그럼?

구원   잃어버릴 때와 똑같은 조건이어야 하는 거지.

복규   똑같은 조건이면….

구원   장소, 온도, 날씨 등등 조건이 맞는 상황에서 물에 빠지면 바로 돌아올 거야.

복규   일리 있네. (고개 끄덕이다 쿵쿵) 근데 어디서 타는 냄새 안 나?

구원   오늘 원두 로스팅이 아주 잘 됐어.

복규   아니. 이건 식물성이 아니라 동물성이 타는 냄샌데….

구원   (맡아 보더니) 그러게. 스테이크 굽는 냄새 같기도 하고 좀 뜨겁기도 한 것이… (천천히 내려다보면 제 손가락 끝에 불이 붙었다.) 박실장님…?

복규   왜? (구원 시선 좇아 보더니) 이게 뭐야!

구원   (손가락 멀찌감치 털어 내며) 으아아악~!

복규   (발을 동동 구르며) 시작된 거야? 자연 발화?

구원   이렇게 예고도 없이! 후우~! 후!

구원, 바람을 불기 시작하자 복규 역시 옆에 붙어 같이 불기 시작하고…
불붙은 손가락을 가운데 두고 미친 듯 불어 대는 두 사람.

가영	(문 열고 들어서며) 이사장! 타투는 찾았어? (입술이 닿을 듯 내민 채 굳은 두 사람 보며) 뭐야, 이 그림은?
구원	(복규에게) 쟤한테 다 말한 거야? 왜 쓸데없는 소릴… (하다, 불길이 치솟자 다시 '후후' 불고)
복규	('후후' 불며 변명) 생명의 위협 앞에서 (후후) 자백할 수밖에 없었다고. (후후) 진스타도 얼른 와서 불어!

구원과 복규가 사력을 다해 불지만 더 '활활' 타오르는 손가락.

구원	으아아~
복규	화력이 세졌어! 산소가 공급되면서 불길이 더 커진 건가?
구원	지금 그런 과학적인 소리나 하고 있을 때야? 아, 뜨거 뜨거!

두리번대는 가영의 눈에 들어오는 커피 드립 포트.
포트를 들어 물을 '촤악!' 뿌리자 불 꺼지며 구원과 복규, 흠뻑 젖는다.

가영	이게 다 무슨 일이야?
구원	시작됐어. 자연 발화.

구원의 얼굴에 위기감 떠오르고….

S#14.   **도희 집 침실 - 선월극장 이사장실 (낮)**

아직 잠든 도희, 요란하게 울리는 휴대폰 벨소리에.

도희   간신히 잠들었는데 누가 아침부터….

휴대폰 들어보면 발신자명 '또구원'.
도희, 눈이 번쩍 뜨여 벌떡 일어나 전화 받는다.

도희   경호원 하게?

통화 중인 구원에 바싹 귀를 대고 붙은 복규와 가영.

복규   받았다, 받았다.
가영   조용히 좀 해. 안 들리잖아.
구원   (두 사람 떨쳐 내고는) 어디야? 집이야?
도희   응.
구원   당장 만나! 너희 집에 갈게.

전화 끊은 구원, 홈 바로 걸어가 얼음 바스켓에 얼음을 담기
시작하고.

가영   어떡하게?
구원   당장 계약해야 돼.

한편 도희, 휴대폰 든 채 멍한데.

도희   당장?

거울 보더니 부스스한 자신의 모습에 '헉' 놀라는 도희.

S#15.   **도희 집 지하 주차장 (낮)**
얼음 바스켓을 든 채 차 앞에서 초조하게 기다리는 구원.
저만치 보안문 열리고 도희가 나오는데 그새 한껏 꾸몄다.

도희   갑자기 이렇게 찾아오면 어떡해? 세수도 못 하고 나왔….
구원   경호원 할게.
도희   (반색) 정말? 그래! 생각 잘했… (멈칫) 잠깐. 근데 왜 갑자기? 어제까지만 해도 그렇게 완강히 거부하더니.
구원   밤새 고민했는데 그런 생각이 들더라고. 하찮다고 해서 소중하지 않은 건 아니다. 왜 장수하늘소같이 하찮고 쓸모없는 벌레도 보호하고 그러잖아.
도희   그래서, 내가 장수하늘소다?
구원   소중한 존재란 면에서.
도희   아무래도 수상해… 이유 없는 태세 전환은 없거든. 어젠 그렇게 싫다고 하더니 갑자기 손바닥 뒤집듯 하는 건 분명 뭔가 꿍꿍이가….

도희 말 들으며 초조한 구원, 이상한 느낌에 보면 손가락 하나에 다시 불이 붙었다.

구원	!

도희 몰래 재빨리 얼음 바스켓에 손가락을 담그는 구원.
'치익-' 불 꺼지고 바스켓 뒤로 숨기면.

도희	(못 보고) 뭐야?
구원	뭐가?
도희	(뱁새눈) 역시 수상해. 뭔가 함정인 거 같은데….

안 되겠다 싶어 바스켓을 내던지는 구원.

도희	(날아가는 바스켓에 시선 뺏기며) 저건 뭐….
구원	(양손으로 도희 어깨 잡아 붙들며) 집중해, 도도희! 잊었어? 우린 운명 공동체잖아. 우리가 한 배를 탔다는 사실을 한순간도 잊지 마.
도희	하긴. 그럼 당장 오늘부터 출근하는 거지?
구원	그 전에 잠깐 나랑 갈 데가 있는데.
도희	?

어리둥절한 도희의 손목을 구원이 잡으면….

S#16.   **고층 빌딩 옥상 (낮)**
갑자기 심하게 불어오는 바람에 흩날리는 도희의 머리칼.
도희, 아래를 보면 까마득히 높은 옥상의 난간 끝이다.

도희   여긴… 높잖아~~?

비명처럼 도희의 목소리 울려 퍼지며 웅장한 고층 빌딩 전경
보이고…
놀라 휘청하며 구원을 붙드는 도희, 눈을 질끈 감는데.

도희   도대체 여길 왜 온 거야?
구원   계약할 인간을 찾는 덴 여기만 한 데가 없어.
도희   나 고소공포증 있다고!

도시를 내려다보며 계약자를 탐색하기 시작하는 구원, 이상
한 느낌에 보면 '파밧!' 하고 손가락 두 개가 연이어 불붙는다.

구원   (다급히 두리번대며) 빨리, 빨리. (저만치 보더니 눈을 빛내는) 찾았다!

S#17.   **소아암 병동 복도 (낮)**
         어느새 병원 복도에 선 구원과 도희.
         도희는 애써 꾸민 머리가 산발이 된 채 넋이 나갔는데…
         구원, 수조에 손가락을 담그면 '치익-' 꺼지는 불.
         고개 돌리면 무균실 문 너머 저만치 복도에 선 의사와 남자
         가 보인다.

의사   더 이상 항암 치료를 하는 건 의미 없습니다. 호스피스 병동

이나 집으로 옮기시는 게….

연서 부　(지치고 절망적인) 그래도… 뭔가 해 볼 수 있는 게 없을까요…?

멀찍이 선 탓에 그들의 대화는 들리지 않고.

도희　(여전히 넋 나간) … 저 사람이야?
구원　이쪽이야.

구원, 무균실로 향하면 손목 잡혀 확 끌려가는 도희.

S#18.　**소아암 병동 무균실 (낮)**
산소 호흡기 소리만이 들려오는 적막한 병실에 들어서는 구원과 도희.
도희, 머리 가다듬으며 병실 둘러보면 비닐 막이 씌워진 침대를 향해 두 손 모으고 앉아 눈 감고 기도 중인 연서 모의 뒷모습이 보인다.
오랜 병원 생활을 말해 주는 푸석한 연서 모와 침대 위 의식 없이 산소 호흡기를 낀 열 살 남짓 연서의 모습.
다가서면 연서 가슴에 잔뜩 붙은 히크만카테터3며 항암약 독성에 인한 화상으로 까맣게 타 버린 연서의 피부에 도희, 말문이 막히는데….

3　히크만카테터: 약물 주입 및 채혈용으로 정맥에 삽입하는 관

연서 모	(두 사람이 다가가는 것도 모른 채) 살려 주시는 건 바라지도 않아요. 그저 우리 연서가 아프지 않게 해 주세요. 단 하루만이라도 제발….
구원	(연서 모를 내려다보며) 그 소원 내가 들어주지.
연서 모	(놀라 돌아보더니) 누구세요?
구원	난 데몬이야. 쉽게 말해 로또 같은 존재지.
연서 모	그게 무슨….
구원	나랑 계약만 하면 앞으로 십 년 동안은 아이가 건강할 거야.
연서 모	(화나는) 당신들 누군지 몰라도 무균실에 이렇게 함부로 들어오면….

그때 갑자기 호흡이 가빠지며 입술이 파랗게 질리는 연서.
심박기의 심장 박동이 불안정하게 널뛴다.

연서 모	연서야!
구원	피차 시간 없는데 직접 보여 주지.

구원, 핑거스냅을 '딱!' 치면 숨이 편해지는 연서.

연서 모	이게… 어떻게…. (눈물 글썽이고)

그때 구원의 손가락에 '파바바밧!' 네 개가 연달아 불붙고…
이를 본 구원, 황급히 손바닥 위로 계약서를 소환하면 계약서가 둥실 떠오르며 다섯 번째 손가락 역시 불붙는다.

그제야 구원 손에 붙은 불을 발견하고 놀라는 도희.

구원	(연서 모에게) 계약 조건은 간단해. 십 년 뒤엔 네가 지옥에 가는 거야.
연서 모	그럼 정말 우리 연서가 살 수 있어요?
구원	빨리 결정해. 아니면 다른 사람 찾을 거니까.
도희	잠깐. 너무 그렇게 몰아붙이면….
구원	(차가운 눈빛으로 도희 보며) 방해하지 마.
도희	생각할 시간은 줘야지. 쉬운 결정이 아니잖아.
구원	(버럭) 시간이 없다고!
도희	(깨닫는) 시간…? 그럼 너 지금 이러는 이유가….
연서 모	(off) 계약할게요!

두 사람 돌아보면 비장한 얼굴의 연서 모.

연서 모	지옥이 아니라 더한 곳도 가요. 우리 연서만 아프지 않다면.

안타까운 눈빛으로 아무 말 못 하는 도희.

S#19. **병원 앞 정원 (낮)**
꽃이 만발해 로맨틱하기까지 한 병원 앞 정원을 나서는 구원.
그 뒤로 도희가 표정 없이 나서는데.

구원	정말 아슬아슬했어. (걸음 멈추고 손 내려다보며) 능력을 쓸수록 자연 발화가 더 빨리 진행되는 건가? (뒤돌아 도희 보며) 어디 케이크 맛집 아는 데 있어? 디저트 회사 대표잖아.
도희	케이크?
구원	난 일 끝나면 달콤한 디저트를 먹는 버릇이 있거든.
도희	(애써 화 누르며) 자연 발화하면 넌 어떻게 돼?
구원	불타서 사라져.
도희	죽는다는 말이야?
구원	비슷해. 영원히 소멸한다는 점에선 죽음보다 더 가혹하지만.
도희	그래서 계약을 하는구나. 네가 불타 없어지지 않으려고. 넌 그걸 축하하기 위해 케이크까지 먹고 말이야. 정말 악마가 맞네….
구원	세상에 공짜는 없는 법이야. 저들은 소원을 이루고 난 그 덕에 영생을 살고. 나름 축하할 일 아닌가?
도희	넌 사람들의 불행을 이용하고 있어.
구원	이용하는 게 나빠? 너도 날 이용하려는 거잖아.
도희	네가 살아온 생은 한순간 한순간 모두 다른 사람들의 절박함과 불행으로 만들어진 거야. 넌 그게 아무렇지도 않아?
구원	도대체 왜 이렇게 뾰족하게 구는지 모르겠네. 난 저들을 구원해 준 거야. 봤잖아. 고통 속에서 죽어 가는 아이를.
도희	내가 사랑하는 사람의 희생으로 내 삶이 연장된 걸 알면 저 아이는 행복할 수 있을까? 넌 인간이 아니라 모르나 본데 인간에겐 죄책감이라는 감정이 있어.
구원	인간들은 꼭 불필요하고 비효율적인 감정들을 인간적이라고 포장하는 버릇이 있지.

도희, 말할 가치도 없다는 듯 앞서가 버리면, 구원, 손목 잡으며.

구원 회사로 바로 이동할게.

도희 (뿌리치며) 아니. 난 널 이용하지 않을 거야. 널 이용하면 나 역시 사람들의 불행을 이용하는 거니까. (혼자 걸어가 버리면)

구원 (그 뒷모습을 보며) 지금은 여유로워서 그런 말이 나오겠지. 목숨이 위험해지면 결국 내 능력을 이용하게 될 걸? 인간의 본성은 데몬보다 더 이기적이니까.

시니컬한 표정의 구원 머리 위로 먹구름이 몰려오는가 싶더니 이내 비가 내리기 시작하고….

S#20. **주천숙 자택 서재 밖 - 주천숙 자택 서재 (낮)**
비 내리는 창문 너머 화를 내는 천숙의 모습.
그 앞에 선 누군가가 벽에 가려 보이지 않는 가운데 세차게 내리는 빗소리에 섞여 들리는 천숙의 호통 소리.

천숙 더러운 짓도 모자라 사람을 죽여?

상대를 노려보는 화난 천숙의 모습 보이고.

천숙 죄를 지었으면 죗값을 받아야지.

S#21.　　**주천숙 자택 서재 앞 (낮)**

이내 서재를 나서는 누군가. 가죽 장갑 낀 주먹을 꽉 움켜쥐면 그 위로 '우루루 쾅쾅!' 천둥이 치고….

S#22.　　**미래 F&B 회의실 (낮)**

착잡한 표정으로 창문에 흐르는 비를 보며 생각에 빠진 도희의 모습 위로.

한 팀장　　(off) 저희 홍보팀은 이번 설탕 주스 사태의 해결안으로 신제품 중 헬스 음료 라인의 주력화를 제안합니다.

홍보팀, 도희의 반응 기다리는데 도희는 여전히 생각에 빠졌다.

신 비서　　대표님?

도희　　(고개 돌려) 네, 계속하세요.

한 팀장　　건강한 신제품의 이미지로 설탕 주스의 이미지를 지우는 전략인데요. 방어보단 공격이라는 대표님 말씀에서 영감을 얻었습니다.

한 팀장이 신호하면 한성이 모니터 화면을 넘기고.

정미　　구체적 홍보 전략으로는 퍼스널 아이덴티티. 대표님께서 직접 홍보에 나서는 전략으로 대표님의 젊고 파워풀한 이미지를 신제품의 이미지로 내세워 브이로그 및 SNS 활동, 그리고 행사 참여….

애써 회의에 집중하는 도희.

S#23.   **미래 F&B 대표실 (낮)**
             도희, 책상에 앉아 신제품 홍보안을 살피는데 '똑똑' 노크 소리.

도희   네.
신 비서   (상자를 들고 들어서서) 말씀하신 물건 준비했습니다.

             도희, 상자 열어 보면 전기 충격기, 후추 스프레이 등의 경호 용품이다.

신 비서   당장 오늘부터 경호 가능한 업체를 알아보겠습니다.

             도희, 말없이 경호 물품을 보는데.

S#24.   **선월극장 이사장실 (낮)**
             비 내리는 창밖 풍경을 감상하며 의자에 앉아 유유자적 케이크를 먹는 구원. 복규, 걱정스러운 표정으로 문 열고 들어서다 구원을 발견하고는.

복규	이사장! 손가락은?!
구원	계약했고. 손가락 멀쩡하고. (손 들어 보이면)
복규	휴우~ 진짜 이사장 다신 못 보는 줄 알고 가슴이 어찌나 철렁하던지.
구원	날 뭘로 보고.
복규	(홈 바로 가 허브티를 내리며) 이사장 그렇게 뛰쳐나가고 나도 마음이 급해져서 타투 잃어버린 날에 대해 좀 알아봤거든?
구원	그래서?
복규	문제의 그날, 바다에 빠진 건 자정 직후니까 대략 12시 30분경으로 본다면 그 시각 추락 지점의 해수 온도는 15.8도야. 그리고… 내가 보기엔 이게 키포인트인데….
구원	(솔깃)
복규	그날은 보름달이 떴어. 만월.
구원	(잠시 생각하더니) 보름 주기가 어떻게 되지?
복규	29일 하고 반나절.
구원	그럼 이제 하루 반나절이 지났으니까….
복규	28일만 버티면 돼.
구원	28일이나? 하아… 너무 긴데….
복규	근데 이사장 경호원 하기로 한 거 아녔어?
구원	잘렸어.
복규	그새?
구원	도도희가 더 이상 날 이용하기 싫대.
복규	둘이 싸우기라도 한 거야?
구원	인간들은 정말 욕심쟁이라니까. 대가를 치를 생각도 없이 기

도는 왜 하는데? 놀라운 기적을 공짜로 내놓으라고 조르는 거야 뭐야? (느긋하게 뒤로 기대 멀쩡해진 손을 만족스럽게 보며) 말 그대로 급한 불은 껐고 이제 아쉬운 건 내가 아니라 도도희야.

복규 도도희가 뭐라 했길래….

구원 몰라. 그 여자가 하는 말 따위 신경 안 써.

S#25.　　**바버샵 (낮)**

평화롭기 그지없는 바버샵.

거울 앞 눕듯이 앉은 구원의 얼굴 위로 날카로운 면도날이 지나며 하얀 거품을 거둬 내면 눈 감은 채 편안한 구원.

인서트　　**병원 앞 정원에서 구원에게 말하는 도희.**

도희　　내가 사랑하는 사람의 희생으로 내 삶이 연장된 걸 알면 저 아이는 행복할 수 있을까?

미간이 움찔하는 구원.

인서트　　**이어 말하는 도희의 모습.**

도희　　넌 인간이 아니라 모르나 본데 인간에겐 죄책감이라는 감정이 있어.

구원의 미간, 더 찌푸려지면.

이발사	어디 불편하세요?
구원	전혀. 내가 불편할 리가.

미간의 주름을 펴고 다시 평화롭게 면도를 받는 구원.

S#26.　　**소아암 병동 로비 (낮)**
일상복을 입은 채 아빠의 손을 잡고 복도로 나서는 연서.

연서	아빠, 나 물.
연서 부	그래. (정수기로 가려는데)
연서	내가 먹을래. 나 혼자 할 수 있어.
연서 부	(당황스러우면서도 기쁜) 아… 그래.

혼자 정수기에서 컵에 물을 담은 연수.
신나서 달려가다 누군가와 부딪혀 옷에 물을 쏟는다.
놀라 올려다보면 연수를 내려다보고 선 구원.

연서 부	(황급히 다가와) 죄송합니다. 연서도 사과드려야지.
연서	죄송합니다….
구원	괜찮습니다. 금방 마르는데요. (상냥한 미소 지으며 무릎 꿇고 앉아 연서에게 눈높이 맞추는) 이름이 연서?

연서	(끄덕하고)
구원	넌 소원이 있니?
연서 부	이제 소원이 이뤄졌네요. 10살 생일은 병원 밖에서 맞이하는 거였는데.
구원	그게 네 소원이야? 생일을 밖에서 맞는 거?
연서	(고개 가로 젓는)
연서 부	아니야? 그럼 뭐야?

연서, 구원에게 손짓하자 귀를 가져다 대는 구원.
연서가 구원의 귀에 대고 속삭이면.

연서	엄마 아빠가 나 때문에 힘들고 아프지 않았으면 좋겠어요. 그게 내 소원이에요.
구원	(의외인 듯 놀라고)
연서 부	아빠한텐 비밀이야?

그때 저만치에서 두리번대며 나타나는 연서 모.

연서 모	연서야! 여보!
연서	(그 소리에 '와다다' 달려가고)
연서 부	뛰지 마. 넘어질라. (구원에게 꾸벅 인사하고 연서 쫓으면)

복잡한 표정으로 연서 가족의 뒷모습을 바라보고 선 구원.

구원   인간들이란… 참 까다롭다니까….

S#27.   **해리스 호텔 레스토랑 (낮)**
        외국인 바이어들과 웃으며 미팅 중인 도희.

도희   (영어) 제 목표는 미국 마켓에 우리 회사 음료가 콜라 옆에 진
        열되고 독일인들이 크리스마스에 슈톨렌 대신 우리 회사 디
        저트를 먹는 거예요.
바이어 1 (영어) 요즘 케이 푸드에 대한 관심은 절정입니다. 이미 한식
        은 자리를 잡았고 이제 음료와 베이커리가….

        그때 도희의 눈에 열 개의 촛불을 밝힌 케이크 들고 가는 직
        원 보이고….

도희   (중얼) 케이크….
바이어 1 ?

        도희, 케이크를 따라 시선 좇으면 케이크가 도착한 테이블에
        앉은 건 연서 가족이다.

도희   !

        모자를 쓰고 발그레하게 온기가 돌아온 얼굴로 해맑게 웃는

연서의 빛나는 모습.
연서 부 역시 그런 연서를 보며 행복하게 웃는데…
뒷모습인 연서 모의 표정은 보이지 않는다.

도희   (영어) 잠시만.

당황하는 신 비서를 남겨두고 자리에서 일어나는 도희. 화장
실 가는 척 걸어가면 연서 모의 얼굴이 천천히 드러나는데…
케이크의 초를 불어 끄는 연서를 보며 누구보다도 행복한 미
소를 짓는 연서 모.
그 행복한 표정에 도희, 걸음을 멈춘다.

S#28.   **도희의 차 안 (낮)**
달리는 차 안, 창밖을 보며 생각에 잠긴 도희.

신 비서   도착했습니다.

도희, 생각에서 빠져나와 문 열고 내리며 우산을 펼치려는데….

S#29.   **미래 F&B 앞 (낮)**
도희의 머리 위로 드리워지는 검은 우산.
올려다보면 구원이다.

빗속에서 서로를 말없이 바라보고 선 두 사람.
이내 비가 잦아드는가 싶더니 맑게 개는 하늘.

S#30.   **미래 F&B 회의실 (낮)**
홀로 책상에 앉은 구원 앞에 놓이는 무전기, 이어 마이크 등등.
신 비서가 구원에게 경호 용품을 건네고 있다.

구원   무기는 없나? 권총이라던가.

신 비서   (말없이 경호 책자를 책상 위에 '탕!' 내려놓으면)

구원   내가 곧 무기라 딱히 필요는 없지.

거만한 표정으로 경호 용품을 착용하는 구원.

S#31.   **미래 F&B 사무실 (낮)**
창문 너머 업무로 바쁜 도희가 보이고…
대표실 문 앞을 지키고 선 구원.
하네스에 이어 마이크를 착용한 모습이 제법 경호원답다.
자리에 앉은 홍보팀, 그런 구원을 보며.

한성   갑자기 개인 경호는 뭐예요?

한 팀장   이번 신제품 홍보에 대표님을 내세우잖아. 얼굴이 알려질 걸 미
         리 대비하는 거지. 우리 대표님은 언제나 한 수 앞서 보신다니까.

한성	아~
한 팀장	근데 무슨 경호원이 쓸데없이 저렇게 잘생겼어?

옆에서 말없이 홀린 표정으로 구원을 보던 정미, 넋 나간 말
투로.

정미	왜 쓸데가 없어요. 이런 게 바로 근로 복지지.
한성	경호원이면 싸움도 잘하겠죠?
한 팀장	다 가졌네. 그래도 분명 뭔가 흠이 있겠지?
한성	그럼요. 이를테면 (한 팀장에 속닥) 사내구실을 못 한다거나.
한 팀장	(버럭) 그게 왜 흠이야!

순간 정적이 흐르며 숙연해지는 홍보팀.

S#32.   **도희의 차 안 (해 질 녘)**
빨간 신호 앞에 멈춰 서는 차 안.
운전석의 구원, 조수석에 앉은 도희를 보면 서류를 보느라 바
쁜데.

구원	경호원이라더니 별거 없네.
도희	뭔가 대단한 스펙터클이라도 기대한 거야?
구원	기대는 무슨.
도희	(무심한 척 서류 보며) 왜 돌아왔어? 경호원 하기 싫다면서.

구원	그냥. 너무 평화롭고 완벽해서 지루할 지경인 내 일상에 귀찮은 일 하나쯤은 필요하지 싶어서. 너야말로 왜 마음을 바꿨어? 내 능력은 안 쓴다더니.
도희	나도 그냥. 나쁜 놈 상대하는 덴 나쁜 놈이 제격이니까.

각자 마음을 숨기는 두 사람인데.

도희	넌 어쩌다 데몬이야? 태어나보니까 데몬? 그것도 뭐 가업 같은 건가? 대대로 물려받는 맛집, 그런 거?
구원	데몬을 맛집에 비교하다니… 내가 할 말이 없다.
도희	나이는 어떻게 돼?
구원	데몬으로 산 세월만 치면 이백 살.
도희	정말 심각하게 동안이네. 근데 데몬으로 산 세월 말고 또 다른 세월도 있나 봐?
구원	원래 난 인간이었어.
도희	(놀라는) 네가?
구원	물론 그냥 그런 하찮은 인간들이랑은 차원이 다른 인간이었지. 기억은 안 나지만.
도희	(기가 찬) 내가 보기엔 동종혐오야. 네가 하찮은 인간이었기 때문에 인간들을 하찮게 여기는 거라고.
구원	책에 써 있거든? 지옥에서 일할 일꾼이 필요했던 신이 선택 받은 인간을 데몬으로 만들었다. (강조) 선택 받은 인간.
도희	빼어나서 선택한 게 아니라 적성에 맞으니까 선택한 거겠지. 못됐잖아, 너.

구원, 반박하려는데 '깨똑!' 하는 알림음.
도희, 휴대폰 보면 천숙이다.

카톡	'할미 먼저 간다. 도희야 사랑ㅎ'
도희	오늘은 생일도 아닌데 왜 또 서프라이즈를… (전화 걸지만 받지 않고, 구원에게) 차 돌리자.

S#33.   **주천숙 자택 온실 (밤)**

온실에 들어서는 도희와 뒤따르는 구원.
저만치 나무에 기대앉은 천숙의 뒷모습 보이고.

도희   (다가가며) 왜 바닥에 앉아 있어? 진통제를 또 얼마나 먹으려고. 내가 못 살아 진짜.

도희, 천숙의 어깨에 손 올리면 스르륵 옆으로 쓰러지는 천숙.
그새 피어오른 꽃송이 사이로 풀썩 파묻힌 천숙의 입술이 파란데.

도희   주 여사…?

천숙의 손끝에 걸렸다 떨어진 휴대폰에는 도희가 건 부재중 전화가 떠 있는데 발신자명은 '화초 같은 내 새끼'다.

도희	그만해… 내가 또 속을 거 같아?
구원	(테이블 위 약통을 보는데)
도희	왜 이래. 장난하지 마. (천숙을 흔들어 깨우며) 일어나. 일어나, 주 여사. 아니잖아. 아니잖아! 이거 장난이잖아!! 나 충분히 놀랬으니까 일어나. 내가 이렇게 왔잖아! 내가 우리 주 여사한테 달려왔잖아… 그니까 장난 그만해… (천숙을 거칠게 흔들며) 일어나! 일어나라고!
구원	(잡아 말리며) 그만해. 도도희.
도희	(구원 보더니) 살려 줘. (구원의 손을 자신의 손목에 가져다 대면)
구원	못해. 죽은 사람을 살리는 건.
도희	왜 못해! 할 수 있잖아! 계약이든 뭐든 할 테니까 살려 줘, 제발….

구원의 팔을 붙들고 무너져 내리며 오열하는 도희.
멈췄던 비가 또다시 '투둑 투둑' 내리기 시작하더니 '쫘아' 쏟아지고….

S#34. **주천숙 자택 정원 (낮)**
홀로 멍하니 천숙의 영정 사진을 보고 선 도희.
눈물이 말라버린 듯 무표정한데…
'주천숙(안젤라)'이라는 이름 위 인자하게 웃는 천숙의 영정 사진 주위로 끊이지 않는 울음소리. 세라와 수안이 경쟁하듯 소리 내 울고 석민은 말없이 눈물을 흘린다.

우두커니 선 도희를 저만치 뒤에서 감정 없는 표정으로 보고 선 구원.
그 옆에 선 홍보팀과 신 비서, 도희를 안타깝게 바라보며.

한 팀장   우리 대표님… 하룻밤 새 상송장이 되셨네.
정미   충격이 크시겠죠. 회장님이랑 워낙 돈독했으니.

신 비서, 영정 사진 보고 눈시울이 붉어지지만 꾹 참고 시선 돌리는데.

한성   우리가 가서 위로해 드릴까 봐요.
신 비서   어설픈 위로는 오히려 상처가 될 뿐이에요. 최대한 덤덤하게 티 내지 마세요. 그게 대표님을 위하는 겁니다.

그 말에 홍보팀, 짠한 눈으로 도희를 그저 바라만 보는데…
무표정한 도희의 얼굴에서 회상으로 넘어가면….

S#35.   장례식장 (밤) - 회상
상복 입은 어린 도희, 무릎에 고개를 파묻은 채 구석에 쭈그려 앉았다.
뒷모습의 누군가에게 몸을 기울이고 말하는 젊은 시절의 신 비서.

| 신 비서 | 내내 저러고만 있습니다. |

어린 도희 앞에 지팡이 짚고 멈춰 서는 누군가. 선글라스에 검은 옷이 치렁치렁한, 정말 마귀할멈 같은 천숙이다.

| 천숙 | (어린 도희를 내려다보며) 너구나? |

그 소리에 고개 들어 천숙을 올려다보는 어린 도희의 반항적인 눈빛.

천숙	독한 것. 어린 게 울지도 않네. (하고, 돌아서는데)
어린 도희	(뒤에서) 난 울 자격 없어. 나 때문에 죽은 거니까.
천숙	(뒤돌아 가만히 바라보는 그의 눈은 선글라스에 가려 감정을 알 수 없고)
어린 도희	그깟 생일이 뭐라고… 내가 빨리 오라고 조르는 바람에….
천숙	('피식' 비웃는) 웃기지 마. 네가 신이라도 돼? 너 때문에 사람들이 죽어 나가게. 그렇게 생각하면 네가 비련의 주인공 같고 더 불쌍하지? 착각하지 마. 넌 그냥 여기저기 떠돌아다니는 먼지 따위랑 다를 게 하나 없어. 먼지 한 톨이 얹힌다고 저울이 기우는 줄 알아?
어린 도희	(슬픈 눈빛에 점점 분노가 차오르더니) 으아악!! (천숙에게 덤벼들면)

몸싸움을 벌이는 둘을 사람들이 뜯어말리고…
그 바람에 선글라스가 떨어지며 그제야 드러나는 천숙의 눈.
너무도 슬픈 그 눈에는 죄책감과 함께 눈물이 고였다.

씩씩거리며 노려보던 어린 도희, 그걸 보고는 눈에 눈물이 고이기 시작하고.

천숙　　그래. 그래야지.

신 비서가 선글라스를 주워 건네면 다시 선글라스로 눈물을 가리고 돌아서는 천숙.
절뚝이면서도 꼿꼿이 걸어가는 천숙의 뒷모습을 보는 어린 도희, 독기가 풀린 눈으로 아이답게 소리 내어 운다.

S#36.　　**주천숙 자택 정원 (낮)**
현재의 도희, 그립고도 슬픈 표정으로 영정 사진 속 천숙을 보는데…
그런 도희의 어깨를 감싸 안으며 옆에 서는 누군가.
보면, 석훈이다.

석훈　　내가 몇 번이나 불렀는데도 못 듣더라.

멀찍이 떨어진 구원, 도희와 석훈의 다정한 모습을 보다 무심히 고개 돌리고.

도희　　(영정 사진 보며) 주 여사는 사진 찍는 걸 싫어했어. 사진빨 안 받는다고.

석훈	잘 받으시는데?
도희	주 여사 같지가 않잖아. 저렇게 웃고 있으니까 꼭 껍데기 같아.
석훈	영정 사진은 남은 사람들이 기억하고 싶은 모습으로 하니까.
도희	난 주 여사 그 자체가 좋았어. 가식 없이 괴팍한 주 여사가.
석훈	나도.
도희	아직도 난 그냥 다 장난 같아. 지금이라도 주 여사가 나타나서 놀랬지, 이것아? 하면서 혼자 재밌다고 깔깔거릴 거 같아.
석훈	그게 더 고모님답네. 난 고모님의 끝이 이럴 거라곤 생각도 못 했어. 워낙 특이하신 분이라 마지막도 뭔가 남다를 줄 알았는데 심장 마비라니….
도희	지금 온 거야?
석훈	응. 고모님이 돌아가시기 전에 감사팀을 꾸리라고 지시하셨나 봐. 중단되긴 했지만 서류상 처리할 게 있어서.
도희	감사팀? 중단은 누가 시켰는데?
석훈	이사회에서 긴급하게 내려왔다는데… 넌 연락 못 받았구나?
도희	(미심쩍은데)
수안	(off) 지금 우리가 감사 진행할 정신이 어딨니?

뒤에서 취기 어린 수안이 다가와 석훈 옆에 나란히 서면, 도희, 수안에 신경 쏠리며 미심쩍은 기분을 잊는다.

| 수안 | (턱짓) 저기 좀 봐. |

수안의 시선 쫓으면 나이가 지긋한 남자들이 석민에게 허리

숙여 악수를 청한다.

수안   다들 석민 오빠한테 줄 서려고 난리다. 지금이 조선 시댄 줄 아나. 장남이 다 무슨 소용이라고. 엄만 석민 오빠 싫어했잖 아. 오죽하면 음주 운전했다고 깜빵까지 보냈을까.

석훈   (웃으며 대답 피하는데)

수안   난 왠지 엄마가 남들하곤 다른 선택을 했을 거 같아. (석훈 보 며) 안 그래?

석훈   고모님이 남다른 분이시긴 하지.

석민   (저만치서 부르는) 석훈아~ 이리 좀 와 봐.

석훈   아⋯. (도희를 보면)

도희, 괜찮다는 듯 끄덕이고, 석훈, 가면서도 도희가 걱정돼 돌아본다.

수안   (그런 석훈을 보며) 너희 둘은 항상 좀 끈끈한 게 있었어. 이방인 들끼리의 연대, 그런 건가?

도희   어릴 때 유학 생활을 같이해서 그렇지.

수안   근데 도희야. 착각하지 마. 석훈인 너랑 근본이 다르니까. 쟨 우리랑 같은 주 씨 피가 흐르잖아. 너한텐 기계나 만지고 남의 머리나 만지던 천한 피가 흐르고.

도희   천한 건 언니 생각이지. 언니야말로 지금이 조선 시댄 줄 아 나 봐.

수안   아직도 까부네. 이젠 네 편 들어줄 엄마도 없는데.

도희	적당히 마셔. 사람들 앞에서 본모습 보이기 싫으면.
수안	난 장례식장에선 술 없이 못 견뎌. 옷들이 다 검은색이잖아. 끔찍해.
도희	(수안 똑바로 보며) 난 그것보다 더 끔찍한 걸 보면서도 맨정신으로 버티잖아.
수안	(피식) 엄만 항상 심술 맞았어. 그게 너랑 통했나 봐. (외국인 손님 보더니) 봉쥬흐 앙뚜안~ (요란하게 인사하며 가 버리고)

도희, 장례식장을 둘러보면 들뜬 분위기로 소란스럽다.
저만치 입구에 사진기 든 기자들을 경호원이 막아서는가 하면 다들 웃고 떠드는 분위기가 장례식이 아니라 마치 결혼식 같은데….

문상객 1	(석민에게 석훈을 소개 받고) 노 회장님께 말씀 많이 들었습니다.
석훈	아… 네. (불편하고)
석민	(점잖게 웃으며) 벌써부터 회장님은 무슨.
문상객 1	(세라에게) 축하드립니다, 사모님.
세라	(주위 눈치 보며) 어머, 축하라뇨. (하면서도, 입가의 미소)

한편 수안 역시 공치사하는 외국인 문상객의 말에 웃음 터뜨리며.

수안	아하하하! (붙어) 나도 그렇게 생각해요. 요즘엔 여성 CEO가 대세니까.

구석에 장난기 가득한 표정으로 숨어 앉은 쌍둥이들. 오스틴이 콜라병을 꺼내 보이면 저스틴은 멘토스를 꺼내 보인다. 콜라병에 멘토스를 넣어 샴페인처럼 솟구치는 거품을 서로에게 뿌려 대면.

수안   오스틴! 저스틴!

쌍둥이들, 도망가며 거품을 뿌려 대는 통에 아수라장이 돼 버리고.

구원   장례식인 줄 알았는데 파티였네.

도희, 시끄러운 분위기로부터 도망치듯 빠져나가고. 그런 도희와 스치는 시큐리티 조끼 입은 직원. 뒷목에 뜯어진 피딱지 보이는 그는 광철이다.

S#37.   **주천숙 자택 관제실 복도 (낮)**
'당신만이' 멜로디가 휘파람으로 울려 퍼지는 관제실 복도. 광철이 휘파람을 불며 걸어가 'CCTV실'이라고 써 붙인 방에 들어간다.

S#38.   **주천숙 자택 온실 (낮)**

온실에 들어서 문에 등을 기대서는 도희. 그제야 조용하다.
도희, 숨을 크게 들이쉬며 안으로 걸어 들어와 천숙의 손길이
깃든 온실을 바라보면…
쪼그려 앉아 비료를 주는 과거 천숙의 모습이 마치 현재인
듯 나타난다.

천숙   (땅을 파며) 땅속은 밖이랑 계절이 달라서 10월에 봄이 시작된
        대. 밖에선 쌀쌀한 바람이 불고 추운 겨울이 시작될 때, 땅속
        에선 싹이 움트는 봄이 시작하는 거야. 힘들 땐 그렇게 생각
        하면 돼. 아… 내 안에서 이제 봄이 시작되려나 보다.

        그제야 과거의 도희 보이면, 천숙 앞에 쪼그리고 앉아 저린
        다리 두드리며.

도희   요새 왜 이렇게 자연의 어머니 행세야? 안 어울리게.
천숙   간만에 분위기 좀 잡는데 초를 지랄 맞게도 치네.
도희   콘셉트가 정확히 뭐야? 자연의 어머니야, 욕쟁이 할머니야?
        확실히 해.

        티격태격 웃는 회상 속 도희와 천숙.
        현재의 도희, 추억에 젖어 슬픈 미소 짓는데…
        문 벌컥 열리는 소리에 회상에서 빠져나오면 도경이 담배를
        꺼내 입에 물며 들어선다.
        지포 라이터를 꺼내는 도경, 뒤늦게 도희 발견하고 멈칫하는

데… 2화의 가죽 장갑을 낀 손이 들었던 것과 같은 라이터다.

도경	아무도 없는 줄 알고. 필래?
도희	주 여사는 담배 냄새 싫어해.
도경	(천진할 만큼 아무 감정 없는) 할머닌 돌아가셨잖아. 어차피 이제 다 아버지 거고 곧 내께 될 거니까… (온실 둘러보며) 칙칙한 노인 냄새보단 담배 냄새가 낫지 않나? (지포 라이터를 켜면)
도희	(화난 얼굴로 다가가 불어 끄는) 말했잖아. 주 여사는 담배 냄새 싫어한다고.
도경	(미간 찌푸리며 노려보다 '피식') 오늘 하루만 봐줄게. 오늘은 기쁜 날이니까.
도희	난 너 못 봐주겠는데. (노려보면)

도경, 라이터를 '칙칙' 켜 대며 위협적으로 바싹 다가서면 금방이라도 한판 붙을 듯한 두 사람인데…
요란하게 '우당탕' 들어서는 누군가.
두 사람, 고개 돌려 보면 와인을 병째 든 구원이다.

구원	저 자릴 피하고 싶은 사람이 나 혼자가 아니었나 보네. 나도 좀 껴 줘.
도경	누구….
구원	도도희 씨와는 뗄래야 뗄 수 없는 그런 사이? 오해할까 봐 미리 말해 두는데 구 남친은 아냐. 현 남친은 더더욱 아니고.
도경	(구원 훑어보며) 당신 경호원이야?

구원   (이어 마이크 빼며) 아니. 퇴근했어. (도경에게 와인 들어 보이는) 한 모금?

도경   (도희 보며) 역시 타고난 수준은 어쩔 수 없네. 둘이 아주 잘 어울려.

도경, 문 열고 나서면 잽싸게 도희의 손목을 잡는 구원.
문에 '쾅!' 이마를 부딪치는 도경.
아픈 이마 짚은 채 보면 분명 열었던 문이 다시 닫혀 있다.
황당하고 창피해 후다닥 내빼는 도경을 보며 '픕!' 웃음 터지는 도희.

구원   (도희에게 와인 병 들어 보이며) 마실래?

와인 병 받아 의자에 앉는 도희.

도희   주 여사는 마음이 안 좋을 때마다 여기 온실에 처박혀서 나오질 않았어. 그게 이해가 안 됐는데 오늘에야 이해가 되네. 온실이 지켜 준 건 화초가 아니라 주 여사였는지도….

구원   (도희를 가만히 보면)

도희   주 여사는 알고 있었어. 자식들이 저렇게 자신의 죽음을 기뻐할 거라는 걸.

구원   예언 적중이네.

도희   그래서 그렇게 심술 맞게 굴었나 봐. (병째 한 모금 마시고는) 평생을 외로웠는데 죽는 순간까지도 혼자였다니… 마지막 인사도 못 하고 보낸 게 너무 마음 아파.

구원   (도희의 검은 원피스를 보며) 장례식에서 검은 옷을 입는 이유가

       뭔지 알아?

도희   ?

구원   죽은 사람의 영혼이 알아보고 쫓아올까 봐. 그래서 영혼이 알

       아보지 못하게 몸을 숨기려고 검은 옷을 입는 거야.

도희   그럼 난 옷을 잘못 입었네. 우리 주 여사 오늘도 너무 외롭겠

       다. 자기 장례식인데 아는 얼굴이 하나도 없다니.

구원   (허리 숙여 도희의 손목을 잡으면)

도희   ?

구원의 뒷모습에 도희 모습 가려졌다 드러나면…

검은 원피스가 어느새 새하얀 원피스로 바뀌었다.

구원   이젠 널 알아볼 거야.

도희   (슬픈 미소) 소용없어. 찾아와도 내가 알 수가 없잖아.

구원   아니. 분명히 알아볼 거야.

그때 어디선가 날아 들어온 하얀 나비 한 마리.

도희의 눈앞에서 날개를 팔랑이더니 이내 도희 손가락 위 천

숙이 선물한 반지 위에 앉고…

울컥하는 도희.

도희   고마워. 주 여사… 날 찾아와 줘서. 17년 전에도 지금도, 주

여사 덕분에 마음껏 악마 새끼일 수 있었어. 여전히 날 사랑할 걸 알았거든. 혹시라도 우리한테 다음이 있다면… 그땐 더 열심히 싸우고 더 열심히 사랑하자.

눈물 글썽이는 도희를 구원, 가만히 내려다보는데….

S#39.   **주천숙 자택 서재 (낮)**
서재에 모여 앉은 도희와 석민 일동.
검은 옷들 속 혼자 하얀 원피스 차림인 도희를 수안이 못마땅하게 본다.

수안   (취한) 넌 무슨 패션쇼 하니? 혼자 튀고 싶어서 아주 안달이야.

도희   (무시하고)

수안   유가족이 모이는 거 아니었어? 앤 무슨 자격으로 이 자리에 있는 거야?

세라   형사가 다 같이 들어야 한다고 해서요.

수안   도대체 무슨 얘기길래….

박형사   (서류 더미 들고 들어서며) 안녕하십니… 아, 지금 안녕하실 때가 아닌데…

석민   뭔지 몰라도 빨리 하지. 손님들 모아 놓고 자리 비우는 건 예의가 아닌데.

박형사   아, 예. 그럼….

박 형사, 황급히 서류 넘기다 떨구고 허둥지둥하자 한심해 하
는 석민 일동.

박형사	이게 서류가 워낙 많다 보니까… (서류 찾으며) 고인께서 평소에 진통제를 자주 드셨어요?
세라	네. 무릎이 원래 안 좋으셔서.
박형사	아~ 그… 고인께서 사건 당일 복용하신 약이… 아! (서류 찾은) 디클로페낙. 이 약인데….
도희	잠깐만요. 그럴 리 없어요. 그 약은 알레르기가 있어서 절대 안 드시는 약이에요.
박형사	하지만 사건 당일 고인께서 직접 투약한 진통제의 잔여물이 디클로페낙으로 확인됐습니다. 약통의 라벨과 내용물이 달라서 말씀드리려던 거고요.
도희	(충격 받고)
세라	그럼 어머님이 의료 사고로 돌아가셨다는 말인가요?
석민	(믿기지 않는다는 듯 한숨) 그냥 심장 마빈 줄 알았는데….
수안	약 처방 최 원장이 한 거 아냐? 어떻게 이런 실수를….
박형사	여러 가능성을 두고 수사할 테니 아직 너무 속단하진 마시고….

도희, 혼란스럽게 눈동자 흔들리며 생각에 빠지는데…
순간, 도희의 뇌리를 스치는 기억.

인서트	***차 안에서 차 팀장의 전화를 받은 도희.***

차 팀장 (E) 대표님을 미래 그룹의 회장으로 만들어 줄 대단한 카드라는 것만 우선 말씀드리죠.

도희 (E) 감사팀… 그리고 차 팀장. 차 팀장이 말한 카드가 누군가의 부패 정황이라면?

도희 !

도희 (E) 그래서 주 여사를 죽인 거야. 그걸 캐는 걸 막으려고….

거기까지 생각이 미치자 토할 것 같은 도희, 입을 막고 헛구역질을 참는데.

석민 의료 사고라니… 그림이 영 안 좋아. 가뜩이나 미래 그룹의 위기니 뭐니 떠들어 대는데 먹이를 던져 주게 생겼어.

세라 사람들이 떠들어 댈 생각 하니 벌써부터 머리가 아프네요.

수안 다들 아주 신나서 소설을 쓰겠네. 재벌들은 악마한테 영혼이라도 판 줄 안다니까. 지금 주식이 얼마나 떨어졌지?

세라 더 떨어지면 힘들어요.

다들 골치 아픈 표정이고 흥미가 떨어진 도경은 휴대폰을 들여다보는데….

박 형사 우선… 고인의 디클로페낙 부작용을 아는 건 누구누구죠?

도희 (싸늘한 눈빛으로 고개 들며) 주치의… 그리고 이 자리에 있는 가족 모두가 알아요.

그 말에 싸해지는 석민 일동, 눈을 굴려 서로를 본다.
서로를 믿지 못하는 경계와 의심의 눈빛.
박 형사, 뭔가 말하려 하자.

석민	그냥 심장 마비로 하지.
도희	! (놀라 석민을 보면)
세라	(냉큼) 좋은 생각이에요. 승계 앞두고 괜히 스캔들 터지면 좋을 거 없으니까.
수안	하긴. 이유를 밝힌다고 죽은 엄마가 살아 돌아오는 것도 아니고.
석민	(박 형사에게) 경찰청장한텐 내가 말해 둘 테니까 그렇게 알고. (일동에게) 다들 입단속들 잘해.
박 형사	(어쩔 줄 몰라 하는) 아니, 저기….

석민, 일어나 나가 버리면 따라나서는 일동.
박 형사, 허둥지둥 서류를 챙겨들고 그 뒤를 쫓는데.

석민	(세라에게) 정 변호사는?
세라	밖에서 준비하고 있어요.
수안	근데 유언 발표를 밖에서 해?
석민	공표하는 셈 치고 사람들 앞에서 하려고.
수안	그래. 시간 끌어서 좋을 거 없지.

홀로 남은 도희, 석민 일동의 뒷모습을 노려보며 분노가 치솟

는데. 피가 통하지 않을 만큼 주먹을 꽉 쥐더니 화난 눈빛으로 서재를 나선다.

S#40.　　**주천숙 자택 정원 (낮)**
저만치 걸어가는 석민 일동을 향해 빠르게 다가가는 도희.
핑거 푸드를 먹던 구원, 그런 도희를 발견하고.
손님을 응대하던 석훈 역시 도희를 보는데.
석민 일동의 뒤에서 큰 소리로 말하는 도희.

도희　　주 여사는 살해당했어. 이건 심장 마비도 의료 사고도 아닌 살인이야.

그 말에 사람들 쑥덕이고 뒤돌아 도희를 노려보는 석민 일동.

도희　　주 여사가 왜 죽었는지 알아. 날 죽이려는 이유도.
수안　　너 취했니?
세라　　(주위 살피며) 사람들 앞에서 지금 뭐 하는….
도경　　('피식' 비웃고)

도희, 석민 일동의 얼굴을 하나씩 노려보며 반응을 살피는데.

도희　　(E) 너희들 중 누구야? 너야? 너? 아니면 모두가 공범?
석민　　(경호원들에) 끌어내.

사태의 심각성을 눈치 채고 도희에게 다가오는 석훈.
경호원들이 위협적으로 도희에게 나서자 걸음 서두르는데…
한 발 앞서 도희 앞을 가로막고 서는 구원.

구원   (느긋하게 소스 묻은 손가락을 빨며) 물러들 서지. 다치기 싫으면.

건장한 경호원들, 그런 구원을 비웃으며 다가서면 금방이라
도 한판 붙을 듯한데…
그 사이 테이블에 자리 잡고 앉는 석민 일동.

석민   (정 변호사에게) 시작하지.
정변   도도희 씨도 참석을….
석민   (잔말 말고 빨리 시작하라고 짜증 섞인 손짓)
석훈   (도희에게 다가와) 도희야, 왜 그래. 무슨 일이야?
도희   (한숨 쉬더니 구원에게) 나가자. (돌아서면)
구원   아쉽네. 친해질 기회였는데.

경호원에게 '씨익' 웃어 보이고는 도희 뒤를 따라 걷는 구원.
그런 도희를 본 정 변호사, 다급히 유언을 낭독하면 분노에
찬 도희의 얼굴 위로.

정 변호사   (off) 증여자 주천숙 님께서는 주식 및 전환사채를 비롯한 모든
          재산의 증여에 대해 정지조건부 유언장을 작성하셨습니다.
수안   조건부?

정 변호사	주천숙 회장님의 유언장을 집행하도록 하겠습니다. 한남동 저택을 포함한 부동산 및 현금은 모두 한사랑 복지재단에 기부한다.
수안	올랄라….
세라	(중얼) 어머님이 결국 사고를 치시네….
정 변호사	또한 미래 그룹 계열사 주식 전부를 수증자에게 증여하고 미래 그룹의 경영을 맡긴다.

석민, 여유롭게 미소 짓고 세라와 도경 역시 뿌듯한 표정으로 턱을 드는데.

수안	(초조하고 기대 어린) 그래서 수증자가 누군데…?
정 변호사	위의 수증자는 미래 F&B 대표 도도희로 지정한다.

석민, 자리에서 벌떡 일어서고 석민 일동을 비롯해 놀라는 사람들.
석훈 역시 놀라 도희를 본다.

구원	(멈춰 서는) 그냥 파티가 아니라 서프라이즈 파티였어?

사람들의 시선에 어리둥절한 도희, 뒤돌아 석민 일동의 황당한 표정과 마주하면.

도경	미친….

수안   (넋 나간) 도도희가… 회장?

석민은 물론 세라마저 표정 관리 안 돼서 얼굴 일그러지고…
정미, 놀라 입이 쩍 벌어지고 한 팀장은 음식을 먹던 포크마
저 놓치는데.

한성   (영문을 몰라 두리번대며) 왜요?

신 비서   ('피식') 회장님도 참….

정 변호사   (off) 조건은 증여자 주천숙의 사후 1년 이내 수증자 도도희
가 혼인 신고를 하는 것이며, 조건이 이행되지 않을 경우 증
여 계약은 해제되고 그 또한 한사랑 재단에 기부한다. (낭독을
끝내고) 당황하셨을 유가족분들께 고인께서 직접 편지를 남기
셨습니다.

정 변호사가 편지 꺼내면 수안, 달려가 빼앗듯 편지를 집어
황급히 펼친다.

수안   뭐라도 있을 거야. 엄마가 나한테 이럴 리 없어. ('다다다' 읽는) 너
흰 돈 때문에 망쳤다. 정신 똑바로 차리고 남자 조심… 아악!

정 변호사, 석민에게 편지 건네면, 거칠게 편지를 뜯어 읽는
석민.

세라   뭐라고 써 있어요?

석민	(편지 바로 접으며) 모르는 게 나아.
세라	(눈 질끈 감고)

남들 시선 의식할 여유 없이 담배를 꺼내 무는 도경.
불붙이려는데 잘 안되자 홧김에 테이블에 확 내팽개친다.
쌍둥이들은 입을 벌린 채 어른들의 눈치를 살피는데.

정변	(도희에게 다가가 편지 건네며) 고인께서 고심 끝에 결정하신 일입니다.

편지를 받아 든 채 혼란스러운 눈으로 천숙의 사진을 보는 도희.

도희	주 여사… 이게 대체….

그런 도희 앞에 매섭게 다가와 서는 수안과 석민, 세라.

수안	너 무슨 짓을 한 거야! (도희에게 달려들려 하면)
석훈	(수안을 말리며) 진정해, 누나!
석민	어떻게 된 거니, 도희야.
세라	(도희에게) 설마… 안 할 거죠?

앞을 가로막고 선 석민 일동을 보는 도희, 눈빛 차가워지며.

도희	날 막을 방법은 하나예요. 날 죽이는 것.
석훈	(놀라는) 도희야….

황당해 하는 이들을 헤치며 홀로 나서는 도희.

도희	(E) 지켜봐, 주 여사. 내가 악마와 손을 잡아서라도 진실을 밝혀 줄 테니까.

전투적인 눈빛으로 구원에게 걸어가는 도희.
천숙이 선물한 반지를 손가락에서 거칠게 빼어 들며 구원 앞에 멈춰 서더니.

도희	(반지 내밀며) 정구원 씨. 나랑 해요, 결혼.

즐비한 근조화환을 배경으로 하얀 드레스를 입은 채 프러포즈하는 도희의 비장한 얼굴.
석훈, 심장이 '철렁' 내려앉고…
석민 일동을 포함한 문상객들 모두 입이 벌어진 와중에 박 형사 혼자 자기 말이 맞았다 싶어 신났다.
모두의 시선을 온몸에 받고 선 구원, 반지를 내려다봤다가 시선 들어 다시 도희의 눈을 마주하면 서로를 보는 두 사람의 모습에서.

3화 엔딩

IV

달콤하고도 위험한

S#1.	주천숙 자택 정원 (낮)

전투적인 눈빛으로 구원에게 걸어가는 도희, 가까워지는 구원을 보며.

도희	㉣ 나는 오늘 이 남자에게 내 인생 최고의 배팅을 한다.

천숙이 선물한 반지를 손가락에서 거칠게 빼어 들며 구원 앞에 멈춰 서는 도희.

도희	(반지 내밀며) 정구원 씨. 나랑 해요, 결혼.

즐비한 근조화환을 배경으로 하얀 드레스를 입은 채 프러포즈하는 도희의 비장한 얼굴.
석훈, 심장이 '철렁' 내려앉고…
석민 일동을 포함한 문상객들 모두 입이 벌어진 와중에 박 형사 혼자 자기 말이 맞았다 싶어 신났다.

모두의 시선을 한 몸에 받은 채 반지를 내려다보는 구원.
시선 들어 도희의 눈 마주하자 모두들 긴장해 구원의 답을
기다린다.
박 형사는 두 손까지 모은 채 기대감 어린 눈빛인데…
구원, 천천히 입을 열어 하는 말.

구원   싫은데.

사람들, '헉!' 놀라고 얼음처럼 굳어 선 도희의 모습 위로.

도희   (E) 최악의 배팅이었다.

허공에 홀로 손 내민 도희, 천천히 손을 거둬들여 뒤돌아 걷
기 시작하면.

석훈   (다가가) 도희야….
도희   (계속 걸으며 손 들어 막는) 아무 말도 하지 마.

석훈, 차마 더 따라가지 못하고…
애써 당당히 걷는 도희 옆에 따라붙는 누군가.
도희, 고개 돌려 보면 태연한 표정의 구원이다.

도희   지금 이 타이밍에 네가 따라오는 건 뭐야?
구원   뭐긴 경호하는 거지. 난 경호원이니까.

도희	(벙찐)
구원	공과 사는 구분해야지.
도희	(다시 앞을 보며 걸으며) 내가 미쳤지….

그 희한한 그림에 쑥덕이는 이들 사이를 나란히 걸어가는 구
원과 도희.
마치 웨딩마치와도 같은 웃픈 모습 위로.

 # 타이틀   〈 달콤하고도 위험한 〉

S#2.   **주천숙 자택 서재 (해 질 녘)**
아무도 없는 서재에 숨어든 수안의 쌍둥이들.
오스틴이 품에서 절반쯤 남은 와인 병을 꺼내자 저스틴, 눈을
빛내며 뺏으려 한다.
병을 들고 실랑이하는 쌍둥이들, 문 '쾅!' 열고 들어서는 수안
에 와인 병을 책상 위에 두고 책상 뒤에 후다닥 숨는다.
뒤이어 감정을 숨긴 표정의 석민과 세라가 들어서며 문을 닫
자 참았던 소리 지르는 수안.

수안	아악! 약 올라! 봤지? 우리 앞에서 보란 듯이 프러포즈하는 거.

열 오른 수안의 눈에 책상 위 와인 병 들어오고…
수안이 다가가면 책상 밑 쌍둥이들 긴장해 서로의 입을 막는다.
병 들어 살피는 수안, 눈치 채나 싶더니 홧김에 와인을 벌컥

벌컥 마실 뿐.

수안   핏줄만 믿고 방심했다 완전 뒤통수 맞았네. (석민에게) 소송하자!

석민   소용없어.

수안   왜에!

석민   너나 우리나 그동안 증여 받은 재산이 법정 상속분을 넘겨.
        소송해도 한 푼도 못 받아.

수안   (좌절했다 다시) 엄마가 치매였다고 하면? 심신 미약 상태에서 쓴
        유언장이라 효력이 없다고….

세라   (두통에 이마 짚은 채) 정 변호사가 같이 작성했잖아요. 법적인 검
        토도 다 끝낸 거죠.

수안   메흐트!4

수안, 와인 병을 책상에 '쾅!' 내려놓으면 깜짝 놀라는 쌍둥이들.
그때 책상 밑으로 삐져나온 옷자락이 수안의 눈에 들어오고.

수안   ?

허리 숙여 밑을 살피는 수안, 서로의 입을 막은 쌍둥이들과
눈 마주치자.

쌍둥이, 수안   (동시에 놀라) 으악~!

4   Merde: 프랑스어로 젠장이라는 뜻의 욕.

수안	(후다닥 도망치는 쌍둥이들 좇으며) 오스틴, 저스틴!
세라	(소란에 더욱 지끈거리는 이마를 짚으며) 이제 어떡해요, 여보?

석민, 감정 없는 눈으로 책상에 놓인 천숙의 안경을 보면….

S#3. **주천숙 자택 서재 (밤) - 회상**
책상에 놓인 안경 너머로 뿌옇게 보이는 누군가.
바닥에 엎드려 울고 있는 건 12년 전 석민이다.
천숙, 옛 기종 휴대폰으로 누군가와 통화 중이다.

천숙	법대로 해 주세요. 죄를 지었으면 죗값을 치러야죠.
석민	술 먹고 실수한 거라고요! 사람인 줄 몰랐다고요!

전화를 끊고 차갑게 돌아앉은 천숙의 뒷모습을 원망이 가득
한 눈으로 보는 석민.

석민	어머니!!

S#4. **주천숙 자택 서재 (해 질 녘)**
회상 속 석민의 외침이 메아리치고.

석민	어머니 뜻이 그렇다면 따라야지.

| 세라 | (좌절하며) 어머니가 당신을 또 사지로 모네요⋯. |

석민의 차가운 눈빛.

| S#5. | **주천숙 자택 온실 (해 질 녘)** |

온실에 홀로 서서 담배를 피우는 도경.
분노가 치밀어 오르는 눈빛이 금방이라도 터질 듯한데⋯
불이 붙은 담배를 바닥에 내던지면 담배가 떨어진 곳에 하얀
나비가 죽어 있다.
도경, 싸늘한 눈빛으로 나비 내려다보더니 담배를 비벼 끄면
도경의 구둣발에 담배와 함께 짓밟히는 하얀 나비.

| S#6. | **도희의 차 안 (해 질 녘)** |

팔짱을 낀 채 카시트에 도도하게 앉은 도희.

| 도희 | 난 쿨한 사람이야. 그 말은 벌써 아무렇지 않다는 거지. |
| 구원 | 근데 왜 거기 앉았어? |

그제야 도희가 앉은 자리 보이면 평소와 달리 뒷좌석이다.

| 도희 | (누가 봐도 삐친) 원래 이 자리가 내 자리야. |
| 구원 | 그럼 그동안은 왜⋯. |

도희   (말 끊는) 구구절절 내 제안을 거절할 수밖에 없는 이유를 설명하고 싶겠지. 하지만 난 그딴 건 궁금하지도 않아.

구원   나도 별로 설명할 생각은….

도희   (또 끊는) 내가 요 며칠 잠을 못 잤거든. 제정신이 아닌 상태에서 충동적으로 저지른… 뭐 거의 잠꼬대라고 볼 수 있지. 너 설마 내가 진심으로 그랬다고 생각하는 건 아니지?

구원   프러포즈 말하는 거야?

도희   그런 거창한 표현은 좀 그렇고.

구원   프러포즈를 프러포즈라 하지 그럼 뭐라고….

도희   (냉큼) 해프닝. 그냥 작은 해프닝이라는 표현이 훨씬 적절해.

구원   어쨌든 난 상관없어.

도희   (그 말도 거슬리는) 뭐가 상관없지? 해프닝이라는 표현? 진심 아닌 거? 아님 내가 프러포… 아니, 잠꼬대한 거?

구원   굳이 말하자면… 세 가지 다?

도희   (구원 흘기다 눈 감으며 뒤로 풀썩 기대는) 음악이나 좀 틀어.

구원, 라디오를 틀면 이승기의 '나랑 결혼해 줄래'가 흘러나온다.

도희   (미간 움찔) 다른 거.

구원, 채널 돌리면 감미로운 목소리의 '메리 미~ 내 손 잡아 줄래요' 하는 마크 툽의 '메리 미'.

| 도희 | (미간 찌푸리는) 다른 거! |

다시 채널 돌리면 흘러나오는 '말할 거예요~ 우리 이제 결혼해요' 하는 이소라의 '청혼'이다.

구원	흐음… 다들 결혼에 진심이네.
도희	(눈 번쩍 뜨며) 아니라고. 진심 아니라고. (다시 눈 감으며 뒤로 풀썩) 그냥 조용히 좀 가지.
구원	틀라고 할 땐 언제고….

투덜대며 라디오를 끄는 구원.

S#7.　　**도희 집 지하 주차장 (밤)**

차가 멈추면 도희, 차 문을 연 채.

| 도희 | 오늘 일로 질척거릴 일은 없을 거야. 난 쿨하니까. (내리고) |
| 구원 | (몸 빼서 내밀며) 아까부터 전혀 안 쿨…. |

구원의 눈앞에서 '쾅' 닫히는 문.
제자리로 돌아가려던 구원, 뒷좌석에 떨어진 편지를 발견한다.

S#8.　　**도희 집 거실 (밤)**

집에 들어서는 도희.
몸에 밴 듯 기계적으로 구두를 벗고 핸드백과 겉옷을 제자리
에 착착 놓으며.

도희 진심이 아니어서 그런가 타격이 일도 없네. 하필 그 순간 내
눈에 뜨인 게 정구원이었을 뿐 별다른 의미는….

멈칫하더니 현관에 대고 버럭 소리치는.

도희 결혼할 것도 아니면서 꼬시는 건 무슨 예의인데! 결혼도 안
할 거면서 왜 그렇게 알짱대냐고! 한 번만 더 그랬단 봐. 목에
올가미를 채워서라도 결혼식장에 끌고 갈 테니까.

S#9. **도희 집 현관 밖 (밤)**
문밖에 선 채 차마 벨을 누르지 못하는 구원.
벨 누르려던 손 거둬 목을 가리며 돌아서는데…
손에 들린 편지 보고 안 되겠다 싶어 다시 돌아 현관 앞에 서
면 문 너머에서 터져 나오는 목소리.

도희 (off) 아니다. 마취 총이 좋겠네!
구원 아니… 지금은 눈에 띄지 않는 게…. (돌아서 가 버리고)

S#10.   도희 집 거실 (밤)

도희   코끼리도 쓰러뜨릴 대용량으로 목덜미에 탕!

           그때 '띵동!' 울리는 현관 벨소리.

도희   (입 막으며) 헉. 정구원?

           비디오폰을 조심스레 보면 석훈이다.
           표정, 진지해지는 도희.
           점프하면, 소파에 앉은 석훈, 도희의 설명을 듣고 충격 받았다.

석훈   말도 안 돼. 감사 때문에 고모님을 죽였단 말이야? 게다가 너
           까지….
도희   누구 짓인지 알아내야 돼. 그러려면 회장이 돼서 감사팀을 꾸
           려야 하고.
석훈   아니. 넌 지금이라도 손 떼는 게 좋겠어. 네가 더 위험해지는
           건 안 돼.
도희   어차피 지금도 난 위험해. 내가 안전해지기 위해서라도 하루
           빨리 범인을 찾아야 돼.
석훈   하지만….
도희   나 때문이야.
석훈   도희야…!
도희   내가 없었으면 왠지 다 벌어지지 않았을 일 같아. 주 여사는

나한테 회장 자리를 주려다 죽임 당했어. 회사에 무슨 일이 있는 것 같다고 한 것도 나라고. 나 때문이야. 나 때문에 주 여사까지….

석훈   그런 거 아닌 거 알잖아. 네가 아니어도 결국 이렇게 될 일이었어. 자기 손으로 고모님을 죽인 범인은 지금 웃고 있을 텐데 네가 왜…. (가슴 아픈데)

도희   그러니까 꼭 알아야겠어. 누가 주 여사를 죽였는지.

석훈   (안타까움에 한숨 쉬더니) 아까 그 사람… 너랑 맞선 본 사람 맞지? 정구원 씨랬나?

도희   맞아.

석훈   아무리 그래도 그냥 맞선 한 번 본 사람이랑 결혼할 생각을 하다니….

도희   그냥 맞선 한 번 본 사람이 아냐.

석훈   그럼 정말 호감이 있는 거야?

도희   (당황) 그게 아니라… 날 구해 줬어, 여러 번.

석훈   그래서 경호원으로….

도희   날 가장 안전하게 지켜 줄 수 있는 사람이거든.

섭섭하고 속상한 석훈.

S#11.   **선월극장 이사장실 (밤)**

소파에 앉아 홀로 다과를 즐기던 복규, 구원이 들어서자.

복규	왔어?
구원	박 실장님은 왜 맨날 내 방에서 죽치는 거야?
복규	이사장실이 실장실보다 좋으니까. 이사장도 한잔?
구원	(의자에 풀썩 앉아 책상에 다리를 올리며) 됐어.
복규	뭐 맛있는 거 먹고 왔어? 재벌들은 장례식장에서 뭐 먹디?
구원	장례식이 아니라 파티였어. 그것도 서프라이즈 파티.
복규	?
구원	역시 인간의 욕심은 끝이 없다니까. 경호원 해 달래서 해 줬더니 이젠 결혼을 하재.
복규	누가?
구원	누구긴 누구야 도도희지. 오늘 나한테 프러포즈했어.
복규	뭐? 영화가 진짜였어?
구원	갑자기 웬 영화?

점프하면, 휘트니 휴스턴의 '엔 다이아~' 하는 노래가 흘러나오는 모니터 앞에 앉은 구원.
영화 '보디가드'를 보는 중이다.
구원 뒤에서 팝콘까지 집어먹으며 신난 복규.

복규	여기 주인공이 보디가드랑 가순데 이 둘도 처음엔 그렇게 서로를 극혐하더니, 결국 이래.
구원	그런 거 아냐. 도도희는 그냥 잠꼬대 같은 거랬어.
복규	원래 인간은 그럴 때 진심이 튀어나오는 법이야. 잠꼬대, 술주정. 그렇게 이성이 힘이 약해질 때.

구원 ('그런가?' 싶은) 진심 아니라던데….

모니터에서 '탕!' 총소리 나자 구원에게 바싹 붙으며 집중하는 복규.

복규 경호 수칙 첫째, 그녀만을 바라볼 것. 둘째, 그녀에게서 멀어지지 말 것. 셋째, 절대 그녀를 사랑하지 말 것. 크으~ 역시 내 인생의 로맨스다. 나도 집사 말고 경호원 할 걸.

구원 (한심한 눈빛으로 모니터 보는) 이딴 건 다 인간들의 망상이야.

복규 사랑도 모르는 이사장이 뭘 알겠니.

구원 모르는 게 아니라 그런 한심한 거에 흔들리지 않는 거지. 사랑은 약점이야. 가뜩이나 어리석은 인간을 더 어리석게 만든다고.

복규 우리 이사장 이러는 게 다 애정결핍이야. 사랑만 받고 살았어도 데몬이 아니라 수호신이 됐을지도 모르는데.

구원 또 그놈의 수호신 소리. 쓸데없는 소리 말고 일이나 해. (책상 위 서류 보며) 서류 쌓인 것 좀 봐.

복규 난 진작에 끝났지.

구원 ?

S#12. **도희 집 거실 (밤)**
소파에 이리저리 자리를 잡아 보는 석훈.
옆에 선 도희, 그런 석훈을 지켜보며.

도희	소파에서 어떻게 잔다고 그래?
석훈	안 자. 내가 밤새 지키고 있을 테니까 넌 아무 걱정 말고 자.
도희	됐다니까 진짜.
석훈	지금 이 상황에 널 혼자 두고 가면 내가 잠이 오겠어? 어차피 못 잘 거 불침번 서는 게 낫지. (자리 잡으면)
도희	난 누가 한 집에 있는 것만으로도 신경 쓰여서 못 자. 알잖아.
석훈	(쿠션 들고 벌떡 일어서는) 그럼 현관에서 불침번 서야겠다.
도희	아~ 오빠한테 괜히 말했어. 앞으론 아무 말도 안 할 거야.
석훈	너 그랬단 봐.
도희	오빠가 나 때문에 밤을 새면 나야말로 어떻게 맘 편히 잠을 자겠어. 안 그래?
석훈	(한풀 꺾이는) 하긴. 도희 네가 진짜 맘 편히 자려면 빨리 문제가 해결돼야겠지. (쿠션 내려놓고) 난 가서 서류들을 파 볼게. 내가 잘하는 게 그거니까.
도희	고마워….
석훈	고맙다는 말은 네가 맘 편히 푹 잘 수 있게 됐을 때 그때 해. 휴대폰 줘 봐.
도희	(휴대폰 건네며) 휴대폰은 왜?
석훈	(긴급 연락처 설정하며) 긴급 연락처로 내 번호 등록하게.
도희	(그런 석훈을 고마운 표정으로 보는데)
석훈	됐다. (휴대폰 건네면)
도희	내 걱정은 하지 마. 여기 보안이 얼마나 철저한데. (웃어 보이면)
석훈	(그런 도희를 안쓰럽게 보는) 도희야. 너무 혼자 헤쳐 나가려고 하지도 말고 너무 괜찮으려고 애쓰지도 마. 네가 겪은 일들. 절

대 안 괜찮은 일이야.

도희　… (먹먹한)

석훈　부족하지만 내가 고모님을 대신할 수 있게 최선을 다해 볼게.

도희　(애써 농담) 부족해도 너무 부족하네. 주 여사를 대신하려면 좀
더 괴팍해져 봐.

석훈　('피식' 웃는) 무슨 일 있으면 꼭 연락하고.

도희　알았어.

석훈　(나서다 말고) 참, 코끼린 무슨 소리야?

도희　(당황해 시치미) 갑자기 웬 코끼리? 무슨 얘기 하는지 모르겠네.

석훈　네가 아까 분명….

도희　(황급히 현관으로 밀며) 빨리 가. 나 좀 쉬자.

석훈　알았어~ 간다, 가.

석훈, 뒤돌아 손 흔들며 나가고 문 닫히면 적막해지는 집안.

도희　와… 혼자다. 십칠 년 만에 다시 또… (눈가 촉촉해지려 하자 고개
털며 마음 다잡는) 빨리 다음 단계로 넘어가는 거야. 우선 주 여
사 편지부터 읽고.

주머니에서 편지 꺼내려는데 휴대폰에서 울리는 카톡 알람음.
무시하고 주머니 뒤지는데 '깨똑, 깨똑, 깨깨깨…' 미친 듯 쏟
아진다.
휴대폰 꺼내 보면 수없이 도착한 메시지의 앞줄들.
'이거 너야?', '천하의 도도희가!' 등등.

도희	?

카톡의 기사 링크 터치하면 도희의 커지는 눈.
'빛의 속도로 차인 미래 그룹 후계자'라는 헤드라인 아래 얼굴이 모자이크 된 구원에게 반지 내밀며 프러포즈하는 도희 사진.

도희	!

S#13. **선월극장 이사장실 (밤)**
투덜거리며 서류에 결재 사인을 하는 구원.

구원 일일이 이렇게 손으로 해야 되다니… 능력이 없으니까 개고생이네.

복규 (새로운 서류 내밀며) 그래서 도도희는 어떡할 거야? 프러포즈.

구원 미쳤어? 경호원도 모자라 결혼을 하게. 최상위 포식자인 데몬이 하찮은 인간하고 결혼하는 건 육식주의자가 돼지랑 결혼하는 거랑 같다고.

복규 다른 동물들이 이런 기분인 건가. 미안하다. 돼지, 닭, 아주 가끔 소들도.

구원 깊게 얽힐 필요 없어. 난 그냥 보름달 뜰 때까지만 잘 버텨서 원래의 완벽한 나로 돌아가면 돼. (마지막 서류에 사인 끝내고 펜 내던지며) 드디어 다 했네.

구원, 아픈 손목을 터는데 그때 문 '쾅!' 열리며 전투적으로
들어서는 가영.
한 손에는 서슬 퍼런 칼을 다른 한 손에는 휴대폰을 들었다.

가영   도도희가 프러포즈한 거, 이사장 맞지?
복규   진스타, 진정해. 우선 그 칼부터 좀 내려놓자.
가영   이 여자 진짜 또라이 아냐?

마침 구원의 휴대폰 벨소리 울리며 떠오르는 발신자명 '도
라희'.

복규   (휴대폰 들여다보며) 참으로 시기적절한 네이밍일세.

구원, 전화 받으면 휴대폰 너머 튀어나오는 목소리.

도희   (E) 당장 만나!

S#14.   **한강 (밤)**
선글라스로 얼굴을 가린 채 팔짱을 끼고 한강변에 선 도희.
뒤에서 다가온 구원, 옆에 서며.

구원   야밤에 선글라스라니. 연예인 병이라도 걸린 거야?
도희   걸렸지. (구원 눈앞에 휴대폰 내밀면 기사 사진) 덕분에 너무 유명해

져서 연예인 병에 안 걸릴 수가 있어야지.

구원   (사진 들여다보며) 모자이크가 에러네. 조회 수를 올리려면 내 얼굴을 깠어야….

도희   (휴대폰 휙 거두며) 이유가 뭐야? 빛의 속도로 거절한 이유. 물론 내 사회적 위치가 부담스러웠겠지. 넙죽 받아들이면 속물처럼 보일 수도 있고. 이해해. 난 쿨하니까. 그래도 본인 입으로 직접 들어야겠어.

구원   말했잖아. 난 독신주의자라고.

도희   (열 받아 선글라스 벗어젖히며) 그건 나도 마찬가지라고.

구원   됐네. 그럼 이제 없던 일로.

도희   이런 흑역사를 없던 일로 해 준다니 아주 고맙네~ 이미 세상 사람 모두가 다 알지만.

구원   그러는 너야말로 왜 하필 나야? 그 자리에 있던 수많은 사람 중에 날 콕 찝은 이유 말이야.

도희   그건…. (말문 막히는데)

구원   설마 진짜 그런 거야? 그 왜… 영화처럼. (은근 기대하는)

도희   뭔 말이야?

구원   인간들은 원래 잠꼬대할 때 진심이 튀어나온다며.

도희   진심 아니라니까!

구원   (실망) 그럼. 이유도 설명 못 할 충동적인 행동에 내가 왜 맞장구를 쳐야 하는데? 묻지도 따지지도 않고 결혼할 상대를 원하면 다른 데 알아봐.

도희   걱정 마. 이 세상에 남자가 너 하나만 남았대도 너랑은 절대 결혼 안 하니까.

구원	그것 참 땡큐.
도희	(팽 돌아 걸어가며) 나 지금 쟤한테 또 차인 거 맞지? 하루에 두 번이나 차인 거야?
구원	(뒤에서 소리치는) 내 차 타고 가지~
도희	됐거든?
구원	또 황산 테러 당하면 어쩌려고.
도희	(휙 뒤돌아 돌아오며 여전히 도도한) 시동 걸어.

도희, 도도하게 앞을 지나치면 쫓아 돌아서는 구원.

S#15.　　**구원의 차 안 (밤)**

구원이 운전 중인 차 안.

도희가 조수석 차창에 이마를 기대고 스치는 야경을 보고 있다.

도희, 눈꺼풀이 끔뻑끔뻑 무거워지더니 졸음 가득한 목소리로.

도희	이게 다 네 이름 때문이야.
구원	(슬쩍 보면 반쯤 감긴 도희의 눈)
도희	처음 바다에서도 그렇고 오늘 일도… 그게 다 네 이름 때문이라고. 구원이라니. 너무 달콤하잖아.
구원	잠꼬대할 때 진심이 튀어나온다더니…. (기분 좋은데)
도희	가짜라서 그래.
구원	?
도희	그래서 그렇게 달콤한 거야. 원래 가짜가 더 달콤한 법이거든.

구원이니 사랑이니 행복이니… 이 세상에는 없는데 인간이 너무 간절히 원해서 만든 인공 감미료. 달콤할수록 건강에 나빠. 그중에서도 제일 나쁜 게 뭔지 알아? 행복. 인간은 행복하려고 애쓰느라 불행해지거든. 그래서 난 행복해지려고 애쓰지 않아.

구원 행복이 인생의 목표도 아니면 뭐 하러 그렇게 빡세게 살아?

도희 그냥 습관. 부모님 돌아가시고 달리는 기분으로 살지 않으면 잡아먹힐 거 같았어. 슬픔, 죄책감, 자기 연민… 그런 것들에. 그러다 보니까 습관이 됐어.

신호에 멈춰 서는 구원, 너무 조용하다 싶어 보면 그새 도희가 잠들었다.
그때 뒤에서 '빵, 빵!' 클랙슨 소리에 도희, 미간 찌푸리자 도희의 손목을 잡는 구원.
타투 위로 불빛이 일렁이고….

S#16. **다른 차 안 (밤)**

짜증 내며 클랙슨을 눌러 대는 운전자, 갑자기 소리가 나지 않자.

운전자 (당황) 왜 이래? 고장이야?

S#17.　**구원의 차 안 (밤)**
조용해지자 도희, 미간의 주름 사라지며 편안히 잠들고….
구원, 그런 도희를 내려다보며.

구원　　하찮기는….

S#18.　**구원의 차 안 (밤)**
지하 주차장에 스르르 멈추는 차.
구원, 안쪽 포켓에서 천숙의 편지를 꺼내 잠든 도희의 주머니
에 조심스레 넣고는 깊게 잠든 도희를 가만히 보더니 액셀을
일부러 한 번 밟아 '꿀렁' 급정거한다.
그 바람에 '헉!' 하고 깨는 도희.

도희　　(놀라 두리번대며) 왜? 뭔데?
구원　　(괜히 틱틱) 코를 얼마나 고는지 아주 시끄러워 죽겠네.
도희　　내가?
구원　　다 왔어. (먼저 내려 버리면)

도희, 갸우뚱하며 따라 내리고….

S#19.　**도희 집 현관 밖 (밤)**
나란히 현관으로 향하는 구원과 도희.

| 도희 | 많이 피곤했나? 나 원래 코 안 고는데. |
| 구원 | (현관문 앞에 멈춰 선 채) 함부로 다니다 또 무슨 일 나면 곤란하니까 볼일 있으면 그냥 불러. 볼일 없으면 더 좋고. |

쌀쌀맞게 돌아서는 구원에, 입 삐죽대더니 문 열고 들어서는 도희.
문 '탕!' 닫히고….

S#20. **도희 집 거실 - 주천숙 자택 서재 (밤/낮)**
소파에 앉은 도희, 휴대폰 긴급 연락처에 '또구원'을 추가하더니 스스로에게 변명하듯.

| 도희 | 경호원이니까. 공과 사는 구분해야지. |

그리고는 크게 심호흡해 마음 가다듬는 도희, 편지를 꺼내려는데 원래 있던 주머니에 편지가 없다.

| 도희 | 설마! (다른 주머니를 뒤져 편지가 나오자 안도하며) 그럼 그렇지. 내가 이렇게 중요한 걸 잃어버릴 리가. |

도희, 편지를 뜯어 읽기 시작하면….

| 천숙 | (E) 도희야. 이 편지가 너한테 전해졌다는 건 내가 널 또다시 |

혼자 남겨 뒀다는 거겠지.

도희   (애틋한) 주 여사….

서재 책상에 앉아 안경을 끼고 편지를 쓰는 천숙 보이면…
천숙 너머 비가 그치고 물방울이 맺힌 창문.
가죽 장갑을 낀 누군가에게 호통치고 난 후다.

천숙   (E) 나의 끝이 어떨지 별로 궁금하진 않지만 내 죽음만큼은 너에게 상처로 남지 않기를, 그저 짓궂은 장난처럼 그렇게 넘길 수 있길 바랄 뿐이다.

편지를 쓰다 말고 책상 위 가족사진 속 도희를 보며 슬픈 미소 짓는 천숙.
편지를 읽는 도희의 눈에 눈물이 고이는데.

천숙   (E) 그러니까 도희야. 눈물은 딱 한 번이면 충분해. 내가 너에게 맡기려는 자리는 눈물 따윈 허락하지 않는 전쟁터다.

그 말에 도희, 마음 다잡고….

S#21.   **형사과 (낮)**
이쑤시개로 이를 쑤시며 이 형사와 함께 형사과에 들어서는 박 형사.

책상 앞에 기다리고 선 도희가 뒤돌아보면 그 비장한 눈빛에 걸음 멈춘다.

S#22.   **주천숙 자택 서재 (낮)**
천숙의 서재에 모여 앉은 석민, 세라, 수안.
적의에 가득 찬 그들 앞에 박 형사와 도희가 섰는데…
박 형사가 부검 동의서를 건네면 석민이 받더니 보란 듯 도희의 눈앞에서 찢어 버린다.
그걸 막으려는 도희의 뺨을 때리는 수안.
세라, 그 모습을 무심한 표정으로 외면하고…
따귀를 맞은 도희의 시선에 조각나 버려진 부검 동의서를 밟고 나가는 이들의 구둣발.

천숙   ⒠ 난 실패했다. 남들 보기엔 성공한 삶일지 몰라도 내 주위엔 실패했다는 걸 확인시켜 주는 똥 같은 인간들 투성이야.

S#23.   **미래 그룹 로비 (낮)**
미래 그룹에서 진행되는 천숙의 영결식.
영정 사진을 든 석민의 뒤로 수안, 세라, 도경, 쌍둥이가 따르고, 그들을 차갑게 쏘아보며 뒤따르는 도희.
석훈은 그런 도희 옆에 붙어서 나란히 걷고 구원은 거리를 둔 채 인파를 경계하며 걷는다.

천숙에게 고개 숙여 마지막 인사를 하는 직원들 속 깊게 고개 숙인 채 눈물 흘리는 신 비서.

천숙   ⓔ 내가 결혼을 조건으로 회장 자리를 넘기는 이유가 궁금하겠지. 이 자리는 정말이지 무척이나 외로운 자리다. 내가 혼자 자리를 지켜 오며 뼈저리게 느꼈거든. 도희 네가 없었으면 난 아마 외로움이라는 지옥에 빠져 허우적댔을 거야.

S#24.   **화장터 (낮)**
이내 불길이 활활 타오르는 화구 속 천숙의 관.
도희와 석민 일동이 천숙의 마지막을 지켜보는데…
그들 뒤로 언제나처럼 투닥이는 쌍둥이의 모습이 마치 당장이라도 도희의 머리끄덩이를 잡고 싶은 이들의 속마음을 대변하는 듯하다.

천숙   ⓔ 내가 아는 지옥을 너에게 그대로 물려줄 순 없다. 그러니 이 자리에 오르려거든 널 외롭지 않게 할 사람, 네 편을 먼저 찾도록 해.

수속을 마치고 돌아온 석훈, 도희 옆에 서고 열린 문 너머 뒤에서 멀찍이 도희를 지켜보는 구원의 모습.

S#25.   **납골당 (낮)**

납골당에 놓인 천숙의 납골함.

천숙   (E) 만약 네 편을 찾지 못한다면 이 자리는 그냥 늑대들에게 먹
           이로 던져 주고 넌 널 지켜. 그게 늑대 소굴에 널 혼자 남겨 두
           고 가는 이 할미의 마지막 양심이다.

           천숙의 납골함 앞에 소주 한잔을 올리는 도희, 납골함을 바라
           보며.

도희   주 여사 뜻이 뭔지 알겠어. 근데 나 믿지? 난 혼자서도 잘하잖아.

           또 다른 잔에 소주를 따라 입에 털어 넣는 도희의 결연한 눈빛.
           도희, 돌아서면 역시나 뒤에서 묵묵히 기다리고 선 구원.
           두 사람, 나란히 걸어 멀어지면 그 옆의 다른 라인으로 넘어
           가는데…
           줄지어 선 들개파 똘마니들. 넘버 투, 납골함 앞에 국화를 놓
           고는 무릎 꿇고 앉아 고개 숙인다.
           이내 일어나 고개 드는 넘버 투의 비장한 눈빛.

넘버 투   형님의 원수를 갚기 전까진 눈물을 흘릴 자격도 없다.

똘마니들   (눈물 훔치며 눈빛 비장해지고)

넘버 투   그놈의 목을 따서 제사상에 올린다. 반드시.

넘버 투의 눈빛이 살기로 가득 차는데…
황급히 뛰어와 넘버 투에게 보고하는 똘마니 1.

똘마니 1   레스토랑에서 그 새끼 신상 땄습니다. 이름은 정구원이고 카드 번호도 확보했습니다. 그리고….

휴대폰으로 CCTV 화면 보여 주면 구원에게 넘버 투와 똘마니들이 다가가 케이크를 주먹으로 부수는 모습.
화면 빨리 감아 똘마니 1, 본인이 구원에게 달려드는 장면을 틀면 구원이 신문지를 펄럭이는 순간 갑자기 화면 지직거린다.

똘마니 1   딱 이 부분만 이래요. 일부러 지운 건 아닌 게 직원들도 모르더라고요.

지직거리는 화면 끝나고 홀로 선 구원에서 화면 멈추면.

넘버 투   (화면 속 구원을 노려보며) 너 이 새끼… 정체가 뭐야?

도희와 함께 납골당을 빠져나가는 구원의 뒷모습 보이고….

S#26.   **사대부 가옥 마당 (낮) - 꿈**
햇살이 쏟아지는 사대부 가옥의 마당을 거니는 젊은 도령의 뒷모습.

햇빛을 받은 도포 자락이 걸음마다 '사라락' 흩날린다.

저만치 총총히 걸음 옮기던 노비, 도령을 보더니 웃으며 인사
한다.

노비　　　　기침하셨습니까, 이선 도련님.

행랑어멈　　날이 좋네요, 이선 도련님.

모두들 그를 '이선 도련님'이라 살갑게 부르며 지나치고.

석이　　　　(off) 이선 도련님!

뒤에서 부르는 소리에 뒤를 돌아보는 이선의 모습 보이면….

양반집 도령 차림을 한 구원의 얼굴이다.

싱그럽게 웃는 이선.

S#27.　　　**선월극장 이사장실 (낮)**

번쩍 눈을 뜨는 구원.

소파에 잠들었던 구원, 깨서 숨을 헉헉대는데…

문 열고 콧노래 부르며 이사장실에 들어서는 복규.

복규　　　　굿모닝~ 이사장~

복규가 보지도 않고 노 룩 인사하며 홈 바로 다가가면 부스

스 자리에서 일어나 앉는 구원.

구원 박 실장님….

복규 (돌아서 구원을 보면)

구원 나… (혼란스러운 눈빛으로 복규 보며) 인간 시절의 기억이 돌아오기 시작했어.

복규 !

점프하면, 블랙커피를 마시는 구원.

복규 이선이라… 성은 모르고?

구원 다들 이름만 불렀어.

복규 내가 알아볼까? 조선 시대 이선이라는 이름의 양반을 찾아보면 되잖아.

구원 인간 시절의 나를 아는 게 과연 좋을지 모르겠어.

복규 나쁠 건 또 뭐 있어. 김이선? 박이선? 뭘까? 근데 200년 동안 깜깜하던 기억이 왜 갑자기 (허브티를 마시려다 멈칫) 헉.

구원 (불길) 왜?

복규 그러고 보니 이사장은 능력 빼면 시체, 아니 인간이잖아. 그래서 기억이 돌아오는 거야. 이제 인간이니까.

구원 그래서. 그게 뭐 어쨌는데.

복규 이사장도 이젠 우리랑 똑같은 하루살이 인생이라고! 자연 발화보다 교통 사고를 조심해야 되고 영생은커녕 노화를 걱정해야 하는 처지.

그 말에 천천히 고개 돌려 거울을 보는 구원.
제 얼굴을 만져 보더니… '헉' 놀란다.

S#28.   **도희의 차 안 (낮)**
이동하는 차 안 조수석에 앉은 도희, 태블릿으로 천숙의 사망 기사를 보면 '미래 그룹 주천숙 회장 심장마비로 사망. 눈물 속 영결식 치러져'라는 문구.
심장 마비로 확정된 기사에 도희, 착잡한데…
운전 중인 구원, 그런 도희를 힐끗 보더니 한 손 내밀며.

구원   손목 줘 봐.

도희, 습관적으로 손목 주면, 손목 잡은 구원, 안정이 온 듯 편안한데.

도희   (의아한 눈으로 구원 보며) 뭐 하려는 거 아니었어?
구원   아닌데?
도희   그럼 손목은 왜 잡아?
구원   뭐랄까… 마음의 평화랄까? 앞으로는 항상 이러고 있자고.
도희   (손 확 빼 버리며) 그건 안 되지. 나도 사회생활이란 게 있는데.
구원   (아쉽고)
도희   날 빛의 속도로 찬 남자랑, 그것도 하루에 두 번이나 찬 남자랑 손목 잡고 다니면 사람들이 날 어떻게 생각하겠어?

구원	쿨하다고 생각할 거 같은데.
도희	나 안 쿨해. 쿨하긴커녕 아주 펄펄 끓는다고.
구원	이번 기회에 쿨해지는 건 어때?
도희	너나 쿨해. 난 그냥 생긴 대로 살 거니까.
구원	(안 되겠다 싶은) 이건 말야 우리 모두를 위한 거야. 자칫하다간 오십견 때문에 널 구하지 못할지도 모른다고.
도희	오십견?
구원	인정하기 싫지만 능력이 없는 나의 신체는 인간이랑 똑같아. 그 말은 더 이상 시간이 내 편이 아니라는 거지.
도희	그래서?
구원	늙는다고. 너희처럼.
도희	그럼 네 말은 노화가 무서워서 내 손목을 항상 잡고 있겠다?
구원	그래. 이제 이해했지? (손목 잡으려 손 뻗으면)
도희	(그 손을 '탁' 치며) 싫어.
구원	왜 또?
도희	사람을 말이야, 무선 충전기 취급하고 말이야.
구원	넌 날 포켓몬 취급하잖아.
도희	데몬이나 포켓몬이나.
구원	이젠 화도 안 난다. 무지한 인간. 그럼 나도 경호원 안 해.
도희	맘대로 해. 내가 죽으면 너의 이 소중한 타투도 사라지는 거지 뭐.
구원	지금 같이 죽자는 거지?
도희	네가 경호원 안 한다며.
구원	그러니까 충전해 주면 되잖아.

도희	항상은 곤란하다고.
구원	그럼 언제?

S#29.   **도로 옆 인도 (낮)**

박스를 깔고 앉은 꾀죄죄한 얼굴의 노숙녀.

그의 앞에는 '(주)예수' 아래 계좌 번호가 적힌 팻말과 구걸통이 놓였다.

한산한 인파에 심심해 시선 돌리면 마침 신호에 멈춰 선 도희의 차.

차 안에서는 구원과 도희가 손목을 잡느니 마느니 한참 실랑이 중인데…

밖에서 보기에는 영락없이 알콩달콩 사랑싸움하는 걸로 보인다.

노숙녀	좋을 때다~ 좋은 시절은 잔인할 만큼 짧은 법이지.

어쩐지 슬픈 표정 짓는데 구원과 도희를 태운 차 출발해 버리고…

휴대폰 들여다보며 걷던 행인이 노숙녀 옆의 가방을 차 버리는 바람에 가방에서 쏟아지는 색색의 나뭇잎이며 쓰레기들.

노숙녀	이 귀한 것을…! (가방 와락 소중히 안아 들면)
휴대폰 남	죄송합니다.

노숙녀	(장화 신은 고양이 표정 지으며 구걸 통을 스윽 들어 보이고)
휴대폰 남	아, (주머니 뒤지다) 제가 지금 현금이 없어서.
노숙녀	(팻말 스윽 내밀며) 계좌 이체도 받아.

S#30.　미래 F&B 로비 (낮)

로비에 나란히 들어서는 구원과 도희.

구원이 슬쩍 손목 잡으려 하자 도희, 눈을 부라리며.

도희	(복화술) ㅎㅈㅁ…. (묵례하는 사람들에게 웃어 보이면)
구원	쳇!

구원과 도희, 엘리베이터를 타면 문 닫히고….

S#31.　미래 F&B 엘리베이터 안 (낮)

엘리베이터 안 광고판에서 흘러나오는 기능성 화장품 광고.

성우	당신은 지금 이 순간에도 늙어 가고 있습니다.

빠르게 주름지는 피부 영상에 초조해진 구원, 고개 확 돌려 도희의 손목 보면 팔짱 껴 손목을 사수하는 도희.

S#32.	미래 F&B 사무실 (낮)

한성 (출근해 자리에 앉으며) 좋은 아침입니다~

한 팀장 회장님이 돌아가셨는데 무슨 좋은 아침이야.

정미 (자리에 앉으며) 솔직히 회장님이랑 직접 대화도 해 본 적 없으면서 억지로 슬픈 척하는 건 오버죠.

한 팀장 (허한 눈으로 믹스커피 저으며) 대한민국이 다 아는 성공이며 글로벌한 인맥이 다 무슨 소용이야. 인생무상하다 증말. 그런 의미에서 오늘 회식 어때?

정미 오늘은 제가 대인운이 안 좋아서.

한성 최 대리님은 맨날 대인운이 안 좋아서 어떡해요? (진심 어린 걱정하고)

그때 엘리베이터에서 내려 사무실에 들어서는 구원과 도희.

한 팀장 대표님 오신다. 다들 표정 관리해.

그 말에 만면에 과장된 미소 짓는 홍보팀.
신 비서, 평소와 같은 표정으로 도희에게 다가가 묵례하면.

도희 신 비서님? 그때 그 맞선남은 어떻게 됐어요? (구원 들으란 듯) 왜 그때, 짝퉁 만나느라 어긋난 진짜 맞선남 있잖아요.

신 비서 일정 다시 잡을까요?

도희 최대한 빨리요.

| 신 비서 | 알겠습니다. 그리고 말씀하신 영상 확보했습니다. |

그 말에 도희, 표정 심각해지고….

S#33. **미래 F&B 대표실 (낮)**
도희, 자리에 앉아 노트북 속 폴더를 열면 가득한 동영상 파일들.
뒤에 선 구원, 그걸 보고는.

구원	그건 뭐야?
도희	주 여사가 살해당한 날 CCTV 화면이야. 주 여사는 감사팀을 꾸리라고 지시한 날 약물 쇼크로 죽었어. 약은 주 여사 가방 안에 있었으니까 누군가 약에 손대는 게 분명히 찍혔을 거야.
구원	이 많은 걸 다 보려면 힘들겠네. 수고해.

나가려다 이상해서 보면 도희, 보지도 않은 채 구원의 옷자락을 잡았다.

| 도희 | 잊었어? (구원 보며) 우린 한 배를 탔다는 거. |
| 구원 | ? |

'촥! 촥!' 블라인드가 내려지는 대표실.
책상에 앉은 도희, CCTV 영상을 빠르게 돌려 보고 있는데…

그 옆에 붙어 앉은 구원 역시 한 손으로 CCTV 영상을 돌려보며 다른 한 손으로는 도희의 손목을 잡았다.

도희	뒤에서부터 보는 거 맞지? 똑같은 거 보면 시간 낭비니까 순서 꼭 지켜.
구원	이건 경호원이 아니라 탐정이지. 경호원한테 바라는 게 너무 많은 거 아냐? (마우스 내던지며) 아~ 안 되겠어. 눈이 빠질 거 같아. 이렇게 원시적인 방법 말고 다른 방법을 찾자고.
도희	다른 방법 뭐?
구원	(잠시 생각하더니) 내가 능력으로 널 죽이려던 놈을 찾으면 어때?
도희	그게 가능해?
구원	물론.
도희	넌 그 얘길 왜 이제 해?
구원	안 물어봤잖아.
도희	여태 우리 이 고생을 왜 한 거니? 범인 잡으면 배후도 밝혀지고 모든 게 다 해결되네. (기대에 부풀어 손목 내미는) 당장 범인 잡으러 가자.
구원	(손목 잡으려다) 잠깐. 그전에 나한테 약속을 해야겠는데.
도희	(경계) 약속?
구원	범인 잡으면 넌 내가 필요 없어지잖아? 난 네가 여전히 필요하고. 그렇게되면 네가 어떻게 나올지 뻔하지.
도희	무슨~ 너 나 못 믿니?
구원	응.
도희	(그 단호함에) 알았어. 범인 잡아도 타투가 너한테 돌아갈 때까

지 협조할게. 됐지? (손목 내밀고)

구원   또 하나.

도희   뭐가 이렇게 많아~

구원   회사건 어디건 남들 눈 상관없이 항상 충전할 것.

도희   항상은 좀….

구원   (돌아서며) 그럼 안 해.

도희   항상 오케이. 범인만 잡으면 네가 원할 때 언제든지 충전해.

구원   딴소리하기 없기다.

도희   그래. 그러니까 맘 바뀌기 전에 빨리 해. 벌써부터 후회되기
       시작하니까.

       구원, 도희의 손목을 잡으면 타투 위 불꽃 일렁이고….

도희   범인 바로 앞에 말고 근처로 이동해. 경찰을 불러야 될지도….

구원   시끄러. 집중에 방해돼.

       도희, 입 다물면, 구원, 집중하며 손가락을 '딱!' 튕기는데.
       아무 일도 일어나지 않는다.

도희   뭐해?

구원   ? (다시 한번 손가락을 '딱!' 튕기지만 역시 아무 일도 없고)

도희   뭐야. 안 되는 거야?

구원   기다려 봐. (계속해서 손가락 튕겨 대며) 이럴 리가 없는데….

도희   (실망) 폼은 있는 대로 다 잡아 놓고….

| 구원 | (계속 해 대며) 왜 이래? 왜 안 되는 거야? |
| 도희 | 너 혹시 능력 사라진 거 아냐? |

구원, 설마 하는 표정으로 저만치 놓인 볼펜을 향해 손 뻗으면 볼펜이 날아와 '촥' 붙고 창을 향해 손가락 까딱하면 블라인드가 '좌르륵' 올라간다.

구원	아닌데?
도희	그럼 왜 안 되지?
구원	다른 사람 아무나 대 봐. 내가 직접 만나 본 사람으로.
도희	(창밖 보더니 텅 빈 홍보팀 자리 보며) 홍보팀 한 팀장?
구원	그 혼자 파이팅 넘치는? 알았어.

구원, 손가락 '딱!' 튕기면…
'똑똑' 노크 소리에 이어 태블릿 들고 들어서는 신 비서.

| 신 비서 | 대표님. 검토하실 자료가…. |

하는데, 구원과 도희, 둘 다 보이지 않는다.
두리번대는 신 비서.

S#34.   **미래 F&B 휴게실 창고 - 미래 F&B 휴게실 (낮)**
구원과 도희가 손목 잡은 채 이동한 곳은 휴게실 비품 창고

안이다.

물건들로 가득한 좁아터진 창고에 마주 본 채 붙어 섰는데….

도희	그럼 그렇지. 내가 이럴 줄….
구원	(도희의 입술을 손가락으로 막으며) 쉿.

창고 문틈으로 밖을 살피면 한 팀장을 포함해 홍보팀 삼인방
이 휴게실에 모여 믹스커피를 타고 있다.
'이것 봐.' 하는 구원의 표정.
도희, 감탄하며 들여다보는데….

한 팀장	근데 대표님이랑 정구원 씨 수상하지 않나?
구원, 도희	(귀가 쫑긋)
한성	뭐가요?
한 팀장	내가 보기엔 둘이 사귀는 게 분명해. 스킨십을 한 사이에서만 풍기는 그런 친밀함이 있다니까.

그 말에 서로가 의식되는 구원과 도희, 바싹 붙은 몸을 움직
거려 거리를 두려는데 쉽지 않고.

정미	잘못 짚어도 한참을 잘못 짚었어요. 정구원 씨가 대표님 프러 포즈 거절했잖아요.
한 팀장	애초에 프러포즈를 왜 했겠어. 둘이 뭐가 있는 거지.
한성	아~ (끄덕끄덕)

정미	뭐래…
한 팀장	사내 연애. 그거 진짜 짜릿하지.
한성	해 보셨어요?
한 팀장	그러엄~ 사내 연애의 꽃이 뭔지 알아? 회식.
정미	(중얼) 기승전 회식이네.
한 팀장	회식할 때 남들 몰래 테이블 밑으로 손잡고 있으면 정말 시간 가는 줄을 모르거든. 스킨십은 역시 남들 몰래 숨어서 하는 게 최고야.

마주 붙어 선 구원과 도희, 서로의 숨결이 귓가에 닿으며 어색하고.

한 팀장	(off) 손끝만 닿아도 찌릿찌릿. 눈만 마주치면 스파크가 파박.

옛날을 회상하는 한 팀장의 눈빛이 아련한데.

한 팀장	난 글쎄 다섯 시간을 손잡고 있었다니까?
한성	(엄한데 꽂히는) 화장실은 어떡하고요?
정미	그렇게 회식 마니아가 되셨구나?

어색해진 구원과 도희, 안 되겠다 싶어.

구원. 도희	(동시에) 이제 그만….

동시에 손목 내밀고 손목 잡으려 손 뻗으며 동선이 꼬이고···.
그 바람에 '우당탕' 물건을 쓰러뜨리면.

한 팀장	뭐야?
한성	설마 쥐? (겁먹으면)
정미	(슬그머니 빗자루 집어 들며 비장한) 문 열어 봐.

창고를 향해 걸어오는 세 사람.
구원과 도희, 숨을 참으며 긴장하는데···
한성, 문을 확 열면 텅 빈 창고.
쓰러진 커피 봉지에서 원두만이 '좌르르-' 쏟아진다.

S#35.   **미래 F&B 옥상 정원 (낮)**
붙어 선 그대로 옥상에 선 구원과 도희.
도희, 화들짝 구원에게서 떨어지고 구원 역시 머쓱해 옷을 털어 대는데.

도희	(괜스레 틱틱) 쓸데없이 한 팀장만 되고 이게 뭐야.
구원	역시 내가 아니라 그놈한테 문제가 있는 거야. 분명히 내가 그놈 얼굴을 봤는데 왜···.
도희	얼굴로 찾아내는 거야?
구원	응.
도희	그새 성형 수술을 했나···?

구원	어쨌든 내 능력 탓은 아니니까 손목은 항상 잡고 있는 걸로. (잡으려 하면)
도희	(피하는) 범인 잡으면 이라고 했잖아. 가뜩이나 사람들이 우리 사일 의심하는데 무슨….

도희, 또다시 민망해 손목을 만지작대고 아쉬워하는 구원.

S#36.   **소극장 분장실 (낮)**
그새 늘어나 벽에 즐비하게 붙은 도희의 사진들 위로 흐르는
'당신만이' 노래.
구원이 도희를 집 앞에 데려다주는 사진이 마지막으로 붙었다.
광철, 거울을 보며 새로운 분장 중인데 2G폰의 문자 알람음.
휴대폰 열어 보면 발신자명 '아브락사스'로부터 온 문자다.

문자	'사냥개 풀어.'

S#37.   **미래 F&B 사무실 (낮)**
책상에 앉아 고민에 빠진 구원.

구원	도대체 왜 그놈한테만 안 먹히는 거야?

그때 바퀴 의자를 굴려 구원 옆으로 찰싹 붙는 정미.

정미	정구원 씨. 오늘 끝나고 한 잔 어때요? 정구원 씨 환영회 겸 겸사겸사.
한 팀장	(바퀴 굴러 찰싹 붙어 눈을 빛내는) 우리 오늘 회식해?
한성	(역시 바퀴 굴러 찰싹) 최 대리님 오늘 대인운 안 좋다면서요.
정미	대인운은 안 좋은데 연애운이 좋아.
구원	회식?

구원, 생각에 잠기고….

S#38.　　**유흥 주점 룸 - 유흥 주점 복도 (밤)**
넘버 투 앞에 고개 숙이고 선 똘마니들.

넘버 투	아직도 못 찾은 거야?
똘마니1	그게… 애들 풀어서 수소문은 하고 있는데….
넘버 투	흥신소에 의뢰를 하든 카드사에 쳐들어가든 당장 찾아내! 답답한 놈들.

넘버 투, 술을 벌컥벌컥 들이마시는데…
노크를 하고 방에 들어서는 웨이터.
과일 안주를 내려놓는데 광철이 분장실에서 변장한 그 얼굴이다.

| 똘마니1 | (화풀이하듯 얼음통 던지며) 얼음 다 녹았잖아! 다시 가져와! |

말없이 꾸벅하고 나가는 광철의 뒷목에 상처 보이고…

넘버 투, 과일 안주를 보면 편지 봉투 하나가 과일 사이에 끼워져 있다.

봉투 겉면에 쓰인 문구.

'나를 간절히 찾는 자가 나를 만날 것이니라. - 잠언 8장 17절'

복도를 나서는 광철의 입가에 비릿한 미소.

호기심을 느낀 넘버 투, 봉투를 열어 보면…

구원이 도희를 집 앞에 데려다주는 사진 아래 '이름 정구원, 선월재단 이사장' 등등의 신상이 줄줄이 적혀 있다.

넘버 투, 벌컥 문을 열면 이미 흔적도 없이 사라진 광철.

S#39.   **주천숙 자택 서재 (밤/낮) - 현재/회상**

서재에 들어서는 누군가.

가죽 장갑 낀 손으로 책상 위를 스윽 훑으며 다가와 의자에 앉는다.

의자를 빙글 돌려 창밖을 보면…

멀쩡하던 창밖에 비가 내리며 과거로 플래시백.

책상 뒤에 선 천숙이 누군가에게 호통을 친다.

천숙   더러운 짓도 모자라 사람을 죽여? 죄를 지었으면 죗값을 받아야지.

상대를 노려보는 천숙의 화난 눈빛.

S#40.   **주천숙 자택 서재 앞 (낮) - 회상**

화난 걸음으로 서재를 나서는 가죽 장갑을 낀 누군가.

멈춰 서 뒤돌아 서재를 보면 열린 문 사이로 이마를 짚고 분을 삭이는 천숙이 보인다.

천숙   역시 피는 못 속이는 거야….

혼잣말하는 천숙을 보고 주먹을 움켜쥐면 그 위로 '우루루 쾅쾅!' 천둥이 치고…

저만치 보이는 소파 위에 놓인 천숙의 가방.

S#41.   **주천숙 자택 화장실 (낮) - 회상**

천숙의 약통에 든 약을 변기에 쏟아 버리는 장갑 낀 손.

'디클로페낙'이라 쓰인 약통의 약으로 채워 넣는다.

S#42.   **미래 F&B 대표실 - 미래 투자 대표실 (밤)**

혼자 CCTV 영상을 빠르게 돌려 보는 도희.

텅 빈 천숙 집 거실을 찍은 정지화면 같은 영상을 지루한 표정으로 멍하니 보는데…

갑자기 툭 튀는 화면에 스페이스 바 눌러 화면 멈춘다.

도희, 고쳐 앉으며 되감기 해 다시 틀어 보면 오른쪽 상단의 타임라인이 이십여 분 정도 점프한다.

도희   (한숨) 한발 늦었네….

       '똑똑' 하는 노크 소리에 보면 이미 문을 열고 들어선 구원.

구원   아직도야?
도희   다했어.

       그때 도희의 휴대폰 울리고 발신자명 '석훈 오빠'.

도희   (전화 받는) 어, 오빠.

       구원, 그런 도희가 신경 쓰이는 듯 힐끗 보고…
       노트북 모니터 불빛만이 밝힌 어두운 사무실에 홀로 앉아 통
       화하는 석훈.

석훈   도희야. 내가 차 팀장 노트북을 입수해서 살펴봤는데 깨끗해
       도 너무 깨끗하네. 이미 사람 손을 탄 게 분명해.
도희   나도 CCTV 확인했는데 마찬가지야.
석훈   같이 저녁 식사나 할까? 내가 지금 너네 사무실로 갈게. (재킷
       집어 들고)
도희   (시계 보더니) 시간이 벌써… 좋아. 어차피 나도 저녁 먹어야 되
       니까…. (일어서면)
구원   (그 앞을 막아서며) 안 돼. 오늘은 선약이 있어.
도희   내가?

S#43.   **노포 고깃집 (밤)**

허름한 고깃집 테이블 뒤에 앉은 도희.

맞은편에 앉은 홍보팀 보이면 아무도 쉽게 말을 꺼내지 못하는데….

한성   왜 이렇게 다들 말이 없으세요. 꼭 대표님 오셔서 싫은 것처럼.

한 팀장과 정미, 눈으로 욕하고.

한 팀장   대표님 오시는 줄 알았으면 좀 더 좋은 곳으로 잡는 건데.

정미   그냥 정구원 씨 환영회 삼아 간단히 마시는 자리였거든요.

한성   그럼 간단히 소맥?

현란한 기술로 소맥을 마는 한성.

맥주병을 따 한 잔 따르곤 소주를 넣어 소주병 바닥으로 맥주병 입구를 빙빙 돌리다 '팡!' 치면 거품이 인다.

이때를 놓치지 않고 거품 소맥을 따르는 한성을 신기한 듯 보는 구원.

구원   생긴 거랑 다르게 재주가 많네.

한성   (구원 앞에 술잔을 놓으며) 오늘의 주인공 먼저.

구원   난 됐어. 아직 업무 중이라.

정미   (김새는) 정구원 씨 환영회인데….

한 팀장   그럼 우리가 환영의 의미로 대신 건배~

잔을 부딪치는 일동, 어색함에 눈 굴리며 술을 홀짝대는데…
정적이 흐르자 '아하하~' 어색하게 웃으며 고개 돌려 원샷 하
는 홍보팀.
그때 구원이 테이블 밑으로 도희의 손목을 잡자 도희, '딸꾹!'
놀란다. 홍보팀, 의아한 눈으로 도희를 보면.

도희   아하하….

그 역시 어색하게 웃으며 다른 손으로 원샷 하고 홍보팀들
따라서 황급히 또 원샷.
구원의 얼굴에 홀린 정미, 안주 먹으려다 젓가락을 떨어뜨리
고… 주우려 몸을 숙이는데, 테이블 밑으로 구원이 잡은 도희
의 손목.

정미   (눈이 번쩍)!

도희, 황급히 구원의 손 털어 내지만 이미 늦었다.

정미   (똑바로 앉으며) 오늘 대인운이 안 좋더라니. 역시 미신은 배신
         안 해. (침울한 얼굴로 원샷 하면)
한성   최 대리님, 소맥 좋아하시는구나~ (또다시 소맥을 말아 주고)

구원, 다시 도희의 손목을 잡으면 고개 돌려 구원 외면한 채
손목 잡히는 도희.

| 한 팀장 | (이상한 분위기에) 우리도 원샷! |

또다시 원샷을 해 대는 홍보팀들.
비워진 술잔에 술이 채워지고, 비워지면 또 채워지고…
구원은 도희의 손목 덕에 마음의 평화가 찾아온 표정이고, 구
원에게 손목 잡힌 도희는 기분이 묘해져 자꾸만 술잔을 기울
인다.
이내 테이블에 머리를 '쿵' 박으며 쓰러지는 정미.

한 팀장	(만취한) 최정미 대리 아웃!
한성	(냅킨을 머리에 끼워 주며) 베개는 베고 자야져~
한 팀장	(도희 보더니) 대표님 괜찮으세요? 얼굴이 엄청 빨개지셨는데?
도희	(당황해 얼굴 만져 보더니) 술 때문에 그런 거예요.
한 팀장	그러겠죠… 당연히.
한성	(구원에게 치근덕대며 붙는) 근데 나 질문 있는데 해두 돼여?
구원	아니.
한성	우리 대표님 왜 찼어요?
도희	(그 말에 또 고개 돌리며 원샷)
한 팀장	(신난) 진실 게임이야?
한성	우리 대표님 같은 스타일 싫어하는구나?
도희	(듣기 싫어) 오늘은 여기까지 하….
구원	(말 끊으며) 아니. 나 도도희 좋아해.

구원의 말에 놀라는 도희, 저도 모르게 심장이 두근 하는데….

한성	근데 왜에~
한 팀장	그러게 왜~?

도희를 비롯해 다들 의아한 눈으로 구원을 보면….

구원	육식주의자가 돼지고기 좋고 돼지랑 결혼하는 거 봤어?

그 말에 술이 번쩍 깨는 홍보팀.
정적 속 불판 위 삼겹살 기름 튀는 소리만이 '치익-' 들리고….

한 팀장	아우~ 벌써 9시네? 막차 끊기겠다. (자리에서 일어서면)
한성	그럼 전 더 마시다 갈….
한 팀장	(한성 뒷덜미 잡고 일어서며) 최 대리 일어나!
정미	(볼에 냅킨 붙인 채 울먹이며 깨는) 히잉~ 분명 연애운은 좋았단 말야~

한 팀장, 한성과 함께 정미 둘러메고 빠져나가면 둘만 남는
구원과 도희.

구원	이제 맘 편히 충전해도 되겠네. (손목 잡은 손을 테이블 위로 꺼내면)
도희	… 나 지금 손목 잡힐 기분 아니야.
구원	?

손목 빼며 나가 버리는 도희.

S#44.   **뒷골목 (밤)**

도희, 화가 난 채 걸어가는데 뒤에서 팔을 붙들어 세우는 구원.

구원   또 뭐가 문젠데? 남들이 봐서 안 되고 충전할 기분이 아니어
서 안 되고. 도대체 나보고 언제 충전을 하라는 거야?

도희   넌 진짜… 됐어. (뿌리치고 가 버리면)

그런 도희의 뒷모습 보고 선 구원, 화나고…
걸어가던 도희, 화가 치밀어 도저히 안 되겠는지.

도희   나도 사람이라고. 충전기 아니고 감정이 있는 사람!

화내며 뒤도는데 아무도 없다.

S#45.   **다른 골목 (밤)**

혼자 뒷골목을 씩씩대며 걸어가는 구원.

구원   진짜 더럽고 치사해서… 내가 그냥 늙고 말지. (하다, 멈칫) 하
아… 혼자 다니다 또 무슨 일을 당하려고….

하고, 뒤도는데… 앞을 가로막는 덩치 무리.
칼이며 쇠 파이프를 든 험상궂은 얼굴이다.

구원   ?

뒤에서 '까라랑~' 쇠 파이프 바닥에 끌리는 소리에 뒤돌면 넘버 투를 포함한 익숙한 얼굴들.

구원   !

S#46.   **뒷골목 (밤)**
황당한 도희.

도희   도대체 어디 간 거야?

도희, 휴대폰의 '또구원' 번호를 눌러 전화 걸면….

S#47.   **다른 골목 (밤)**

구원   아~ 너넨 그때 그 쓰레기?
넘버 투   지난번엔 무슨 속임수를 썼는지는 몰라도 두 번은 안 당해.

파이프를 든 똘마니들, '까라랑~' 소리 내며 구원을 향해 좁혀드는데.

구원   (휴대폰 벨소리 울리자) 만나서 반가워. 근데 먼저 통화 좀.

구원이 휴대폰 꺼내 들면 파이프를 휘두르며 달려드는 똘마니들.
구원, 재빨리 피하지만 파이프를 맞고 날아가는 휴대폰.
바닥에 떨어진 휴대폰의 깨진 액정 위로 발신자명 '도라희' 보이고….

S#48.   **뒷골목 (밤)**

신호만 가는 휴대폰을 든 채 텅 빈 거리를 보는 도희.
어둠으로 가득한 밤거리가 불현듯 무섭다.

S#49.   **미래 전자 대표실 (밤)**

책상 뒤 의자에 앉은 석민의 손에 들린 천숙의 편지.
내용은 보이지 않는데…
'챙!' 소리와 함께 지포 라이터를 열어 불을 켜는 석민.
도경과 같은 지포 라이터다.
럼 샷 잔에 불을 붙여 편지의 끝을 가져다 대고…
불붙은 편지를 철제 쓰레기통에 던지더니 타오르는 잔을 들어 원샷 한다.
석민, 책상 위 가족사진을 들어 사진 속 웃고 있는 천숙을 보며.

| 석민 | 어머니. 어머니가 다른 사람에게 죄를 물을 자격이 있으세요? |

천숙을 바라보는 석민의 눈빛이 도전적인데….

| S#50. | **다른 골목 (밤)** |

구원의 머리에 똘마니 1이 쇠 파이프를 휘두르면 피하며 주먹으로 얼굴을 치는 구원. 맞은 똘마니 1뿐 아니라 구원 역시 주먹이 아파 털어 내며 돌아서는데…
어느새 뒤에 와 있던 넘버 투, 파이프로 구원의 머리를 내려친다.

| 구원 | ! |

구원, 머리에서 피가 울컥 쏟아지며 주춤주춤하더니 풀썩 무릎 꺾이고.

| 넘버 투 | (무릎 꿇은 구원 앞에 서 파이프를 높게 쳐들며) 형님 만나거든 안부 전해. |

구원의 머리에 마지막 일격을 내려치려는 그때!
'삐익, 삑, 삑!' 요란한 호루라기 소리.
구원, 핏발 선 눈으로 고개 들면 들개파들 너머 저만치 골목에 선 도희다!

구원   도도희….

입에는 호루라기를 물고 한 손에는 전기 충격기, 다른 한 손에는 가스총을 든 도희의 모습에 들개파들 황당하고.

넘버 투   저건 또 뭐야?
도희   나는… (할 말을 찾다) 경호원의 경호원이다!

비장하게 전기 충격기를 들어 작동시키면 '치직-' 거리는가 싶더니 이내 '피빅' 꺼져 버린다.

도희   (전기 충격기 들어 보며) 왜 맨날 충전이 문젠데~!

당황하는 도희를 보며 '피식' 비웃는 들개파들.
도희, 구원을 보면 머리에서 바닥으로 '뚝뚝' 떨어지는 붉은 피.

도희   정구원….

눈빛 비장해지는 도희, 전기 충격기를 내던지고 달리기 자세를 취하면.

들개파들   ?

도희, 앞을 향해 달리기 시작하고 들개파, 저게 미쳤나 싶은데…

자신을 향해 달려오는 도희를 보며 구원, 힘겹게 일어선다.
앞길을 가로막는 들개파에 도희, 가스총을 난사하고 들개파
콜록이며 기침하는 사이 구원을 향해 달려와 크로스하듯 손
목을 들어 보이면…
구원이 도희의 손목을 잡는 순간, '팟!' 하고 동시에 꺼지는
가로등.

똘마니1　뭐야, 씨발.

어둠 속 천천히 고개 드는 구원, 눈동자에 붉은 핏빛이 떠오
른다.
건물 뒤에 숨어 그 모습을 캠코더로 촬영 중인 광철의 눈빛
이 어둠 속에서 빛나고…
마치 기지개를 켜듯 허리를 세우고 꼿꼿이 서는 구원.
어느새 상처와 눈동자의 붉은 기가 사라졌다.
그런 구원에 도희, 안도하는데…
손목을 놓더니 그 손으로 도희의 허리를 감싸 안는 구원.

구원　(도희와 눈 맞추며) 탱고 출 줄 알아?
도희　(황당) 탱고?

구원, 다른 손으로 도희의 손목을 잡으면 주변 상가의 전구들
'샤르릉~' 켜지고.

구원   탱고를 출 땐 상대에 대한 신뢰가 중요해.

         그때 어디선가 흘러나오는 탱고 음악에 들개파들, 소리의 근
         원을 찾아 두리번대며 정신없고.

도희   이 와중에 무슨 탱고….
넘버 투   정신들 차려! 저 새끼 마술에 속으면 안 돼!

         파이프를 들고 달려드는 똘마니 1.
         구원이 보지도 않고 한 손으로 손목을 잡아 꺾어 내던지면
         '부웅' 날아가 셔터에 부딪히며 셔터가 움푹 파인다.
         도희, 놀라는 것도 잠시 넘버 투가 품에서 칼을 꺼내 구원의
         뒤에서 던지자.

도희   뒤에 칼!

         도희와 함께 빙글 턴을 해 피하는 구원.
         서로에게 시선을 고정한 두 사람의 눈빛에 스파크가 튀며.

구원   ⒠ 경호 수칙 첫째, 그녀만을 바라볼 것.

         두 사람 사이에 쇠 파이프를 휘두르는 똘마니 2.
         그 바람에 멀어지며 손목 놓치면 그때를 노려 똘마니 3이 도
         희에게 달려드는데.

구원 　　　(E) 둘째, 그녀에게서 멀어지지 말 것.

　　　　　구원, 다시 도희 손목을 잡고 당기면 도희의 몸이 빙그르 돌
　　　　　아 구원에게 감기며 바싹 붙어 선다.
　　　　　그렇게 한 몸이 된 두 사람, 들개파들을 하나하나 해치우는
　　　　　데…
　　　　　구원, 벽에 박힌 칼을 뽑아 던지면 넘버 투의 바지 가랑이 사
　　　　　이에 아슬아슬하게 꽂히고. 넘버 투, 안도하는 순간 날아온
　　　　　똘마니의 몸에 부딪혀 기절하며 세상 격렬한 탱고가 끝난다.
　　　　　기절한 들개파들 가운데 바싹 붙어 선 채 서로를 보며 격한
　　　　　숨을 내뱉는 두 사람의 모습 위로.

구원 　　　(E) 그리고 셋째. 절대, 그녀를 사랑하지 말 것.

　　　　　정적 속 마주 선 두 사람의 숨소리만이 들려오며….

　　　　　　　　　　　　　　　　　　　　　　　　　　　　4화 엔딩

V

당신만이

S#1.   **다른 골목 (밤)**
        도희의 손목을 잡았던 손으로 도희의 허리를 감싸 안는 구원.

구원   (도희와 눈 맞추며) 탱고 출 줄 알아?
도희   (황당) 탱고?

        구원, 다른 손으로 도희의 손목을 잡으면 주변 상가의 전구들 '샤르릉~' 켜지고.

구원   탱고를 출 땐 상대에 대한 신뢰가 중요해.

        그때 어디선가 흘러나오는 탱고 음악에 들개파들, 소리의 근원을 찾아 두리번대며 정신없고.

넘버 투   정신들 차려! 저 새끼 마술에 속으면 안 돼!
도희   이 와중에 무슨 탱고….

파이프를 들고 달려드는 똘마니 1.

구원이 보지도 않고 한 손으로 손목을 잡아 꺾어 내던지면 '부웅' 날아가 셔터에 부딪히며 셔터가 움푹 파인다.

도희, 놀라는 것도 잠시 넘버투가 품에서 칼을 꺼내 구원의 뒤에서 던지자.

도희   뒤에 칼!

도희와 함께 빙글 턴 해 피하는 구원.

서로에게 시선을 고정한 두 사람의 눈빛에 스파크가 튀며.

구원   (E) 경호수칙 첫째, 그녀만을 바라볼 것.

두 사람 사이에 쇠 파이프를 휘두르는 똘마니 2.

그 바람에 멀어지며 손목 놓치면 그때를 노려 똘마니 3이 도희에게 달려드는데.

구원   (E) 둘째, 그녀에게서 멀어지지 말 것.

구원, 다시 도희 손목을 잡고 당기면 도희의 몸이 빙그르 돌아 구원에게 감기며 바짝 붙어 선다.

그렇게 한 몸이 된 두 사람, 들개파를 하나하나 해치우는데…

구원, 벽에 박힌 칼을 뽑아 던지면 넘버 투 바지 가랑이 사이에 아슬아슬하게 꽂히고. 넘버 투, 안도하는 순간 날아온 똘마니의 몸에 부딪혀 기절하며 세상 격렬한 탱고가 끝난다.

기절한 들개파 가운데 바싹 붙어 선 채 서로를 보며 격한 숨을 내뱉는 두 사람.

정적 속 두 사람의 숨소리만이 들려오는 가운데.

구원   ⒠ 그리고 셋째. 절대, 그녀를 사랑하지 말 것.

순간 자신의 감정에 놀라 도희에게서 확 몸을 떼며 멀어지는 구원.

그 바람에 도희, 꿈에서 깨어나듯 정신 차리고…

흔들리는 구원의 눈빛 위로 경고처럼 울리는 사이렌 소리.

도희   괜찮아? 다친 거야? (다가가면)

구원, 뒤로 주춤 물러서며 마치 겁먹은 듯한 눈으로 도희를 보고 도희는 그런 구원이 의아하다.

사이렌 소리 가까워지며 골목에 들어서는 경찰차에 도희, 시선 뺏기고, 영상을 찍던 광철, 어둠 속으로 사라진다.

도희   내가 아까 신고해서….

구원   (여전히 흔들리는 눈빛으로) 우선 여기서 피하지.

혼자 저벅저벅 걸어가는 구원에 도희, 쫓아가는데…

차에서 내린 경찰들, 쓰러진 들개파에 놀랐다가 구원과 도희를 발견한다.

경찰1　(뒤에서) 저기요!

멈칫 굳는 구원과 도희, 눈알만 굴린 채 뒤돌지 않고…
수상한 두 사람의 모습에 경찰들, 허리에 찬 삼단봉을 뽑아
펼쳐 다가오며.

경찰1　잠깐 이리 좀 와 보시죠?
도희　망했다.

안 되겠다 싶은 구원, 도희 손목 잡아 옆의 골목으로 휙 빠지면.

경찰1　어, 어? (쫓아 달리는)
경찰2　(무전기에 대고) 24구역 56번지 지원요청 바랍니다. 24구역 56
　　　　번지….

황급히 달려온 경찰들, 막다른 골목에 두리번거리며 당황한다.

S#2.　　**도희 집 복도 (밤)**
　　　　코너에서 튀어나오는 구원과 도희.
　　　　구원, 손 놓으며 도희 뒤에 멈춰 서는데.

| 도희 | 하아… 살았다. (두리번대며) 여긴 우리 집? |

도희를 보던 구원, 홱 뒤돌아 가 버리고.

| 도희 | ? |

당황스러운 도희, 안 되겠다 싶어 구원을 쫓는데….

S#3. **도희 집 엘리베이터 앞 (밤)**
저만치 이미 엘리베이터에 올라탄 구원에.

| 도희 | (달려가며) 정구원! |

닫히는 문 너머로 보이는 구원의 흔들리는 눈빛에 도희, 멈춰
서고…
닫혀 버린 문 앞에 혼자 남겨진 도희, 혼란스럽다.

| 도희 | 정구원…. |

S#4. **도희 집 엘리베이터 안 (밤)**
엘리베이터 문에 비치는 자신의 흔들리는 눈빛을 마주하는
구원.

심장 박동 소리와 함께 플래시처럼 튀어나오는 기억.

인서트   *서로에게 시선을 고정한 채 스파크가 튀는 두 사람의 눈빛.*

인서트   *빙그르 돌아 구원의 품에 안긴 순간, 구원을 올려다보는 도희의 표정.*

인서트   *기절한 들개파 가운데 바싹 붙어 선 채 서로를 보며 격한 숨을 내뱉는
          두 사람.*

'쿠궁, 쿠궁' 커지는 박동 소리와 함께 미친 듯 뛰는 심장을
부여잡듯 가슴팍을 움켜쥐는 구원.

구원   이게 대체 뭐….

구원의 얼굴 위로 위기감이 떠오르며….

#타이틀   *< 당신만이 >*

S#5.   **선월극장 (밤)**
        검무를 추는 가영, 칼을 휘두르다 칼날이 손바닥을 스치며 베
        이자.

가영   아!

손바닥에서 배어 나오는 붉은 피를 불길한 듯 가만히 보고 섰는데.

복규   다쳤어? (스태프에게) 구급상자 좀!

가영   누가 나 암살하려는 거야? 칼이 왜 이렇게 날카로워?

복규   우리 진스타. 이제 경지에 올랐네. 얼마나 심취했으면 무딘 가짜 칼에도 베일까. (스태프가 가져온 구급상자에서 소독약 꺼내면)

가영   됐어. 내가 해. (앉아 직접 소독하며) 공연이 코앞인데 이사장은 관심도 하나 없고….

복규   대신 내가 우리 진스타 밀착 마크하잖아. 나로는 만족 못 해?

가영   당연하지.

복규   (빠른 수긍) 맞아, 당연하지.

가영   이사장 도도희랑 정말 뭐 있는 거 아냐? 이 시간까지 퇴근도 안 하고 하루 종일 붙어서….

복규   에이~ 이사장이 얼마나 철벽인지 알면서. 진스타가 20년 넘도록 그렇게 해바라기해도 눈 하나 깜짝….

가영   (가만히 복규를 보면)

복규   눈은 깜짝했던 거 같기도 하고.

가영   (한숨 쉬면)

복규   이사장의 심장은 냉동실 저~ 밑바닥에서 200년 동안 잊혀진 아이스크림이나 마찬가지야. 꽝꽝 얼다 못해 제 기능을 잃었다고. 멀쩡하다 못해 초현실적인 허우대를 갖고도 200년간 모태 솔로인 건 다 이유가 있다니까.

가영   그래도 왠지 신경 쓰여. 이 여잔 뭔가 느낌이 안 좋다고. 경호원 말고 다른 방법은 진짜 없는 거야?

복규 지금으로선 그게 최선이야.

가영 … (불만스러운 얼굴로 상처에 밴드를 붙이고 일어서면)

복규 쉬었다 할까?

가영 됐어. 이깟 거. 시간도 없는데.

연주자들에게 신호하고 음악에 맞춰 다시 검무를 이어 가는
가영.

S#6. **선월극장 이사장실 (밤)**

구원, 문을 벌컥 열고 들어서더니 홈 바로 걸어가 와인을 한
잔 가득 따라 원샷 한다.

입술에 흐른 와인을 손등으로 거칠게 닦아 내며 화난 표정.

구원 뭔가 잘못됐어. 내가 하찮은 인간 따위한테….

혼란스러운 표정의 구원, 문득 자신의 손목을 들어 보면 타투
가 사라지고 깨끗한 손목.

구원 설마… 타투 때문에?

S#7. **도희 집 화장실 - 침실 (밤)**

욕실에서 뾰로통한 얼굴로 양치질하는 도희.
세면대에 거품을 '퉤!' 뱉더니 거울을 향해.

도희   그 극혐의 눈빛은 뭔데? 손목 못 잡아서 안달일 땐 언제고 지
금은 왜 사람을 병균 취급이냐고.

화장대 앞의 도희, 화장품을 '찹찹' 바르며.

도희   나만 설렜어? 솔직히 지도 설렜잖아. 근데 갑자기 왜 쌀쌀맞
게 돌변? 뜨거웠다 차가웠다. 자기가 무슨 뜨거운 아이스 아
메리카노야?

전동 침대 위에 누운 도희, '지잉-' 뒤로 넘어가며.

도희   뜨아든 아아든 나랑은 상관없어. 난 그냥 나의 길을 가면 돼.
이미 난 충분히 질척거렸다고.

침대 멈추면 '딸깍' 조명 끄고 눈 감는데…
눈을 번쩍 뜨는 도희.
휴대폰 들어 내일 일정 중 '맞선'이라는 글씨를 보더니 심란
하다.

도희   아니. 알아야겠어. 나에 대한 마음이 핫인지 아이슨지.

휴대폰 불빛을 받은 도희의 표정이 결연한데….

S#8.　　　선월극장 앞 (밤)

극장 건물 앞 주차장에 멈추는 도희의 차.

차에서 내린 도희, 고개 들어 선월극장 건물을 올려다보며.

도희　　　내가 진짜 마지막으로 딱 한 번만 더 질척거린다.

극장에 들어서고….

S#9.　　　선월극장 이사장실 샤워실 (밤)

쏟아지는 물줄기에 생각을 씻어 내듯 샤워하는 구원.

그의 목에 십자가 목걸이가 걸렸다.

이내 뿌연 거울을 손으로 닦아 내고 거울에 비친 자신의 얼굴을 보는 구원. 차분하게 생각이 정리된 표정이다.

구원　　　내가 흔들린 게 아냐. 능력이 사라져서 생긴 부작용일 뿐이야.

그렇게 스스로를 안심시키는데….

S#10.　　　선월극장 로비 (밤)

어두운 극장 로비를 걸어가는 도희.

도희   갑자기 찾아온 이유를 물으면 '오늘 그 깍두기 같은 사람들
      은 뭐야? 궁금해서 잠이 안 오네?' 하면 돼. 이 시간에 연락도
      없이 찾아왔다. 나한테 마음이 있으면 반가움이 클 거고, 마
      음이 없으면 화나고 싫겠지. 1초면 충분해. 맞닥뜨리는 순간
      그 1초의 눈빛은 거짓말을 못 하니까.

      그때 벽에 붙은 혜원 전신첩의 쌍검대무 그림에 시선 뺏기는
      도희.
      그림 앞에 다가가 그림 속 뒤돌아선 여인의 모습을 물끄러미
      바라보는데…
      액자 유리에 비치는 검은 실루엣, 번쩍이는 칼을 들고 다가
      선다.
      도희, 핸드백에서 재빨리 전기 충격기를 꺼내 뒤돌아 '치지직
      ~!' 들이대고 상대 역시 도희를 향해 재빨리 검을 겨누는데…
      검은 연습복 차림의 가영이다.
      무기를 겨눈 채 서로를 보고 선 도희와 가영.

도희   당신 뭐야!
가영   당신이야말로 뭐야? 도둑이야?
도희   도둑이라면 나보다 그쪽이 더 어울리는 비주얼 아냐?
가영   (그제야 칼 깨닫고 내리며) 그쪽도 그렇게 평범한 비주얼은 아니
      거든?

도희	(머쓱하게 전기 충격기 내리면)
가영	(도희 알아보고) 도도희?
도희	당신 나 알아?
가영	당신은 나 몰라?
도희	?
가영	허. 감히 이 진스타를 못 알아보다니.
도희	스타는 그쪽이 아니라 난가 보지.
가영	(화가 치미는) 나가요, 당장. 이 시간엔 관계자 외 출입 금지니까.
도희	못 나가겠는데. 나도 관계자라.
가영	당신이 무슨⋯.
도희	내가 여기 이사장이랑 특별한 관계거든. 이사장실이⋯ 아, 저 쪽이네.

보란 듯 도도하게 걸어가는 도희의 뒷모습에 가영, 화나고.

S#11.   **선월극장 이사장실 (밤)**
'똑똑' 노크 소리 들리더니 살며시 열리는 문.

도희	익스 큐즈 미~ (텅 빈 이사장실에) 불은 켜져 있는데⋯.

들어서는 도희, 한쪽 벽면 가득한 바늘 시계에 놀라며.

도희	빈티지 시계 모으는 게 취민가? 근데 숫자가⋯ (10까지밖에 없

는 걸 보고) 하여튼 뭐 하나 평범한 게 없어.

두리번대다 책이 가득한 책장 앞에 서더니.

도희   그렇게 학구적인 스타일은 아니지 않나? 인테리어네. (책을 훑
       어보다 저만치 위에 꽂힌 데몬 책을 발견하고는) ?

호기심을 느낀 도희, 까치발 들어 꺼내려는데…
손가락 끝으로 간신히 꺼냈다 싶은 순간, 뒤에서 '탁!' 도로
집어넣는 손. 놀란 도희, 고개 돌리면 뒤에 선 구원의 싸늘한
눈빛.

구원   남의 물건에 함부로 손대는 건 무슨 예의야?
도희   (당황 숨기며) 뭐 일기라도 돼? 까칠하긴….

도희, 손 내리며 뒤돌면 구원 목에 걸린 십자가 목걸이가 눈
앞에서 찰랑이고.

도희   (E) 십자가….

빤히 십자가를 보는 도희의 시선에.

구원   이런 음흉한 여자를 봤나.

그 말에 풀어헤쳐진 셔츠 사이로 고스란히 드러난 구원의 매끈한 상체를 뒤늦게 의식하는 도희.
민망함에 시선 돌리는데…
그런 도희를 지나쳐 문으로 향하는 구원.
벌컥 문을 열면 문에 귀를 대고 엿듣던 가영, 그대로 굳었다.

가영   (구원 보더니) 뭐야? 왜 헐벗고 있어?

구원   넌 연습 안 해?

가영   지금 연습이 문제… (자신을 보는 도희 시선 의식하고 구원에게 다정하게 붙어 단추 잠가 주며) 오빠, 다른 여자 앞에서 함부로 속살 드러내고 그러지 말랬지.

도희   오빠?

가영   이러면 아무리 철벽 쳐도 자꾸 귀찮게 들러붙는단 말이야. 날파리처럼. (도희 가리키듯 빤히 보면)

도희   허. (기가 막히고)

구원   쓸데없는 소리 말고 넌 가서 네 할 일이나 해.

가영   단둘이 있을 땐 안 그러면서 꼭 사람들 앞에선 이렇게 센 척한다니까. 이따 극장에 좀 내려와. 상의할 거 있어. (돌아서려다 말고) 아. (도희에게) 관계자라는 말은 우리 같은 사이를 말하는 거예요.

가영, 득의양양한 표정으로 가 버리면 문 닫고 돌아서는 구원.

도희   누구야?

구원	(도희를 지나치며) 알 필요 없잖아.
도희	방금 서로 죽일 뻔했거든. 내가 누굴 죽일 뻔한 건진 알아야 할 것 같아서.
구원	내 사생활이나 캐려고 이 시간에 혼자 여기까지 온 거야?
도희	(당황) 아니, 나는 네가 그렇게 가 버리니까 마음에 걸려서….
구원	(냉담한 표정으로 도희 보며) 난 그냥 너랑 같이 있기 싫었을 뿐이야. 그런데 또 굳이 이렇게 찾아와서 귀찮게 구네.

도희, 구원의 눈에서 거짓을 찾으려 가만히 보면 한 치의 여지도 없이 싸늘한 구원의 눈빛.

도희	내가 뭐 잘못했어?
구원	아니.
도희	그럼 나한테 왜 이래?
구원	내가 너한테 친절해야 할 이유도 없는 거 같은데.
도희	…
구원	뭐 더 할 말 있어?
도희	아무래도 내가 실수한 거 같네. 귀찮게 해서 미안해.

굳은 얼굴로 나서는 도희를 외면하며 홈 바로 향하는 구원.

S#12. **선월극장 이사장실 앞 (밤)**
문밖에 나선 도희, 자조적인 비웃음 지으며.

| 도희 | 도도희. 너도 착각 참 대단하다. |

도희, 걸음 옮겨 멀어지면.

S#13. **선월극장 이사장실 (밤)**
그 발걸음 소리를 듣고 선 구원, 애써 차가웠던 표정 풀리며
휴대폰 들어 전화를 건다.

| 구원 | 박 실장님? 도도희 지금 이사장실에서 나가니까 집까지 무사
히 가는지 봐줘. |

구원, 안도인지 걱정인지 모를 한숨을 내쉬고….

S#14. **지하철 코인 로커 (밤)**
코인 로커를 열어 크라프트 종이봉투를 넣는 민낯의 광철.
로커 문 닫고 2G폰으로 문자를 보낸다.

| 문자 | '12번 로커 보관물 확인 요망' |

S#15. **카지노 (밤)**
카지노에서 여러 명과 포커를 하는 도경의 모습.

도박꾼 1이 잘 안 풀리는지 카드를 내던지며 한숨 쉬는데…
도경, 문자 알람음에 휴대폰 들어 확인하더니.

도경　　　　난 여기까지. (칩을 챙기면)

도박꾼 1　　(그 손을 막으며) 지금 가면 안 되지. 실컷 따 놓고.

도경　　　　(칩 밀어 주며) 너 다 가져. (일어서는데)

도박꾼 1　　누굴 그지로 아나….

하고, 도경의 옷을 잡아채면 옷 벗겨지며 화상이 가득한 팔이
드러난다.

도박꾼 1　　뭐야~ 징그럽게.

도경　　　　(싸늘하게 도박꾼 1을 노려보면)

도박꾼 1　　(당황하지만 센 척) 그냥 가라, 이 괴물 새끼야. (자리에 앉아) 빼고
　　　　　　　돌려.

그런 도박꾼 1을 싸늘하게 내려다보는 도경.

S#16.　　　**위스키 바 (밤)**
휴대폰을 들여다보는 석민, 고개 들어 사람 좋은 미소 지어
보이면…
고급스러운 룸에서 위스키 잔을 기울이는 머리가 희끗한 이
사들.

| 이사1 | 대표님은 술 못하시는 줄 알았는데….

| 석민 | 못하는 게 아니라 절제한 거죠.

| 이사2 | 그간 여러모로 절제하시느라 힘드셨겠습니다.

| 이사들 | (다들 '허허허' 웃고)

| 석민 | 감사팀 문제에 발 빠르게 움직여 주셔서 감사합니다.

| 이사1 | 회사의 안정이 가장 중요하니까요.

| 석민 | 그러기 위해선 하루빨리 어머니의 빈자리를 채워야 하는데…
이번에도 이사님들이 나서 주실 차례입니다.

여태 가만히 있던 여성 이사 3이 조심스레 입을 연다.

| 이사3 | 돌아가신 회장님의 유지가 기사로 퍼지는 바람에 세상이 다
알게 됐어요. 벌써부터 재벌 경영 세습을 벗어났다느니, 최연
소 대기업 여성 CEO의 탄생이니 응원하는 분위기라 대놓고
노석민 대표님을 밀기엔 부담이 되네요.

| 이사2 | 옛날 같으면 흠인 조건들이 오히려 후광이 되다니. 세상이 뒤
집혀서는. 쯔쯔쯔…. (혀를 차고)

이사들의 말에 여유로운 미소 지으며 온더락 잔을 달그락거
리며 돌리는 석민.

| 석민 | 도희는 나한테 여동생 같은 아이지만 배울 점이 많죠. 노동자
출신의 부모 밑에서 자라 그 어린 나이에 여자의 몸으로 그
자리까지… 세상에 좋은 본보기가 될 겁니다. 그렇게 제2의,

제3의 돌연변이 같은 아이들이 계속 나온다면 결국 세상은 뒤집히게 될 지도요. 뒤집힌 세상은 여기 계신 분들에게 결코 친절하지 않을 겁니다.

이사들   (웃음기 싹 사라지며 불쾌한)

이사 1   무슨 말씀이신 진 알겠습니다만 요즘 세상이 워낙 호락호락하지가 않아요. 불의는 참아도 불공평은 못 참는다지 않습니까.

이사 2   요샌 경영 세습, 순혈주의 이런 거에 워낙에들 예민해서… 주주들 눈치 살피는 우리가 무슨 힘이 있겠습니까.

석민   아직 무슨 말인지 모르시네요. 그럼 알려 드려야죠.

이사들   ?

석민   얼마 전 하청업체에서 이사분들께 작은 선물을 전해 드렸죠.

인서트   **제조 공장의 사장실 책상 위, 입을 벌리고 있는 여러 개의 골프 가방.**
작업복을 입은 직원이 그 안에 차곡차곡 오만 원권을 쌓아 넣으며.

직원   *이게 다 얼마야~ (보고 선 사장에게) 이렇게 갖다 바치다 우리 망하는 거 아녜요?*

사장   *걱정 마. 미래 전자에서 다 보전해 주기로 했으니까. 우린 그냥 손만 빌려주는 거야.*

현재로 돌아오면 싸늘한 눈빛으로 이사들을 보는 석민.

석민   이사들이 선대 회장의 마지막 지시인 감사팀을 해체시키고 하청업체로부터 돈을 받았다… 그간 저질러 온 부정부패에 대한 고백이나 다름없네요.

이사1   그건 노석민 대표가 직접 지시한….

석민   제가요? 어머니가 돌아가시고 슬픔에 젖은 아들이 그런 죄 많은 짓을 저질렀을 리가. 돈을 준 것도 내가 아니고 받은 것도 내가 아닌데 무슨 증거로.

이사들   (덫에 걸렸구나 싶어 표정 굳고)

석민   죄는 내가 아니라 여러분의 욕심이 지은 겁니다. 세상은 요즘에도 예전에도, 언제나 호락호락하지 않아요. 힘이 없으면 밟히고 먹히고… 그런 곳에서 힘없는 것들이 살아남는 방법은 딱 하나. 가장 강한 힘에게 붙는 것. 그것뿐이죠.

무력감에 고개 숙이는 이사진들 가운데 천천히 위스키를 마시는 석민의 조용하지만 무서운 카리스마.

S#17.   **카지노 화장실 (밤)**
소변기 앞에 선 채 볼일을 보는 도박꾼 1.
사람들 나가고 도박꾼 1, 혼자 남으면 뒤의 칸막이 문이 열리며 걸어 나오는 누군가의 발.
'또각또각' 구둣발 소리에 슬쩍 뒤를 돌아본 도박꾼 1, 서늘한 도경의 눈빛에 놀라며.

도박꾼1   뭐야? 이 괴물 새끼가….

도박꾼 1의 뒤통수를 잡아 그대로 소변기에 박아 버리는 도경.
기절한 도박꾼 1의 손을 질질 끌고 화장실 칸막이로 가더니
문틈 사이에 손을 놓고 문을 '쾅쾅' 찧어 댄다.

도경   그래. 나 괴물 새끼 맞아.

셔츠에 피가 튀도록 멈추지 않는 도경의 싸늘한 표정.

S#18.   **석민 집 앞 (밤)**
집 앞에 멈춘 차에서 내리는 석민.
운전기사가 차에서 나와 인사하고 석민, 집에 들어서려는데
저만치 도착하는 도경의 차.
도경, 셔츠에 피가 튄 채 자신의 차 헤드라이트를 맞고 선 석
민을 묘한 눈빛으로 보면, 석민, 역시 미동 없이 운전석에 앉
은 도경을 본다.

S#19.   **석민 집 거실 (밤)**
석민의 뒤를 쫓아 들어서는 도경, 꾸벅 인사하고 들어가려
하면.

석민   차 팀장 말이다.
도경   (고개 돌려 석민을 보면)

석민	너 밑에서는 얼마나 일했지?
도경	미래 그룹 발령 전에… 2년 좀 못 됐어요.
석민	너 밑에서 일할 땐 이상한 낌새 없었고?
도경	네. 별로.
석민	회삿돈을 횡령하다니… 간도 크지.
도경	간이 커서 하나요, 욕심이 커서 하지.
석민	(도경을 빤히 보며) 맞네. 네 말이.
도경	말씀 다 하셨으면 들어갈게요.

자신의 방으로 향하는 도경의 뒷모습을 미심쩍게 보는 석민.

S#20.　**석민 집 홈시어터 (밤)**

명상 영상이 흘러나오는 커다란 모니터.

세라가 헤드폰을 끼고 리클라이너에 눕듯이 앉아 명상 중인데…

평화로운 세라의 표정 위로 스치는 상상인지 기억인지 모를 장면.

인서트　　*F.I. 온실의 화초들 사이에 쪼그리고 앉아 비료를 주는 천숙.*

그 평화로운 모습에서 F.O.

인서트　　*F.I. 진통제 통에서 손바닥에 약을 털어 내는 천숙의 손.*

안경을 쓰지 않은 천숙, 알약에 디클로페낙이라 쓰인 것도 모

른 채 입에 털어 넣으면 *F.O.*

인서트　　　*F.I. 숨이 막혀 심장을 부여잡는 천숙.*
　　　　　　일어서려 애쓰지만 온몸이 나무토막처럼 경직되며 흐드러지
　　　　　　게 피어난 꽃송이 사이로 풀썩 쓰러지며 *F.O.*

　　　　　　그때 세라의 헤드폰을 확 벗기는 손길.
　　　　　　세라, 놀라 보면 석민이 내려다보고 섰다.
　　　　　　세라의 눈에 언뜻 공포가 스치고….

석민　　　놀라긴.
세라　　　들어오는 줄 몰라서 그렇죠….
석민　　　도경이 요새 뭐 하고 다니는 거야?
세라　　　몰라요. 알고 싶지도 않고. 식사는요?
석민　　　지금 시간이 몇 신데.

석민, 맘에 안 드는 표정으로 홈시어터를 나서면 그 뒷모습을
싸한 눈빛으로 보는 세라.
점프하면, 모닥불 영상으로 바뀐 모니터 앞에 앉은 누군가.
2화에 나온 홈시어터가 이곳임이 드러난다.
가죽 장갑을 낀 손으로 크라프트 종이봉투를 뒤집으면 손바
닥 위에 떨어지는 작은 메모리 칩.
이내 모니터에서 영상이 플레이 되면 구원이 넘버 투의 일격
에 쓰러지고 도희가 나타나는 순간의 장면이다.

구원이 도희의 손목을 잡자 갑자기 지직거리며 화면 사라지고…
타임라인을 스크롤 해 화면 다시 나오면 들개파 모두가 쓰러
진 가운데 마주 보고 선 구원과 도희의 모습.
화면 속 두 사람을 보며 지포 라이터 휠을 '칙! 칙!' 반복해서
돌려 대는 장갑 낀 손.

S#21.   **도희 집 드레스 룸 (밤)**
드레스 룸에서 외출복을 벗는 도희. 겉옷을 옷장에 거는데 옆
에 걸린 세탁소 비닐에 싸인 블라우스에 시선이 가고…
보면 구원과 처음 맞선으로 만났을 때 입었던 블라우스다.
비닐에서 옷을 꺼내면 세탁을 했는데도 지워지지 않고 흐릿
하게 남은 붉은 얼룩.

도희   안 지워졌네….

속상한 표정으로 블라우스의 자국을 보는 도희.

S#22.   **도희 집 분리수거장 (밤)**
의류 수거함에 블라우스를 쑤셔 넣는 도희.
개운한 듯 손을 털며 수거함을 보더니 돌아서 뒤도 안 보고
멀어진다.

S#23.   **선월극장 (밤)**

구원이 객석에 앉아 있고 그 앞에서 연습을 하는 가영.
연주와 함께 춤이 끝나면….

가영   어때, 이사장?

구원   (영혼 없이) 좋았어.

가영   정말? 내가 계속 틀렸는데? 박자도 놓치고 영상이랑 싱크도
          안 맞고.

구원   그랬나?

가영   이사장 맨날 바쁘더니 지금도 집중을 하나도 못 하고 있잖아.
          요새 이사장 보면 꼭 껍데기만 남은 것 같아. 옛날의 이사장
          이 아니라고.

복규   (눈치 보며 중재하는) 우리 이사장은 껍데기가 젤 훌륭한데 껍데
          기만 있음 됐지.

구원   박자랑 영상 싱크만 맞추면 되겠네. 이제 됐지?

          구원, 딱딱한 얼굴로 자리에서 일어나 가 버리면, 복규, 걱정
          스러운 눈으로 보고…
          가영의 불만스러운 표정.

S#24.   **PC 방 (밤)**

낡은 PC 방, 줄 이어폰을 낀 채 모니터 앞에 앉은 광철.
모니터에는 오래된 게임 '크레이지 아케이드' 창이 열려 있고

광철의 귀에 꽂힌 이어폰에서는 '당신만이' 멜로디가 새어 나온다.

광철, 낡은 운동화를 신은 발을 초조하게 떨며 뭔가를 기다리는 모습이 발랄한 게임 BGM과 이질적인데…

알람음과 함께 게임 아이디 '아브락사스'가 들어오자 긴장하는 광철.

채팅 창에 상대의 채팅이 뜨면.

아브락사스   '영상에는 아무것도 안 찍혔던데.'

'집행자'라는 아이디로 답하는 광철.

광철   (E) '그놈 짓이에요. 옆에 붙은 이상한 놈.'

또다시 채팅을 치는 광철.

광철   (E) '보통 놈이 아니에요. 그렇게 여러 명이 덤벼도 안 되잖아요.'
아브락사스   '너보다 뛰어난 놈인 건 확실하네.'

표정 일그러지는 광철.

상대가 채팅을 치는 중임을 알리는 말줄임표에 신경질적으로 뒷목을 긁어 대는데.

아브락사스   '잡기 힘든 사냥감일수록 성공했을 때의 쾌감은 큰 법이지.'

마이데몬 ◆ 5화

사냥감을 잡아야 네 갈증도 사라질 거야.'

상대의 채팅을 노려보는 광철.

광철　　(E) '그놈이 자리 비우면 바로 처리해요.'

광철, 게임창을 닫아 버리면 검은 배경에 비치는 광철의 번뜩
이는 눈빛.

S#25.　　**도희 집 지하 주차장 (낮)**
출근 준비를 하고 보안문을 나서는 도희.
저만치 차 앞에 기다리고 선 구원이 보이자 걸음을 멈추는데…
이내 싸늘하고 도도한 표정으로 무장하고 걸어가 구원과 눈
도 마주치지 않고 뒷좌석에 타는 도희.
구원 역시 사무적으로 운전석에 올라타 차를 출발시키고….

S#26.　　**미래 F&B 사무실 (낮)**
다른 날보다 거리를 둔 채 차갑게 굳은 표정으로 들어서는 도
희와 구원.
책상 너머에 앉은 한 팀장, 말없이 꾸벅 인사하며 두 사람의
기색을 살피고.

| 한성 | (밝게 인사하는) 좋은 아침입니다~ |
| 도희 | (싸늘) 네. 좋은 아침이네요. |

구원과 도희, 말없이 찢어져 구원은 자신의 자리로 도희는 대표실로 향한다.
구원, 자리에 앉아 도희에 대한 시선 차단하듯 신문을 '촥' 펼치면.

| 한 팀장 | 아주 찬바람이 쌩쌩 부는구면. 하긴 안 잘린 게 용하지. 내가 대표님이면 벌써 잘랐다. |

정미, 책상에 얼굴을 처박고 숙취 해소제를 까먹다 말고 귀가 솔깃한데.

한성	대표님 머리 자르셨어요?
한 팀장	(한심하게 보는) 너 같이 눈치 없는 애가 뭘 알겠냐.
한성	제가 왜 눈치가 없어요? 눈치 빠르고 싹싹해서 다들 절 얼마나 좋아하는데.
한 팀장	좋겠다, 넌.
한성	네. (해맑고)

신문지를 펼쳐 든 구원 옆에 슬그머니 바퀴 굴려 붙는 정미.

| 정미 | 싸웠어요? |

구원   (신문에서 시선 떼지 않은 채 의자 뱅글 돌려 무시하면)

정미   (앉은 채 의자 굴려 반대로 붙어 앉는) 대표님이랑. 내가 봤어요. 회
       식에서 테이블 밑으로 두 사람 손잡고 있는 거. 걱정 마요. 내
       가 생긴 거랑 다르게 은근히 왕따라 소문낼 사람도 없으니까.
       그래서. 싸웠어요?

       무표정한 얼굴로 신문 내리더니 정미 의자를 '촥-' 밀어 버리
       는 구원.
       자리에서 일어나 사무실을 나서며.

구원   시끄러워서 신문을 못 보겠네.

S#27. **미래 F&B 휴게실 (낮)**
       휴게실에서 커피를 내리는 구원.
       테이블에 앉아 맛을 보더니 인상 찌푸린다.

구원   싱글 오리진이 아니잖아. 이것도 커피라고….

       그때 옆에서 믹스커피가 담긴 잔을 건네는 누군가.
       구원이 보면 한성이다.

한성   회사 생활을 버티는 덴 이만한 게 없죠.

구원   그게 뭔데. 술이야?

한성	아뇨~ 커피믹스.
구원	다들 그딴 쓰레기는 왜 먹는 거야? 이건 노동력을 착취하기 위해 발명된 거라고.
한성	왜 그런 말이 있죠. 회사가 허락한 유일한 마약, 커피믹스.
구원	마약? (솔깃해서 한입 먹어 보더니) 하여튼 인간들 호들갑은. 이딴 걸 마시면서 노예라는 사실을 잊는 건가?
한성	저는 취준생만 삼 년이라 이게 로망이었거든요. 사무실에서 들이키는 커피믹스 한 잔. 중요한 건 요 사원증이 목에 딱 걸려 있어야 한다는 거.
구원	뼛속까지 노예 체질이네. 노예가 되기 위해 삼 년을 썩히다니….

한 팀장 들어서다 구원 발견하더니.

한 팀장	정구원 씨 여깄었네. (구원 옆에 앉고)

구원, 홀린 듯 믹스커피를 홀짝이는데…
이어 마이크로 들리는 소리.

신 비서	(E) 정구원 씨. 대표님 외근 나가십니다.
한 팀장	(구원에게) 내가 인생 선배, 사회 선배로서 한마디 하자면 말이야….
구원	시끄럽긴. (이어 마이크를 뽑아 버리면)

한 팀장, 자신에게 하는 말인 줄 알고 '헙' 하고 입 다물고…

구원, 또다시 믹스커피를 홀짝이는데 그런 구원의 뒤로 다가와 팔짱 끼고 서는 누군가.

그를 본 한 팀장은 물론 눈치 없는 한성조차 쫄아서 굳자, 구원, 뭔가 싶어 고개 돌려 올려다보면…

표정 없는 신 비서다.

한 팀장   (서둘러 내빼며) 휴식 시간은 인간적으로 월급에서 빼야 되는 거 아냐?

한성   (바이어와 통화하는 척 내빼는) 앗살람 알라이쿰, 마르하바~

모두가 내빼고 혼자 남은 구원.

신 비서, 구원의 벗어 놓은 이어 마이크 보더니 한쪽 눈썹이 까딱 올라간다.

구원, 슬그머니 이어 마이크를 도로 끼면.

신 비서   (손에 든 무전기에 대고) 대표님 외근 나가십니다.

신 비서, 뒤돌아 휴게실을 나서면, 그 카리스마에 눌린 구원, 자리에서 일어나 말없이 뒤를 쫓는다.

S#28.   **미래 F&B 사무실 (낮)**

'띵!' 하고 열리는 엘리베이터 문.

시커먼 헬멧을 뒤집어쓴 남자가 엘리베이터에서 내려 사무실에 들어서면…
뒤이어 들어서던 한 팀장, 헬멧남 양손에 들린 컵 캐리어에 가득한 음료를 보며.

한 팀장   음료 회사에서 타사 음료를 배달해 먹는 건 대체 무슨 깡이야? 하여튼 MZ 세대들이란.

헬멧남 시점으로 고글을 통해 보이는 사무실 풍경.
그 위로 거친 숨소리만이 들려오는데…
대표실 창 너머 홀로 앉은 도희의 모습에 헬멧남, 그쪽으로 성큼 걸음을 옮긴다.
마침 문 열고 대표실을 나서는 도희.
그새 헬멧남은 감쪽같이 사라졌는데….

도희   신 비서님도 그렇고 다들 어딜 간 거야? 이사회 시간 다 됐는데… (손목시계 보면)

그때 도희 뒤에서 열렸던 대표실 문 스르륵 닫히면 문 뒤에 숨었던 헬멧남, 모습을 드러내고…
도희의 뒤로 스윽 다가서는 순간!
비호와 같이 날아들어 태블릿으로 헬멧을 후려치는 신 비서.
'깡!' 하는 알루미늄 배트 소리 울리며 헬멧남의 머리통이 휙 돌아간다.

도희와 홍보팀 놀라고 뒤늦게 들어선 구원, 반사적으로 도희를 감싸 안 듯 보호하며.

구원 도도희, 괜찮아?
도희 어, 괜찮아.

붙어 선 두 사람, 뒤늦게 냉랭했던 게 생각나 동시에 떨어지며 어색하고.

신 비서 (바닥에 널브러진 헬멧남 위에 올라타더니) 대표님! 범인 잡았습니다!

헬멧남의 헬멧을 벗기는 신 비서.
일동 긴장하는 가운데… 헬멧 속에서 나오는 검은 머리의 뒤통수다.

신 비서 (흠칫)
한 팀장 머리가 돌아갔어?
홍보팀 헉!

이상함을 감지한 신 비서, 헬멧남을 뒤집어 보면 기절한 복규의 얼굴.

구원 (복규인 걸 알고 황당함에 한숨 쉬더니) 잘못 짚었어. 범인 아니야.
도희 아는 사람이야?

복규	(정신 번쩍 들며) 허억! (구원 보더니) 이사자앙~

눈물이 고이는가 싶더니 울먹이는 복규.

S#29.　　**미래 F&B 회의실 (낮)**
한심한 표정으로 보고 앉은 구원의 맞은편에서 훌쩍이는 복규.

복규	난 그냥 이사장이 저기압이길래 무슨 일 있나 걱정돼서 슬쩍 보고 가려고… 맨손으로 돌아다니면 수상하니까 배달 온 척 위장한 것뿐인데….
구원	덕분에 대단히 안 수상했네.
복규	범인으로 몰릴 줄은 내가 진짜 상상도 못 했어. 나는 그냥 뒤태만 봐도 선량함 그 자체잖아.
구원	박 실장님은 왜 쓸데없는 짓을 하고 그래? 애써 사회적 거리 두기 하고 있었는데 박 실장님 때문에 무너졌잖아.
복규	사회적 거리두기?
구원	그러고 보니 애초에 내가 이렇게 된 것도 박 실장님 때문이네. 박 실장님이 보디가든지 뭔지 그딴 이상한 영화를 보여주는 바람에 나까지 이상해졌잖아.
복규	뭐가 어떻게 이상한데?

구원 말문 막히고…
그때 문 열고 들어서는 도희와 신 비서.

도희	말씀 들었어요. 선월재단 분이시라고. 죄송하게 됐습니다.

옆에 뻣뻣하게 선 신 비서를 도희가 팔로 '툭' 치면.

신 비서	(억지로) 오해해서 죄송합니다. 하필 헬멧을 쓰고 수상하게 군 박뽀뀨 씨 책임도 있… (도희가 눈짓하면) 지만 다짜고짜 폭력을 휘두른 건 저의 불찰입니다.
복규	박뽀뀨 아니고 박복규.
신 비서	박뽀뀨.
복규	복규.
신 비서	뽀뀨.
복규	(구원 보며) 나만 이상해?
도희	요새 제 상황이 좋지 않다 보니 예민했어요. 사과드려요.
복규	(대인배인 척) 그럴 수 있죠. 이해합니다.
도희	치료비 지원은 물론 정신적 피해 보상을 하고 싶은데….
복규	아이, 뭐. 그러실 필요는… (신 비서가 금빛 봉투를 꺼내자) 있죠. 있고 말고요. (만면에 미소 띠면)
구원	보상은 됐어.
신 비서	정 그러시다면. (냉큼 봉투 도로 넣고)

복규, 눈앞에서 사라지는 봉투를 아쉽게 보는데…
열린 문 사이로 그들의 모습을 지켜보는 양복 입은 남자.
그의 뒷목 셔츠 칼라 사이로 붉은 피딱지가 살풋 보이고…
안경을 끼고 비즈니스맨으로 변장한 광철이다.

구원과 함께인 도희를 보며 목이 간지러운 걸 참느라 움찔대
는데…
앞서가던 한 팀장, 광철에게 돌아와.

한 팀장   어디 불편하세요?
광철   (순하게 웃어 보이며) 아, 괜찮습니다. 미팅은 어디서 하죠?
한 팀장   저쪽에서 하시죠.

한 팀장을 태연히 따라가는 광철.

S#30.   **미래 그룹 회의실 (낮)**
이사진들이 마주 보고 앉은 회의실.
석민과 수안이 나란히 앉았고, 석민의 다른 옆으로 세라와 도
경이 앉았다.
그 맞은편 이사들 사이에 앉은 도희는 석민 일동의 적대적인
눈빛을 홀로 마주하는데…
석민에게 몸 기울여 속닥이는 수안.

수안   확실히 해 두는데 내가 능력이 없어서 안 나서는 게 아냐. 위기
의 순간엔 가족밖에 없으니까 내가 양보하는 거라고.
석민   고맙다.
수안   미래 어패럴 투자 건은 꼭 지켜. 안 지키면 가족이고 뭐고 없
으니까. (똑바로 앉고)

이사1	(벽에 걸린 시계 보더니) 그럼 과반수가 참석했고 시간이 다 된 관계로….

그때 서류를 들고 황급히 들어서는 석훈.

석훈	늦어서 죄송합니다. (도희 옆에 앉아 도희에게 미소 지어 보이면)
도희	(석훈의 등장만으로도 든든한 도희, 미소 지으며 속닥) 안 오는 줄 알았어.
석훈	안 오긴. 너 혼자 여길 어떻게 둬.
이사1	이제 다들 모이셨으니 정기 이사회를 시작합니다. 오늘은 본 안건에 앞서 회장 직무 대행을 통한 비상 경영 체제 돌입에 대한 결의안을 표결하겠습니다.
도희	!
석훈	벌써?
이사1	회장님의 별세로 인한 경영 공백을 최소화하기 위한 저희 이사진들의 뜻으로 회장 직무 대행으로 추대하는 후보는 미래 전자의 노석민 대표입니다. 노 대표님, 한 말씀 하시죠.

자리에서 일어서는 석민, 이사진들을 내려다보며.

석민	어머니께서 평생을 바쳐 일구신 미래 그룹이 하루빨리 안정될 수 있도록 최선을 다하겠습니다.

이사들, 박수 치고 세라의 안도하는 표정.
도희, 석민을 노려보는데.

이사1	이에 대한 찬반을 표결에 부쳐 결정하겠으며⋯.

점프하면, 모니터에 뜬 긴급 투표 찬반 표수.
반대가 2표, 찬성이 10표다.

이사1	과반이 넘는 수로 노석민 대표가 회장 직무 대행으로 선출되었음을 공표합니다.

회장 자리에 우뚝 선 석민.

석민	저를 믿고 회장 직무 대행으로 선출해 주셔서 감사합니다. 새로운 미래 그룹의 밑거름을 만들겠습니다.
수안	(도희를 원망스럽게 보며 중얼) 도희 저거만 아니면 나도 해보는 건데⋯.

회의 끝나고 도희가 자리에서 일어서면 짜증이 잔뜩 난 채 다가와 앞에 서는 수안.
석훈이 보호하듯 막아서면.

수안	너는 경호원이 한둘이 아니네. 뭐가 그렇게 무섭길래. 하긴 지은 죄가 많으면 그런 법이지.
도희	(석훈에게) 괜찮아, 오빠. 짖는 개는 절대 물지 않아. 무서워서 짖는 거거든.
수안	('피식' 비웃는) 네 편은 아무도 없어. 적어도 힘 있는 사람 중엔.

석훈	(화나고) 누나!
수안	정신 차려, 석훈. 넌 투자한다는 애가 왜 이렇게 흐름을 못 읽니? (도희 보며) 얜 회장 못 돼. 적이 너무 많잖아. 난 내 걸 포기하는 한이 있어도 애가 회장되는 꼴은 절대 못 봐.
도희	안됐네. 조만간 보게 될 텐데.
수안	너 회장 되면 내가 가만히 있을 거 같아?
도희	기대할게. 언니의 다음 행보.
수안	이게….

으르렁대는 둘 사이를 막아서듯 가운데에 다가와 서는 석민.

석민	그만들 해. 가족끼리 이렇게 얼굴 붉히면 어머니가 얼마나 속상해하시겠니.
수안	가족은 무슨….
석민	수안아.
수안	(입 다물고 팽 가 버리면)
석훈	(석민에게) 다들 빠르네. 회장 직무 대행을 벌써 선임하고.
석민	상황이 워낙 그렇잖니.
도희	잠깐이지만 회사 잘 부탁해요.
석민	뭐든 서두르면 실수를 하는 법이야. 결혼은 특히 인생이 걸린 일인데 좋은 사람으로 천천히 잘 골라 봐. 회사는 내가 잘 꾸리고 있을 테니 걱정 말고.
도희	든든하네요. 그래도 오래 걸리진 않을게요.
석민	(미소) 결혼식 잡히면 청첩장 보내. 가족이니까 참석해야지.

도희 역시 가짜 미소로 답하면, 석민 돌아서 이사진 무리를 이끌고 회의실을 나선다.
세라와 도경 역시 석민을 쫓아 나가는데…
도경, 도희를 스치며 도희 손목의 타투를 끈적이는 눈길로 본다.

도경   예쁘네. 잘 어울려.

도희, 싸한 느낌에 손목을 만지작대며 자신을 지나쳐 석민 무리를 쫓아 나서는 도경의 뒷모습을 보는데.

석훈   (그제야 도희의 손목 위 타투를 발견하고 놀라는) 타투 했네? 언제?
도희   어. 얼마 전에.
석훈   (뭔가 걸리는 듯 서운한 듯) 아… 그랬구나. (생각 털어 내며) 도희야, 잠깐 시간 돼?
도희   (석훈 보며) ?

S#31.   **미래 그룹 회의실 앞 (낮)**
문 옆에 기다리고 선 구원 앞을 지나치는 도경.
구원은 관심 없이 도도한 표정으로 앞만 보고 섰는데…
저만치 멈춰 선 도경, 차가운 눈빛으로 구원을 본다.

세라   도경아?

그 소리에 도경, 시선 거둬 가던 길을 가고.

구원   다 나오는데 왜 도도희만 안 나오는 거야?

투덜대는 구원 앞에 다가와 서는 수안.

수안   나 누군지 알죠?

구원   모르겠는데.

수안   (명함 내밀며) 알면 놀랄 거예요.

구원   (명함 본체만체) 별로 놀라고 싶지 않은데.

수안   (훗) 내가 원래 일하는 사람들 얼굴을 잘 안 보는데 지난번 도희 프러포즈를 빛의 속도로 거절할 때 눈에 확 들어오더라고요. 모델 할 생각 있어요? 내가 키워 줄 수 있는데.

그때 회의실에서 도희와 석훈이 나오자.

구원   여기서 더 크면 곤란해서. (도희에게 가 버리면)

수안   (그 뒷모습을 보며) 아주 시크한 매력이 있네?

구원을 보는 수안의 눈빛이 의미심장하고…
구원, 도희와 석훈에게 다가가면.

석훈   (구원 보더니) 정구원 씨죠? 도희한테 들었어요. 여러 번 구해 줬다고. 고마워요. 우리 도희 지켜 줘서.

구원	('우리'라는 말이 불쾌한)
석훈	앞으로도 우리 도희 잘 부탁해요. (악수 청하면)
구원	(무시하며) 그쪽이 고마울 일은 아니지. 그쪽이 부탁할 일도 아니고.
석훈	(무례한데 싫은)
도희	신경 쓰지 마. 그냥 모두에게 공평하게 싸가지가 없을 뿐이야.
석훈	? (황당)
도희	(석훈에게) 갈까? (석훈과 걸음 옮기면)
구원	(불쾌한 표정으로 쫓으며) 어딜 가게?
도희	석훈 오빠랑 둘이 할 얘기 있어.

구원, 혼자 멈춰 선 채 맘에 들지 않는 표정인데….

S#32. **도희의 차 안 - 지상 주차장 (낮)**

주차장에 세워진 차 안, 뒷좌석에 나란히 앉은 도희와 석훈.

석훈	(서류 뭉치 꺼내 도희에게 건네며) 내가 오늘 이사회에 늦은 게 이거 때문이야.
도희	(서류 표지 보더니) 미래 그룹 재무제표? 2년 전 거네?
석훈	응. 여기서 내가 수상한 걸 하나 발견했어.
도희	?
석훈	(서류 넘겨 보여 주며) 이 해에 미래 그룹이 한 법인의 선박을 꽤 큰 금액을 주고 매입했는데 그 선박의 행방이 묘연해. 그래서

알아봤더니 최근 그 법인이 폐업했어.

도희 　분식회계의 전형적인 수법이네….

석훈 　그래서 내가 관련 서류를 찾아봤는데 이미 대부분 폐기되고 쓸 만한 게 하나도 없어. 누구의 명령으로 언제 폐기된 건지도 모르게.

도희 　생각보다 규모가 훨씬 커. 보통 그릇으론 할 수 없는 일이야.

(생각에 잠기고)

차 밖에서 뒤돌아 차에 기대고 선 구원.

구원 　(투덜) 무슨 작당 모의를 하는 거야? 차 안에서 단둘이….

석훈 　계속 뒤져 볼게. 아무리 청소를 잘했어도 놓친 게 하나 정돈 있겠지.

도희 　제발 있어야 할 텐데….

석훈 　(차를 지키고 선 구원의 뒷모습 보더니) 근데 너…. 정구원 씨랑은 안 불편해?

도희 　불편할 게 뭐 있어. 그냥 비즈니스 관계인데.

도희의 차가운 표정과 말에 석훈, 안도하고…
이내 문 열고 도희와 석훈 내리면 돌아보는 구원.

도희 　(석훈에게) 조심해서 가.

석훈 　내가 또 뭔가 찾으면 연락할게.

도희 　고마워, 오빠.

석훈	고맙긴 우리 사이에.

두 사람의 대화가 거슬리는 구원, 운전석 쪽으로 가며 구시렁.

구원	그놈의 우리.
도희	(차에 다시 타려는데 뒤에서)
석훈	도희야.
도희	(멈추고 보면)
석훈	(뭔가 말할 듯하다가 하지 못하는) 아니야. 너도 조심히 가.
도희	응. (뒷좌석에 타면)
구원	(차에 타며 또 구시렁) 아련하긴.

차가 출발하면 멀어지는 차를 복잡한 표정으로 보는 석훈.

S#33.   도희의 차 안 (낮)

운전 중인 구원, 룸미러에 비친 뒷좌석의 도희를 슬쩍 보는데 도희가 시선 들어 눈 마주치자 안 본 척 피한다.

도희	왜?
구원	뭐가?
도희	쳐다봤잖아.
구원	내가?
도희	여자들은 시선에 민감하거든.

구원	착각이 심하네.
도희	나 이제 착각 안 해. 네가 무슨 짓을 하든 신경 안 쓸 거고 아무 의미도 두지 않아.
구원	잘 됐네.

싸늘하게 다시 태블릿 PC로 시선 돌리는 도희.
구원은 기분이 별로다.

S#34. **정 변호사 사무실 (낮)**

석훈이 도희에게 전한 재무제표를 살펴보는 정 변호사의 심각한 얼굴.
맞은편에는 도희가 앉았고, 구원이 그 뒤에 팔짱을 끼고 섰는데.

정 변호사	(서류 덮으며) 흐음… 확실히 수상하네요.
도희	형사 고발로 수사를 진행시킬 수 있을까요?
정 변호사	그러려면 제대로 된 증거가 필요해요. 재벌가에 함부로 칼을 댔다간 목이 날아가기 십상이라… 이렇게 정황만으론 힘들 겁니다.

무력감에 도희의 얼굴 어두워지고….

S#35.   형사과 (낮)

난감한 표정으로 머리를 긁적이며 변명하듯 말하는 박 형사.

박형사   그놈이 탄 오토바이를 알아봤는데 그게 대포 번호라 추적도
안 되고 몽타주랑 대조해도 전과범 중에 일치하는 얼굴이 없
고… 별로 진척이 없네요.

그 앞에 앉은 구원과 도희.
구원은 광철의 몽타주를 한 손에 들고 들여다보는 중인데.

도희   (어두운 얼굴로 얕은 한숨 쉬며) 이렇게 되면 내가 미끼라도 돼야
하는 건가….

박형사   무슨 그런 살벌한 얘기를. 죄송합니다, 제가. 계속 찾고 있으
니까 걱정 마시고… 물론 걱정이 되시는 게 당연하지만….

박 형사, 당황해 허둥지둥하고 씁쓸한 도희의 표정.
구원, 그런 도희를 보는데….

S#36.   경찰서 앞 (낮)

경찰서를 나서는 구원과 도희.

구원   미끼가 된다는 게 무슨 말이야?

도희   날 해치려면 저쪽도 모습을 드러낼 수밖에 없잖아. 그때 뭐든

단서를 잡아야지.

구원 겁 대가리가 없네.

도희 절박한 거야. 그리고 인정하기 싫지만 너 경호원으론 훌륭하잖아.

도희, 앞서 가 버리고… 뒤에 남은 구원, 은근 뿌듯하다.

S#37. **해리스 호텔 레스토랑 (낮)**

구원과 함께 레스토랑에 들어서는 도희.
맞선남을 찾아 두리번대다 맞선남 발견하고 걸어가면 뒤따르는 구원.

맞선남 (도희 보자 벌떡 일어서며) 도도희 대표님?

도희 네.

맞선남 저는 최우선 검사라고 합니다. 당신에게 최우선!

도희 아하하하. (어색하게 웃고)

구원 ('뭐야?' 싶은 표정)

맞선남 (감격) 드디어 이렇게 뵙네요. 반갑습니다.

맞선남, 도희의 손을 양손으로 잡아 악수하면, 구원, 거슬린다.

맞선남 앉으시죠.

도희, 앉으면, 도희 뒤에 팔짱 끼고 서는 구원, 맞선남에게 레이저 눈빛을 쏴 대는데.

맞선남   (구원 보며) 이분은…?

도희   경호 수행 중이라. 양해 부탁드릴게요.

맞선남   괜찮습니다. 이런 게 바로 고위층의 일상 아니겠어요?

도희   일전에는 실례했습니다.

맞선남   실례는요. 오히려 더 좋죠. 그 사이 상한가 치셨던데.

도희   상한가요?

맞선남   (속닥) 회장 되신다고.

도희   아, 네….

맞선남   메뉴는 제가 알아서 시켰습니다. 고기 좋아하시죠? 와인도 좋아하시고 저도 좋아하시고. 으허허허!

도희   (애써 미소) 네… 검사… 시라고요.

맞선남   조심하세요! 안 그럼 제가 기소합니다.

도희   ?!

맞선남   제 마음을 훔쳐 간 죄로. 으허허허.

구원   (중얼) 저딴 건 대체 어디서들 배워 오는 거야?

도희, 표정 관리 어려워 물 마시는 사이 줄줄이 나오는 음식들.

맞선남   식사부터 하시죠. 제가 요리는 한 번에 가져다 달라고 했습니다. 한국인은 역시 한 상 차림이잖아요?

직원   (와인 병 들고) 테이스팅 하시겠습니까?

맞선남의 손짓에 직원이 와인을 따르면 잔에 코를 박고 향을 맡더니 요란하게 '호로록 촵촵' 대는 맞선남.

맞선남   좋네요.

도희   (직원이 잔에 따르려 하자 거절하는) 제가 낮술에 약해서.

맞선남   아쉽네요~ 그럼 다음엔 해지고 보는 걸로. (느끼하게 윙크하면)

구원   (심기 불편)

맞선남   오늘 랍스터 상태가 좋다고 해서 시켜 봤는데 어디… (랍스터에 손부채질해 냄새 맡더니) 음식도 와인처럼 맛을 보기 전에 향을 즐기는 게 먼저죠. (아예 코를 박듯 냄새 맡으며) 이렇게 콧속 가득 향을 머금고….

그 모습에 도희, 절로 미간이 찌푸려지는데…
구원, 뒤에서 도희의 손목을 잡으면 집게로 맞선남의 입술을 확 물어 버리는 랍스터.

맞선남   으아악~~

맞선남, 랍스터 떼어 내려 난리 치는 사이 황급히 구원의 손 털어 내는 도희.

맞선남   (입술에 랍스터를 매단 채 벌떡 일어나) 잠깐 실례하겠습니다. (주방 쪽으로 달려가고)

도희   (몸 돌려 구원을 원망스럽게 보면) 뭐 하는 거야?

구원	이제 저 입 좀 다물겠네. 도저히 봐줄 수가 있어야지.
도희	(차갑게) 방해하지 마. 나 지금 네 장난 받아 줄 여유 따위 없으니까.
구원	… (불만스러운데)
맞선남	(입술이 퉁퉁 부은 채 돌아와) 죄송합니다.
도희	괜찮으세요?
맞선남	그럼요. 재료가 아주 싱싱하네요.
도희	(결심한) 오늘 스케줄 어떻게 되세요?
맞선남	재판이 하나 있긴 한데 스케줄은 왜…?
도희	오늘 혼인 신고 어떠세요?
구원	! (놀라는)
맞선남	(병했다가) 역시 화끈하시네요. 큰일 하실 분은 뭐가 달라도 다르다니까요.

'이 여자가…' 싶은 눈으로 보는 구원.

S#38.   **해리스 호텔 로비 (낮)**
레스토랑 앞에서 맞선남과 악수하는 도희.

맞선남	그럼 재판 하나만 금방 끝내고 구청에서 뵙겠습니다.
도희	이따 봬요.
맞선남	(잡은 손 주물럭거리며) 두 시간 후면 부부라니… 믿기지가 않네요.
구원	(주물럭거리는 손을 보며 짜증)

| 도희 | (손 빼며 억지 미소) 저도… 믿기지가 않네요. 그럼. |

묵례하고 돌아서는 도희에게 90도로 깍듯하게 인사하는 맞선남.

S#39.   **해리스 호텔 앞 - 도희의 차 안 (낮)**
호텔을 빠져나오는 구원과 도희.

구원	정말 저딴 놈이랑 결혼할 거야?
도희	검사잖아. 지금 난 재벌가에 칼을 댈 수 있는 내 편이 필요해.
구원	아무리 그래도 저놈은 진짜 아니지.
도희	(냉정) 네가 무슨 상관이야.

발렛 파킹으로 차가 도착하자 도희, 뒷좌석에 타 버리고 구원, 짜증 섞인 한숨 쉬는데…
차에 탄 도희, 쓸쓸한 본심이 표정에 드러난다.

| 도희 | 누구든 상관없어. 어차피 진짜 결혼도 아닌데. |

구원이 차에 타면 다시 냉담한 표정으로 바꾸는 도희.
구원, 신경질적으로 차를 출발시킨다.

S#40.   **도희의 차 안 (낮)**

이내 달리는 뒷좌석에 앉아 휴대폰으로 통화하는 도희.

도희   보도 자료 준비하시고요, 결혼식도 내일 바로 하죠. 증인은 신 비서님 하고 정구원 씨가 하면 되고….

구원   (중얼) 누구 맘대로.

도희   드레스는 그냥 신 비서님이 골라 주세요. 최대한 화려하게 사진발 잘 받는 걸로. 반지는… (하다가 자신의 손가락에 끼운 두 개의 반지를 보며) 됐어요. 이미 주 여사가 준비했으니까.

전화 끊은 도희. 반지를 만지작대며 천숙이 떠올라 서글픈데… 구원, 그런 도희의 얼굴을 룸 미러로 보더니.

구원   짜증 나서 못 봐주겠네.

그 말에 서글픈 감상 사라지는 도희, 날 선 눈빛으로 구원을 보면.

구원   네가 누구랑 결혼을 하든 이혼을 하든 나랑은 상관없는데 그딴 표정 지을 거면 내 눈에 보이지 않게 해.

도희   내가 무슨 표정을 짓든 말든.

구원   꼭 도살장에 팔려 나가는 것처럼 죽상을 하고 앉았잖아.

도희   그럼 보지 마. 네가 안 보면 되겠네.

구원   맞네. 내가 안 보면 되네.

'끼익-' 급정거하는 구원.

구원   범인 잡으면 너랑 더 이상 이렇게 붙어 다닐 필요도 없지.

몸 돌려 도희의 손목을 잡는 구원.

도희   왜 이래?
구원   범인 잡아야지.
도희   뭐?

황당해하는 도희 손목 위로 불꽃 일렁이고….

S#41.   **유흥 주점 룸 (밤)**
붕대를 감은 채 술을 마시는 들개파들. 넘버 투는 이미 만취
했다.

똘마니 1   도저히 우리가 상대할 수 있는 놈이 아니에요.
똘마니 2   이번엔 운이 좋아서 살았지 한 번만 더 마주쳤다간….
넘버 투   약해 빠진 놈들. 형님 보기 부끄럽지도 않아? 꺼져! 꼴도 보기
           싫으니까!

넘버 투, 술잔 내던지면 다들 고개 푹 숙인 채 나가고…
혼자 남은 넘버 투, 병째 술을 들이켜는데 다시 벌컥 열리는 문.

넘버 투	꺼지라니까….

하고, 고개 들면 구원과 도희다.

넘버 투	(놀라는) 니들이 여길 어떻게….
도희	(구원 보며) 범인 잡는다며.
구원	네가 그랬잖아. 나쁜 놈 상대하는 덴 나쁜 놈이 제격이라고. (넘버 투에게 광철 몽타주 내밀며) 이거 보이지? 내가 눈은 안 때렸잖아.
넘버 투	?
구원	이놈 찾아서 당장 내 앞에 데려와.
넘버 투	(술기운에 화가 치미는) 이 새끼… 네 눈엔 우리 들개파가 우스워? 네 놈말을 내가 들을 거 같아? (들고 있던 술병 던지면)

고개 돌려 피한 구원의 얼굴을 아슬아슬하게 스치는 술병.

구원	(차가운 눈으로 넘버 투 보며) 잘 됐네. 마침 짜증 나던 차에.

테이블 위에 놓인 컵이 둥실 떠오르더니 넘버 투를 향해 빠르게 날아가고…
넘버 투, 고개 숙여 피하면 벽에 부딪혀 깨지는 컵.

구원	피했어? 어디 이것도 피하나 보자.

테이블 위 포크가 휙 날아가 넘버 투의 얼굴 스치며 생채기 내자 술이 확 깨는 넘버 투, 겁난다.

도희 뭐 하는 거야?
구원 보면 몰라? 빚진 거 갚는 중이잖아.

구원, 다시 넘버 투를 매섭게 노려보면 나이프를 비롯해 테이블 위 모든 물건이 둥실 떠오르고.

구원 이게 다 네 놈 때문이야. 네가 내 머리를 치는 바람에 내가 이 상해진 거라고.
도희 그만해! 그러다 죽겠어!
넘버 투 (벌벌 떨며 비는) 미안해! 잘못했어! 시키는 대로 다 할게.
구원 늦었어.

날카로운 나이프를 선두로 일제히 날아가는 물건들.

넘버 투 아악!

넘버 투, 벽에 붙어 두 눈 질끈 감는데…
넘버 투의 코앞에서 멈추는 나이프.
물건들, 허공에서 뚝 떨어져 '와장창' 깨진다.
구원이 보면 도희가 손목을 빼 버렸다.

구원	(화가 치미는 눈으로 도희를 보는) 이리 내.
도희	(손 뒤로 숨기며) 싫어.
구원	방해하지 말고 내놔. (다가가면)

도희, 말없이 구원 노려보며 버티고…
그사이 후다닥 문 열고 도망치는 넘버 투.
그 모습에 구원, 더욱 화가 치밀어 도희를 노려보며.

구원	방해하지 말랬지!
도희	왜 이렇게 화가 난 거야? 혼자 급발진하지 말고 이유를 말해, 도대체 뭐가 문젠지!
구원	알고 싶어? 뭐가 문젠지? 너. 네가 문제야. 널 만나기 전까지 완벽했던 내가 너랑 얽힌 뒤로 다 엉망진창이라고!
도희	(상처 받은) …
구원	(거친 숨을 고르며) 너만 아니면 난 아무 문제없어.

가만히 구원을 보는 도희, 이내 초연한 표정으로.

도희	그만 두자. 너 놔줄게.
구원	뭐?
도희	이제 경호원 하지 마.
구원	… (당황하더니 화가 치미는) 그래. 관둬. 경호원이고 뭐고.

구원, 이어 마이크며 하네스며 벗어던지고 나가 버리면 혼자

남는 도희.

S#42. **거리 (밤)**

화난 얼굴로 거리를 걸어가는 구원의 모습.

여전히 화가 식지 않아 거친 숨을 쉬는데…

자리에 멈춰 이마에 손을 올리고 숨을 고르는 구원.

후회와 혼란이 얽힌 복잡한 눈빛이다.

하지만 마음 다잡으며 다시 걸음을 옮기고….

S#43. **유흥 주점 앞 (밤)**

지하 유흥 주점 입구 계단에 홀로 앉아 누군가를 기다리는 도희.

차 한 대가 그 앞에 멈추고 운전석에서 내리는 신 비서, 도희

를 걱정스러운 눈으로 보면…

고개 들어 신 비서 보더니 기운 없이 일어나는 도희.

두 사람, 차에 타면 이내 출발하는 차.

S#44. **신 비서의 차 안 (밤)**

지친 표정으로 차창에 기댄 도희 위로 비치는 화려한 네온사인.

행복 노래방, 연인 주점 등등 도희의 심경과 반대되는 단어들

이 조악하게 빛난다.

S#45.   **도희 집 지하 주차장 (밤)**

차가 도착하고 신 비서와 함께 내리는 도희.

신 비서, 도희가 보안문으로 들어가는 것까지 지켜보고 나서

야 차로 돌아가면…

보안문 너머 멀어지는 도희를 지켜보는 누군가의 불안한 시선.

S#46.   **선월극장 (밤)**

어두운 객석 중앙에 홀로 앉은 구원.

시선은 무대를 향해 있지만 신경은 다른 곳에 가 있는 듯 텅

빈 눈빛이다.

그 앞 무대 위, 리허설이 한창인 가영.

구원의 관심을 끌어 보려 최선을 다해 춤을 춘다.

S#47.   **도희 집 침실 (밤)**

침대에 앉은 도희, 휴대폰으로 최우선 검사에게 보낼 문자를

친다.

도희   ⒠ 죄송해요. 급한 사정이 생겨서. 내일 연락드릴게요.

문자 전송하려는데 거실에서 어렴풋하게 들려오는 음악 소리.

도희, 귀를 기울이면 이치현과 벗님들의 '당신만이'다.

조심스레 가방에서 전기 충격기를 꺼내 드는 도희.

긴장한 얼굴로 한 손에는 전기 충격기 한 손에는 휴대폰을 든 채 거실로 나서는데….

S#48.　　　**도희 집 거실 (밤)**
도희가 방에서 나오면 아무도 없고 텅 빈 거실.
음악 소리를 쫓아 턴테이블에 천천히 다가가면 그 위에서 돌아가는 낯선 LP판.
도희, 공포로 숨이 거칠어지며 LP판을 향해 다가가는데…
뒤에서 덮치며 도희의 코와 입을 막는 손.

도희　　　!

그리고 암전.

S#49.　　　**도희 집 테라스 (밤)**
암전 속 어렴풋이 들려오는 '당신만이' 노랫소리에 도희, 천천히 눈을 뜨면…
세찬 바람에 머리칼이 날리는가 싶더니 눈앞에 훅 들어오는 아득한 야경.

도희　　　!

순간적으로 놀란 도희, 발버둥 치면 밑으로 까마득한 야경이
위협적으로 흔들린다.
얼어붙는 도희, 자신을 살피면 마치 누에고치처럼 하얀 커튼
에 몸이 둘러 묶인 채 허공에 매달렸다.
덜덜 떨며 위를 올려다보면 커튼이 묶인 난간에 붙어 서서
자신을 내려다보는 광철의 실루엣.
역광을 받아 얼굴이 잘 보이지 않는데….

도희   (얼어붙어 소리도 지르지 못하고) 살… 살려 주세요.

광철의 검은 실루엣 위로 '당신만이' 노랫소리가 공포스럽게
울리고…
'투둑' 하는 소리에 도희, 자신의 몸을 내려다보면 몸을 감싼
커튼이 무게를 이기지 못해 뜯어지기 시작한다.

도희   살려 줘… (결국 소리치는) 살려 줘!

이내 '투둑, 투둑' 사정없이 뜯겨 나가는 커튼.
도희, 아이처럼 울며 소리친다.

도희   나 죽기 싫어! 살려 주세요! 살려 줘, 제발….

'투두둑' 도희 몸을 감싼 천이 찢어지며 풀려 버리고…
풀린 커튼을 움켜잡는 도희.

난간에 묶인 커튼을 잡고 간신히 매달렸다.

도희, 악착같이 커튼 끝자락을 잡고 오르려 용을 쓰는데…

'부욱!' 찢겨 나가는 천.

도희   (눈을 질끈 감으며 비명처럼) 정구원!

그때 도희의 손을 잡은 누군가.

도희, 놀라 위를 보면 구원이다!

어느새 난간을 뛰어넘어 한 손으로 난간을 잡고 한 손으로 도희 손을 잡은 구원.

도희, 눈에 눈물이 그렁한 채 구원을 올려다보고 구원은 뛰어 왔는지 땀에 젖은 머리칼을 한 채 도희를 내려다보면 두 사람의 모습 위로 흐르는 '당신만이'.

공포스럽기만 하던 노랫소리가 로맨틱하게 퍼지는 가운데…

허공에서 손 하나만을 잡고 서로를 보는 두 사람의 모습이 물속에서 도희가 잡았던 것과 반대인 듯하다.

서로를 절박한 눈빛으로 바라보는 두 사람의 모습 위로 '아, 이대로 영원히 내 사랑 간직하고파' 하고 감미로운 간주 흐르고… 그렇게.

5화 엔딩

VI

수레바퀴 속으로

S#1.   **도희 집 거실 (밤)**

긴장한 얼굴로 한 손에는 전기 충격기, 한 손에는 휴대폰을
든 채 거실로 나서는 도희.
거실에는 아무도 없고 텅 비었다.
음악 소리를 좇아 턴테이블에 천천히 다가가면 그 위에서 돌
아가는 낯선 LP판.
도희, 공포로 숨이 거칠어지며 LP판을 향해 다가가는데…
뒤에서 덮치며 코와 입을 막는 손.

도희   !

버둥대는 도희, 다급히 휴대폰의 전원 버튼을 연달아 누르고.

S#2.   **선월극장 (밤)**

텅 빈 눈으로 가영의 리허설을 보던 구원, 요란한 알람에 휴

대폰을 보면.

도희	(E) 도움이 필요해요. SOS.
구원	!

가슴이 철렁 내려앉는 구원, 그대로 극장을 뛰쳐나가면 가영,
놀라 안무 멈추고….

S#3.　　　**도로 - 구원의 차 안 (밤)**

빨간 신호등에도 아슬아슬하게 차들을 빗겨 매섭게 달리는
구원의 차.
구원, 핸즈프리로 도희에게 계속 전화 걸지만 받지 않는다.
'부웅' 속도를 내는 구원의 눈빛이 절박하다.

S#4.　　　**도희 집 앞 대로변 (밤)**

급정거하는 구원의 차.
차에서 튀어나온 구원, 건물로 달려 들어가고….

S#5.　　　**도희 집 1층 로비 (밤)**

구원, 엘리베이터 앞으로 달려오면 투덜거리고 선 사람들.
보면, 모든 층수 표시 액정에 불이 들어오지 않는다.

보안 직원	엘리베이터 전원이 다 나가서요, 문제 파악 중이니까 조금만 기다리시면⋯.

구원, 초조한 얼굴로 고개 돌리면 저만치 눈에 띄는 비상문 표지판.

S#6.   **도희 집 테라스 (밤)**
커튼에 묶인 도희, 덜덜 떨며 위를 올려다보면 커튼이 묶인 난간에 붙어 서서 자신을 바라보는 광철의 실루엣.
역광을 받아 얼굴이 잘 보이지 않는데⋯.

도희	(얼어붙어 소리도 지르지 못하고) 살⋯ 살려 주세요.

그런 도희를 보며 천진한 미소 짓는 광철은 비즈니스맨으로 분장한 모습이다.

S#7.   **도희 집 비상계단 (밤)**
비상계단을 뛰어 올라가는 구원.
거친 숨을 내쉬며 끝없이 이어지는 계단을 올려다보더니 눈에 힘을 주고는 다시 뛰어 올라가고⋯.

S#8.   **도희 집 테라스 (밤)**

'투둑' 하는 소리에 도희, 자신의 몸을 내려다보면 몸을 감싼
커튼이 무게를 이기지 못해 뜯어지기 시작한다.

도희   살려 줘… (결국 소리치는) 살려 줘!

이내 '투둑, 투둑' 사정없이 뜯겨 나가는 커튼.
도희, 아이처럼 울며 소리친다.

도희   나 죽기 싫어! 살려 주세요! 살려 줘, 제발….

'투두둑' 도희 몸을 감싼 천이 풀려 버리고….

S#9.   **도희 집 현관 밖 (밤)**

비상계단에서 튀어나와 복도를 내달리는 구원.
그새 머리칼이 온통 땀에 젖었는데….

S#10.   **도희 집 테라스 (밤)**

난간에 묶인 커튼을 잡고 간신히 매달린 도희.
뒤에서 현관문 열리는 소리에 광철, 당황해 돌아보고 도희,
악착같이 커튼 끝자락을 잡고 오르려 용을 쓰는데…
'부욱!' 찢겨 나가는 천.

도희   (눈을 질끈 감으며 비명처럼) 정구원!

그때 도희의 손을 잡은 누군가.
도희, 놀라 위를 보면 구원이다!
어느새 난간을 뛰어넘어 한 손으로 난간을 잡고 한 손으로
도희 손을 잡은 구원.

구원   (도희를 보며) 도도희. 내가 왔어.
도희   (눈에 눈물이 그렁한 채) 정구원….

그때 구원의 뒤에서 스윽 나타나는 광철.
품에서 번뜩이는 칼을 꺼내 들어 구원의 목을 향해 휘두르면
그 기척에 고개 돌리는 구원.
눈앞으로 날카로운 칼날이 날아들고….

구원   !

구원, 순간 난간 잡은 손을 놓자 아슬아슬하게 눈앞을 가르며
스치는 칼날.
도희 쪽으로 몸이 기울며 떨어지는 구원, 난간 놓은 손으로
도희 손목을 잡자 타투 위로 불꽃 일렁인다.
광철, 난간 아래로 훅 사라진 구원의 뒷모습을 쫓아 황급히
아래를 내려다보면 그새 사라지고 없는 두 사람.

S#11.　　　　**도희 집 비상계단 (밤)**

서로를 부둥켜안은 채 비상계단에 '쿵!' 떨어지는 구원과 도희.
구원, 도희를 꼭 붙든 채 등에서 느껴지는 충격에 숨을 토해
내는데… 이내 품 안의 도희를 살피는 구원.

구원　　　　도도희, 괜찮아?

그 말에 얼어서 소리조차 내지 못하던 도희, 울음 터지며 구
원의 목을 와락 껴안고…
아이처럼 서럽게 우는 도희에 구원, 당황하는가 싶더니 어색
하게 손을 들어 도희의 등을 토닥인다.

구원　　　　괜찮아, 도도희. 이제 다 끝났어.

구원의 서툰 위로 속에 도희, 마음껏 우는데…
밑에서 다급히 비상계단을 뛰어 올라오던 석훈, 그런 두 사람
을 발견하고 멈칫 굳어 서고…
두 사람을 바라보는 석훈과 그의 등장도 모르고 우는 도희,
그리고 그를 토닥이는 구원의 모습 위로.

타이틀　　　**< 수레바퀴 속으로 >**

S#12.　　　　**도희 집 거실 (밤)**

멍하니 소파에 앉은 도희, 석훈이 따뜻한 차를 건네면.

도희	(잔 받으며) 고마워.
석훈	(도희를 걱정스럽게 보며) 정말 병원에 안 가도 되겠어?
도희	응….

석훈, 테라스 난간에 묶여 펄럭이는 천을 보며 의구심이 드는
표정인데.

구원	(집안을 살피고 돌아와) 아무도 없어. 도어 록은 고장 났고.
석훈	전기 충격을 가한 건가? 일반 장비로는 안 될 텐데….
도희	(여전히 멍한 눈빛으로) … 즐기고 있었어.

인서트	**공포에 질린 도희를 내려다보는 광철의 검은 실루엣.**
	어둠 속, 입가에만 비추는 빛에 '씨익' 웃는 미소 보이고….

도희	내가 겁에 질릴수록 재밌어 죽겠다는 듯이… 죽어 가는 걸 감
	상이라도 하는 것 같았어. 그리고 그 음악….
구원	당신만이.
도희	?
구원	노래 제목이야.
도희	단순히 살인만이 목적은 아니었어.
구원	벌써 몇 번이나 빠져나간 먹잇감을 드디어 잡게 생겼으니 신
	났겠지.
석훈	(의심스러운 눈으로 구원 보며) 살인마의 심리를 잘 아네요.
구원	포식자의 심리를 아는 거지.

석훈	(그런 구원이 미심쩍고)
도희	(문득) 내 휴대폰! (두리번대면)
구원	(휴대폰 건네는) 바닥에 떨어져 있었어.
도희	(CCTV 앱 실행하며) 안 보이게 CCTV를 설치해 놨어. 언젠가 집에 쳐들어올 거 같았거든.

영상을 틀어 보면 거실로 들어서는 비즈니스맨 분장을 한 광철.
도희, 눈동자 흔들리고….

도희	달라….
석훈	뭐?
도희	전혀 다른 사람이야.
구원	(휴대폰 가져가 보며) 그러네. 널 죽이려던 놈하고는 완전히 다른 얼굴이야.
석훈	그럼 범인이 한 명이 아니라….

모두가 혼란스러운데…
구원, 영상을 돌리면 뒤돌아 LP 플레이어를 작동시키는 광철의 뒷모습.
화면 멈추고 눈에 힘주는 구원.

구원	뒷목에 이건… 상처? (도희에게 보이고)

도희, 광철 뒷목에 지저분하게 얽힌 상처를 보자 번뜩 떠오르

는 기억.

인서트   **달리는 차 안의 도희, 천천히 눈을 뜨면…. (1화)**
           운전석에 앉은 광철 뒷목의 상처.

도희   그때도 봤어, 차 안에서.
구원   (생각이 미치는) 설마… 얼굴을 바꾸는 건가?
도희   !
구원   그래서 내가 못 찾은 거야. 진짜 얼굴이 아니니까.
석훈   얼굴을 바꾼다니 변장이라도 한다는 거야?

           도희, 충격에 휩싸이고 그런 도희를 걱정스러운 눈으로 보는
           석훈.

S#13.   **도희 집 서재 (밤)**
           구원과 마주 보고 서재에 선 석훈.

석훈   두 사람 나한테 숨기는 거 있죠?
구원   …
석훈   도희 어떻게 구한 거예요? 난간에 매달렸는데 왜 비상구에
           서….
구원   그렇게 궁금하면 도도희한테 직접 물어봐.
석훈   말 안 하니까 정구원 씨한테 묻는 거잖아요.

구원	말하지 않는 덴 다 이유가 있겠지.
석훈	도희는 워낙 자립심이 강하고 남들 걱정시키는 걸 싫어해요. 어려서부터 항상 혼자 헤쳐 나가야 했으니까. 난 지금 도희가 처한 상황에 대해서 정확히 알아야겠어요.
구원	그쪽이 무슨 자격으로?
석훈	난 도희의 유일한 편이니까.
구원	그 편이라는 게 도대체 뭔데?
석훈	그 사람이 아프면 나도 아프고 그 사람이 기쁘면 난 행복해지는… (말하면서 자신의 마음을 확실히 깨닫는) 너는 너, 나는 나 그렇게 딱 잘라 구분되지 않는 그런 사이요.
구원	(그 말을 들으며 생각에 잠기고)
석훈	그러니까 도희가 나한테 뭘 숨기는지 말해 줘요.
구원	걱정 마. 그쪽이 도도희의 유일한 편은 아니니까.
석훈	?

구원, 나가 버리고 혼자 남은 석훈의 흔들리는 눈빛.

S#14.　**도희 집 거실 (밤)**
　　　　구원을 쫓아 나와 팔을 잡아끄는 석훈.

석훈	정구원 씨, 아직 말 안 끝났어요.

말없이 테라스에 시선 고정한 구원에 석훈, 시선 쫓으면…

저만치 테라스에 홀로 선 도희.

S#15.   **도희 집 테라스 (새벽)**

천천히 앞으로 걸어가 밑을 내려다보더니 눈을 질끈 감는 도희.

테라스 난간을 잡으려다 '아' 하고 아파 찡그리며 손바닥을 펴 보면 빨갛게 상처가 남았다.

도희, 상처를 물끄러미 바라보는데….

석훈   (뒤에 다가와 서며) 왜 나와 있어? 많이 놀랐을 텐데….

도희   (돌아보지 않은 채) 나… 지금까지 죽는다는 걸 쉽게 생각하고 있었나 봐. (고개 들어 멀리 하늘을 보듯 바람 맞으며) 난 용감한 게 아니라 그냥 몰랐던 거야. 죽는 게 진짜 뭔지. 내 세상이 끝나고 철저하게 혼자가 되는 그 기분을….

석훈   (안타까운 눈으로 보고)

도희   날 죽이려고 내 주위를 항상 맴돌고 있었어. 반갑게 인사한 경비원, 어제 미팅한 직원. 누구라도 그놈일 수 있어. 어쩌면 지금도 또 다른 얼굴로 내 주변에 숨어서 날 지켜보고 있는지도 몰라.

도희의 눈에 떠오른 공포의 빛을 본 석훈, 결심이 선 눈빛으로 도희에게 다가가 선다.

석훈	도희야.
도희	(몸 돌려 석훈을 보면)
석훈	더 이상 이 위험한 싸움을 너 혼자 하게 할 수 없어. 나랑 결혼하자.
도희	(놀라는) 오빠….
석훈	(손 내밀며) 이리 와. 너 혼자 그렇게 위태로운 벼랑 끝에 서 있지 말고.

도희, 석훈이 내민 손을 보며 갈등하는데…
뒤에서 그 모습을 보고 섰던 구원, 성큼성큼 다가와 도희 앞에 서더니 불쑥 손을 내밀며.

구원	그 결혼 나랑 하지.
도희	!

놀란 도희와 도전적인 눈빛의 구원.
석훈은 화난 눈으로 구원을 보는데…
앞에 놓인 두 남자의 손 앞에서 흔들리는 도희의 눈빛.
하늘에서는 동이 트며 미명이 밝아 오기 시작하고….

S#16.   **미래 F&B 대표실 (낮)**
디자인 시안 A 안, B 안이 떠 있는 모니터 앞에 앉아 멍하니 오늘 새벽의 일을 떠올리는 도희.

| 인서트 | *두 남자가 내민 손 앞에 선 도희, 손을 드는가 싶더니 손 내려놓으며.* |

| 도희 | 생각할 시간이 필요해. |

현재로 돌아오면 밴드 붙인 자신의 손바닥을 보며 한숨 쉬는 도희.

도희	인생은 선택의 연속이네요. 내부 반응이랑 외부 모니터링 보고 결정하죠.
신 비서	네. 그리고 최우선 검사는 제가 잘 정리했습니다.
도희	(그제야 생각이 미친) 아… 고생하셨네요.

| S#17. | **미래 F&B 사무실 (낮)** |

한편 팔짱을 낀 채 대표실 창문 너머 도희를 보고 앉은 구원의 불만스러운 표정.

| 구원 | 감히 인간 따위랑 날 두고 고민하다니. |

신경 돌리려 신문을 펼쳐 드는데 신문 속 멋진 미소의 석훈 사진 위로 '젊은 리더십, 미래 투자 주석훈 대표.'라는 헤드라인. 구원, 신경질 나 신문을 확 접는데 휴대폰이 울려 보면 '박 실장'이다. 구원, 전화 받으면.

복규	(E 낮은 목소리) 접선 요망. 왼쪽을 보시오.

구원, 고개 돌리면 사무실 입구에서 도시락 가방을 흔들어 보이는 손만 보이고….

S#18. **미래 F&B 카페테리아 (낮)**

구원과 마주 앉은 복규, 싸 들고 온 도시락을 테이블에 바리바리 풀어 놓으면.

구원	접선은 뭐야? 스파이도 아니고.
복규	또 그 A.I 같은 비서한테 걸리면 무슨 일을 당할지 모르잖아. 지난번에 맞아 돌아간 목이 아직도 뻐근하다고.
구원	하여튼 엄살은.
복규	(알록달록한 도시락을 자랑스레 보이며) 사랑을 가득 담은 박복규 표 도시락. 감동 받았으면 울어도 돼.
구원	가영이가 보냈구나?
복규	(발뺌) 아니~
구원	그럼 왜 왔어?
복규	리허설 보다 뛰쳐나가서 외박까지 하니까 진스타, 아니 내가 너무 걱정이 돼서…. (아차 싶어 말꼬리 흐리면)
구원	스파이 맞았네.
복규	무슨 일인데 그렇게 뛰쳐나간 거야? 꼭 엉덩이에 불붙은 사람처럼.

구원	도도희가 이번엔 진짜로 죽을 뻔했어.
복규	헉.
구원	덕분에 범인이 변장으로 얼굴을 바꾼다는 걸 알아냈고.
복규	(연달아 놀라는) 헉!
구원	그리고 난 도도희한테 프러포즈했어.
복규	(의외로 차분) 에이~ 그거야 세상 사람들이 다 아는데 새삼스레.
	빛의 속도로 차인 미래 그룹 후계자. 제목 참 잘 뽑았단 말이야.
구원	아니. 내가 도도희한테 했다고. 프러포즈.
복규	(병쪘다가 뒤늦게) 뭐?

쩌렁쩌렁하게 울리는 목소리에 다들 두 사람을 보고.

복규	이사장이 프러포즈를 했다고? 빛의 속도로 찰 땐 언제고, 왜?
구원	그것도 이제 세상 사람들이 다 알겠네.
복규	(목소리 낮춰) 인간이랑 결혼하는 건 미친 짓이라며. 이유가 뭐야? 갑자기 심경에 극심한 변화가 생긴 이유.
구원	(말문 막히는) 뭐… 유부녀랑 손목 잡고 다니면 불륜이잖아.
복규	데몬이 도덕을 따져?
구원	좀 따지면 안 돼?
복규	이사장이 결혼이라니… 유부남 데몬이라니… (문득 크게 놀라는) 허억!
구원	(또 뭔가 싶어서 보면)
복규	진스타가 알면 지옥문이 열릴 텐데.
구원	난 또 뭐라고.

복규	그래~ 남의 일이라 이거지? 두 사람이 결혼하면 지금 피눈물 흘릴 사람이 한둘이 아니라고.

S#19. **미래 F&B 사무실 (낮)**
책상에 '좌르륵' 타로 카드를 펼치는 손.
커피를 호록이며 신중한 표정으로 타로 카드를 내려다보는 정미다.

정미	보자 보자 오늘의 대인운은… 필요 없고 연애운이 중요하지. (신중하게 카드를 고르며) 이런 흐름이면 나에게도 분명 기회가 있단 말이야.

카드를 하나 뒤집으면 은둔자 카드다.

정미	은둔자? 아냐, 아냐. 내가 방금 집중이 좀 흐트러졌었어. 다시.

카드를 다시 섞고 신중하게 새로 뽑는데 역시나 은둔자 카드다.

정미	또? 왜 따라다니는 건데?
도희	(off) 은둔자가 나쁜 건가?
정미	나쁘지. 현역에서 물러난 연애 은퇴자, 뒷방 노인네란 뜻인데. 악마 같은 대표님을 대적해야 하는 이 시점에 은둔자가 웬 말….

열변을 토하며 고개 들면 책상 앞에 서서 흥미롭게 내려다보는 도희.

도희   내 방으로 오세요. (가 버리면)
정미   (은둔자 카드 툭 떨구며) 연애운이 아니라 대인운을 보는 건데….

S#20.   **미래 F&B 대표실 (낮)**
정미와 소파에 마주 앉은 도희, 사무적인 태도로 딱딱하게 말한다.

도희   소문 들었어요.
정미   헛소문이에요. 제가 앞담화는 해도 뒷담화는 안 하거든요.
도희   그렇게 용하다면서요? 그거 사람 마음도 알 수 있나?
정미   에?

점프하면, 도희 눈앞에 펼쳐진 타로 카드.

도희   (신중한 얼굴로 타로 카드를 내려다보며) 흐음….
정미   그렇게까지 심사숙고할 필요는….
도희   쉿. 부정 타게.

정미, 입 다물면 신중하게 카드 한 장을 골라 뒤집는 도희.
'운명의 수레바퀴' 카드다.

도희	(카드에 적힌 영어를 읽는) 휠 오브 포춘?
정미	운명의 수레바퀴라고 이 카드는 보통 재결합, 재회를 뜻해요.
도희	구체적이고 디테일하게.
정미	(다다다) 수레바퀴 돌듯 운명은 신의 계획이자 틀 안에서 반복되지만 어떤 방향으로 굴러가는지는 인간의 의지와 지혜에 달려 있다. 그런 뜻이죠.
도희	(X 표시를 가리키며) 이건 로마 숫잔가?
정미	네. 이게 열 번째 카드거든요. 십이라는 숫자는 완성의 숫자로 끝이자 새로운 시작을 의미하죠.
도희	끝이자 새로운 시작…. (생각에 잠기고)

S#21. **미래 F&B 카페테리아 (낮)**

본인이 싸온 도시락을 참 맛있게도 먹는 복규를 한심스럽게 보는 구원.

구원	그렇게 맛있어?
복규	잘 먹어 둬야지. 지옥문이 열려도 맷집으로 버티려면.

구원, 방울토마토를 집어 먹다 저만치 로비에 들어서는 석훈의 손에 들린 화분에 시선 뺏기고….

S#22. **미래 F&B 대표실 (낮)**

화분을 받아 들고 당황스러운 도희.

도희   뭐야 갑자기 꽃이라니….

석훈   꽃다발은 네가 너무 오그라들까 봐. 그래도 프러포즈인데 꽃
        한 송이 없이 너무 전투적이었더라고.

도희   아… (어색한) 뭐 마실래?

석훈   아니. 마시고 왔어. (사이) 너 손은 괜찮아?

도희   어. 별거 아냐.

석훈   다행이네.

어색한 정적이 흐르는데… 서로 눈 마주치더니 누가 먼저랄
것도 없이 웃음이 터지는 두 사람.

도희   웃긴다. 우리 왜 어색해?

석훈   내 말이.

S#23.   **미래 F&B 사무실 (낮)**
        사무실 입구에 선 채 대표실 안의 도희와 석훈을 보는 구원.

구원   뭐가 저렇게 웃겨?

복규   (옆에 스윽 나타나며) 이사장, 지금 질투하는 거야?

구원   허. 질투? 난 질투하고 그런 거 진짜 이해 못 하겠던데. (하면서
        도 두 사람에게서 눈을 떼지 못하면)

복규	그때부터였을까요? 나 자신을 이해하지 못한 게?
구원	(빠직. 저만치 보며) 어? 신 비서다.

하고, 돌아보면 그새 내빼고 없는 복규.
구원, 다시 도희를 보면 즐겁고 편안해 보이는 표정인데…
보기 싫다는 듯 휴게실로 가 버리는 구원.

S#24.   **미래 F&B 대표실 (낮)**

도희	우리 첨 봤을 때 중2병 걸린 오빠 모습이 아직도 눈에 선한데 나한테 프러포즈를 다 하고. 많이 컸네, 주석훈~ (놀리면)
석훈	난 그래도 중학생이었지 초딩이었던 주제에. ('피식') 그랬던 네가 벌써 결혼이라니. 믿기지가 않네.
도희	나도 믿기지가 않아. 내가 결혼이라니….

두 사람, 애잔하고 짠한데….

석훈	내가 프러포즈 한 거… 충동적인 거 아냐. 처음에 네가 맞선 봤다는 얘길 듣는데 가슴이 철렁하더라. 그리고 네가 정구원 씨한테 프러포즈하는데 질투가 나더라고. 그때 깨달았어. 너에 대한 마음이 예전과 다르다는 걸.
도희	… (쉽사리 말을 꺼내지 못하고)
석훈	(도희 표정 보더니 머리 긁는) 너한테 부담 주려고 온 건 아닌데…

말하다 보니까 이렇게 됐네.

도희   그냥 좀 놀래서 그래. 난 그저 오빠를 가족이라고만 생각했으니까.

도희의 그 말에 석훈, 진지하면서도 진솔한 눈빛 되더니.

석훈   우리 이제 진짜 가족이 되자. 네가 지금 필요한 건 결혼이니까 가족 먼저 되고 다른 건 그다음에 해도 돼. 시간이 걸려도 괜찮아. 기다릴게.

도희의 눈빛 흔들리고….

S#25.   **미래 F&B 휴게실 (낮)**

절제된 손놀림으로 믹스커피를 동시에 세 개를 따서 잔에 붓고 티스푼으로 휘휘 젓더니 얼음을 '창그랑~' 넣어 벌컥벌컥 들이키는 구원.

구원   하아~ 이제야 속이 좀 풀리네.

하는데, 뒤에서 보고 섰던 한성이 뿌듯한 표정으로.

한성   정구원 씨도 직장인이 다 됐네요. (하며, 믹스커피를 홀짝)
구원   (한성 보더니 문득) 궁금한 게 있는데. 인간들이 누군가를 긴급 연락처로 정한다는 건 어떤 의미야?

한성 그건 가장 신뢰하는 사람이라는 뜻이죠.

구원 그래? 가장 신뢰한다… (미소 짓다 문득) 잠깐. 그럼 주석훈도…?

좋다 마는 구원, 다시 열불 나 커피를 들이켜고….

S#26.   **미래 F&B 사무실 (낮)**

구원, 휴게실에서 나오면 입구에 기다리고 선 석훈.

고개 돌려 자신을 보는 석훈에 구원, 걸음을 멈춘다.

S#27.   **미래 F&B 옥상 정원 (낮)**

나란히 마주 선 구원과 석훈.

구원 도도희 만나러 온 줄 알았더니 날 보러 온 거였어?

석훈 굉장히 수평적인 고용 관계네요. 호칭도 말도 편하게 하고.

구원 고용 관계 이전에 남녀 관계로 만난 터라.

석훈 (거슬리는) 싫다고 거절해 놓고 이제 와서 도희를 흔드는 저의
가 뭐예요?

구원 내가 결혼이 싫다고 했지 언제 도도희가 싫다고 했나?

석훈 (빠직) 사람 감정 갖고 장난치지 마. 도희가 지금 얼마나 절박
한 상황인지 누구보다 잘 알면서.

구원 유감이지만 나도 장난 아냐.

그때 구원의 이어 마이크에 들려오는 신 비서 목소리.

신 비서	㉣ 정구원 씨. 대표님, 외근 나가십니다.
구원	난 그럼 일이 바빠서 이만. (돌아서는데)
석훈	경호원이면 경호원답게 선 지켜요.
구원	(석훈 보며) 난 지켜야 되는 선 같은 거 없어.

가 버리는 구원의 뒷모습을 화난 눈빛으로 보는 석훈.

S#28.　　**도희의 차 안 (낮)**

구원, 운전 중이고 뒷자리에 앉은 도희.
적막이 흐르는데….

구원	뭐 하나 물어봐도 되나?
도희	?
구원	나랑 주석훈을 긴급 연락처로 한 이유가 뭐야?
도희	넌 내 경호원이고 오빠는 가족 같은 사람이니까.
구원	(어쩐지 섭섭한데)
도희	(차창을 보며 무심히) 넌 나한테 왜 프러포즈했어? 빛의 속도로 거절할 땐 언제고.
구원	다들 그게 그렇게 궁금한가?

구원, 생각에 잠기면, 도희, 기대에 찬 눈빛으로 구원을 본다.

인서트   **사력을 다해 계단을 올라가는 구원.**

구원   도도희. 제발… 조금만 버텨.

            현재의 구원, 감정 숨기느라 무심한 투로 답한다.

구원   그냥….
도희   (얼굴에 스치는 실망감을 숨기려 다시 차창 밖으로 시선 돌리는데)
구원   네가 죽는 게 싫어서.

            도희, 여전히 창밖을 향한 채 표정 미묘하게 풀리고….

S#29.   **공장 착공식 (낮)**
            공사장 가림 벽 앞 단상 위에 나란히 선 석민 일동과 이사들.
            석민과 도경의 얼굴에 어쩐지 여유가 넘치는데.

아나운서   이어서 미래 그룹 노석민 회장님의 착공식 기념사가 있겠습
            니다.

            마치 회장인 양 나서는 석민, 미소 지으며 마이크 잡더니.

석민   드디어 이 자리에 서니 감회가 새롭네요. 우리 미래 그룹이
            이번 천안 제2공장 착공에 거는 기대는 이루 말할 수 없이 큽

니다. 제2공장을 통한 고품질 포장재를 안정적으로 공급함으
로써….

그때 단상 아래에, 도희가 구원과 함께 걸어오는 모습 보이고.

수안   도희 쟤가 웬일이야?

도경, 놀라 굳고, 석민 역시 도희를 보더니 말을 멈춘다.

세라   (당황해 뒤에서 작게) 여보.
석민   (다시 태연히 말을 잇는) 앞으로 저희 미래 그룹은 글로벌하게 뻗
        어 나갈….

구원, 단상 아래 멈추고 혼자 단상 위에 오르는 도희.
일동의 끝에 선 도경이 귀신이라도 본 듯 도희에게서 눈을
떼지 못하는데.

도희   (도경 앞에 서서) 왜 그렇게 놀라?
도경   (표정 관리하며) 원래 이런 자리 안 오잖아. 너나 석훈 형이나 보
        여 주기식은 질색이라며.
도희   때론 보여 줘야 할 때도 있거든.

도경을 지나쳐 석민이 섰던 가운데 자리에 서는 도희.
수안과 세라, 그런 도희를 황당하게 보고 기념사를 끝낸 석

민, 군은 얼굴로 자리로 돌아오면 도희 바로 옆자리다.

도희   (앞을 본 채) 아나운서가 실수를 했더라고요. 노석민 회장이 아
         니라 노석민 회장 직무 대행인데.

석민   대외적인 자리에서 회사가 불안정한 걸 강조할 필요 없으니까.

도희   아~ 실수가 아니었구나. 저 내일 결혼해요.

일동   (놀라 도희를 보면)

아나운서   (off) 다음은 오늘 행사의 하이라이트인 시삽식이 있겠습니다.

도희   급하게 하느라 청첩장은 준비 못 했어요. 이해하죠? 가족이
         니까.

         도희, 놀라 군은 석민 일동의 따가운 시선을 받으며 단상을
         내려가고 석민 일동, 애써 표정 관리하며 시삽식 장을 향해
         도희와 반대로 내려간다.
         단상 아래에 선 도희, 구원이 보이지 않자 휴대폰 꺼내들며
         걸어가는데…
         구원을 찾아 두리번대면 바쁘게 움직이는 인부들 사이로 저
         만치 뒤돌아 도희를 보고 선 한 남자.
         작업 점퍼에 안전모를 푹 눌러쓴 모습이 수상하다.
         도희와 눈 마주치자 자리를 피하듯 움직이는 남자.
         도희, 긴장하며 남자를 쫓아 옆으로 이동해 그의 목덜미를 확
         인하려는데…
         목덜미가 보이려는 순간 남자, 인파에 가려 사라지고…
         도희가 인파를 헤치고 나서지만 남자는 그새 사라졌다.

도희, 혼란스러운 시선으로 둘러보면 똑같은 작업 점퍼에 안전모를 눌러쓴 이들이 위협적으로 스쳐 지나며 목덜미가 어지러이 시야를 스치는데….

아나운서   (off) 내빈 여러분께서는 다 같이 첫 삽을 뜨시겠습니다. 하나, 둘, 셋.

'치익-' 스모그가 뿜어져 나오는 소리에 놀라 뒤돌다 휘청하는 도희.
그런 도희의 팔을 누군가 뒤에서 잡아 붙들고…
도희, 뒤로 안기듯 고개 돌려 보면 무심한 표정의 구원이다.
그 얼굴을 보자 안도감이 드는 도희.
구원, 도희의 손바닥을 보면 한쪽이 떨어져 덜렁이는 밴드.

구원   칠칠치 못하긴.

구원, 뒤에서 손가락 끝으로 뜯어진 밴드 한쪽을 도로 붙여 주면…
도희, 구원 앞에 선 채 손바닥 위에 붙은 밴드를 가만히 내려다본다.

S#30.   **결혼식장 로비 (낮)**
다음 날, 정신없이 붐비는 결혼식장 로비.

초대 명단을 확인하고 입장하는 하객들, 경호원에게 저지당하고 쫓겨나는 기자들로 복잡하다.

S#31.　　　신부 대기실 (낮)

웨딩드레스를 입은 도희의 아름다운 모습.

완벽한 신부의 모습으로 마치 화보의 한 장면처럼 우아한 자태를 뽐내는가 싶더니 갑자기 미래 F&B 신제품을 들어 마신다. 그제야 앞에서 영상과 사진을 찍는 정미와 한성 보이고 '결혼식 Vlog' 자막이 박힌 유튜브 영상 속 카메라를 향해 말하는 도희.

도희　　　인생의 중요한 순간에도 건강은 챙겨야 하니까. 매일 마시던 걸 놓칠 순 없잖아요? 이따가 떨지 않고 울지도 않아야 되는데 잘할 수 있겠죠? 응원의 뜻으로 댓글 주세요. 좋아요, 댓글, 구독, 알람. 좋댓구알. (표정 싹 바꾸며) 이거 진짜 맞아요? 어감이 영 별론데.

한성　　　요새 유튜버들은 다 그래요. 좋댓구알.

도희　　　(미심쩍고)

정미　　　(카메라 끄며 영혼 없이) 고생하셨습니다.

태블릿 들고 옆에 서더니 브리핑을 시작하는 신 비서.

신 비서　　　신랑 신부 입장 후엔 맞절이 있겠습니다. 그리고 혼인 서약,

예물 교환, 성혼 선언문, 축가, 축사, 기념 촬영….

도희   그냥 간단하게 하죠?

신 비서   (서운한 눈빛) 회장님께 제가 부끄럽지 않기 위해서라도 최선을 다하고 싶었는데….

도희   (맘 약해져) 그럼 몇 개만 줄여 주세요.

신 비서   (눈빛 회복되며) 정리하고 오겠습니다. (나가고)

한성   (찍은 사진 확인하며) 정말 대박적인 느낌이에요. 결혼식 독점 공개라니… 벌써 대표님 결혼식에 도도희 음료가 연관 검색어로 뜬다니까요.

도희   (감흥 없이) 좋네요.

한성   떨지 마시고 울지도 마시라고 저도 응원의 한마디 드리고 싶은데.

도희   (한성 보면)

한성   쫄?

정미   (한성 끌고 가며) 수고하셨습니다.

홀로 신부 대기실에 남은 도희, 거울을 보며 옷매무새를 가다듬는데…
문득 그리움이 가득 차오르는 도희의 눈빛.

도희   어때, 주 여사? 이제 속이 시원해? 주 여사가 원한 게 이 모습이야?

천숙   (off) 드레스가 왜 그 모양이야?

도희, 고개 돌리면 어느새 맞은편에 앉은 천숙. 생전의 모습 그대로다.

천숙 좀 더 우아할 순 없었어? 아무리 비즈니스 결혼이래도 비서 보고 웨딩드레스를 고르게 하다니… 그래도 명색이 네 결혼식인데 뭐든 네 취향이 묻어나야지. 취향이 사람을 만든다니까.

도희 잔소리는. 그런 식이면 어디서든 왕따예요.

천숙 너만 할까. 우리 집안 최고 왕따는 너잖아.

도희 좋은 얘긴 없어요? 그래도 명색이 내 결혼식인데.

천숙 (잠시 생각하더니) 화초 키우면서 안 건데 각자 다른 돌연변이 둘을 합치면 돌연변이가 없는 유전자가 나온대. 끝내주지 않냐? 기가 막힌 자연의 퍼즐이지. 결혼도 그런 결혼이 좋은 결혼인데 내 보기엔 너희도 그래. 둘 다 둘째가라면 서러운 돌연변이잖아.

도희 주례 선생님이 여기 계셨네. 지루할까 봐 안 불렀는데.

천숙 망할 것. 죽었는데도 안 봐주고 물어뜯네.

도희 그건 내가 할 말이지.

'피식' 웃는 두 사람.

도희 거긴 지낼 만해?

천숙 내가 어딨는 줄 알고?

도희 글쎄… 부자는 천국에 못 간다니까 천국은 아닐 거고 지옥을 가기엔 알고 보면 사람이 쫌 괜찮고… 정말 어디 간 거야, 주

천숙	여사… 나 혼자 여기 두고. (눈시울이 붉어지면)
	(그런 도희를 가만히 보더니 손가락으로 자신의 관자놀이를 톡톡 치는) 네
	기억 속. 내가 갈 데가 거기 말고 또 어딨어.

도희, 눈가가 촉촉해지는데…
'똑똑' 노크 소리에 고개 돌리면 천숙은 사라지고 도희 혼자다.
신 비서, 들어서고, 도희, 눈물 거두며 애써 태연한 척하면.

신 비서	(그런 도희를 짠하게 보았다가 아무렇지 않은 척) 입장 준비하실까요?
도희	(자리에서 일어나 거울에 비친 제 모습을 보며) 주 여사. 나도 잘 맞춰
	볼게, 퍼즐 조각.

S#32. **결혼식장 로비 (낮)**
도희, 신 비서와 함께 로비를 가로지르는데 뒤에서.

| 석민 | (off) 도희야. |

도희, 돌아보면 저만치서 다가오는 석민, 세라. 그리고 보란
듯 화려하게 꾸민 수안.

수안	결국 해냈구나?
도희	오셨네요. 진짜 올 진 몰랐는데.
석민	말했잖니. 우린 가족이라고.

수안	('피식' 비웃고)
세라	(가식적인) 드레스 잘 어울리네요.
석민	(도희 모습 훑더니) 어머니가 오늘 네 모습을 보셨으면 좋아하셨을 텐데… 뭐가 그렇게 급하셨을까?
도희	(그의 말이 거슬리고)
석민	진심으로 축하한다, 결혼. (악수 청하며 손 내밀면)
도희	(표정 관리하며 손잡는) 진심으로 고마워요.

석민, 웃어 보이고는 돌아서 식장에 들어서면 그를 따르는 일동.
도희, 그 뒷모습을 보며 표정 굳는다.

S#33.　　**결혼식장 - 미래 F&B 대표실 (낮)**
석민 일동, 테이블 자리에 앉으며.

수안	득의양양한 꼬라지하곤… (석민에게) 언제 터뜨릴 거야?
석민	오늘은 좋은 날이니까 우선은 즐기게 둬야지.

수안, 기대 어린 미소 짓고 세라는 둘의 대화가 안 들리는 듯 무심한데…
그들 뒤로 지나던 한성, '?' 하고 쳐다보고 섰다.

한 팀장	(off) 내빈 여러분께서는 큰 박수로 축하해 주시기 바랍니다.

한성	어? 내 자리. (후다닥 자리로 돌아가고)
한 팀장	신부 입장.

음악 소리와 함께 문 열리고 들어서는 도희.
웨딩 로드를 걸으면 저만치 끝에 선 예복 입은 신랑의 얼굴
이 빛에 가려 보이지 않고…
당당히 도희를 기다리고 선 신랑의 뒷모습.
도희가 앞에 도착하면 도희 너머로 드디어 모습을 드러내는
눈부신 모습의 구원.
두 사람, 마주 보고 서면.

한 팀장	(E) 신랑 신부, 아니 신부 신랑 맞절.

서로를 향해 맞절을 하는 두 사람.

한 팀장	(E) 다음은 내빈 여러분 앞에서 혼인 서약을 하는 순서가 있
	겠습니다. 여러분께서는 이 아름다운 혼인 서약의 증인이 되
	어 주시기 바랍니다.

구원과 도희, 각자 서약서를 들고 낭독을 시작하면.

구원	오늘 이 시간 가장 소중하고 아름다운 신부, 도도희를 아내로
	맞이합니다.
도희	오늘 이 시간 가장 소중하고 멋진 신랑 정구원을 남편으로

맞이합니다.

구원　당신의 옆자리를 묵묵히 지키며 최선을 다해 당신을 위하겠습니다.

도희　당신의 지금 모습 그대로를 인정하고 존중하며 사랑하겠습니다.

낭독하는 두 사람에 이어 대표실에 마주 앉은 어제의 두 사람 보이면…
서류 한 장을 받아 드는 구원. '혼전 계약서'다.

구원　혼전 계약서?

도희　그냥 간단하게 한번 정리해 봤어.

구원　(읽는) '갑과 을은 이상적인 부부의 모습을 대외적으로 완벽하게 연출한다.'

결혼식장에서 서로를 그윽한 눈빛으로 보는 두 사람 위로.

도희　(off) '단둘이 있을 때는 각자의 사생활을 존중하고 서로의 공간을 침범하지 않는다.'

구원이 손 내밀면 살포시 잡는 도희.

구원　(off) '서로의 목표에 최선을 다해 협조할 것이며…'

서로의 손에 천숙이 만든 반지를 끼우는 모습 위로.

도희   (off) '계약의 종료는 두 사람의 목표가 모두 달성되는 시기로 한다.'

팔짱을 낀 채 나란히 하객들을 향해 돌아서면.

한 팀장   이제 세상을 향해 첫걸음을 시작하는 신부, 신랑의 행진이 있겠습니다. 이것은 인생의 길을 평생 함께 걸을 것을 맹세하는….

구원   (그 말에 미소 가시며) 잠깐!

한 팀장, 멈칫하고 사람들 놀라 구원을 보면.

구원   (도희에게 속닥) 그런 얘긴 없었잖아. 평생이라니.

도희   관습적인 표현이야. 그냥 넘겨.

구원   안 돼. 난 계약과 약속에 아주 예민한 데몬이라고. 내 평생은 무척이나 길어.

도희, 어쩔 수 없이 한 팀장에게 가까이 오라고 손짓하면, 한 팀장, 다가가고.

도희   (한 팀장에 귓속말) 평생이라는 말은 빼세요.

한 팀장   (제자리로 돌아와 땀을 뻘뻘 흘리는) 이제… 신부, 신랑의 행진이 있겠습니다. 아무 의미는 없습니다.

하객들, 의아하고, 도희, 꼭 그렇게 말해야 했나 싶은데…
도희, 숨을 한번 크게 들이마셨다가 내쉬고 구원과 함께 보조 맞춰 걷기 시작하면, 하객들, 박수 치며 축하한다.

수안   (앞을 지나는 구원 보며) 올랄라~ 역시 경호원 하기엔 아까운 미모야.

열성적으로 박수 치던 한성, 옆의 정미가 영혼 없이 공갈 박수 치는 걸 보고.

한성   (속닥) 최 대리님 지금 공갈 박수 치시는 거예요?
정미   난 다른 커플을 응원했거든.
한성   ?
정미   (E) 나랑 정구원 씨 커플.

웨딩마치 하는 구원을 보는 정미의 눈이 슬프다.
신 비서, 하객들 뒤에 자리 잡고 서서 박수 치는데 맞은편에서 느껴지는 따가운 시선.
보면, 하객 뒤에 서서 눈썹 치켜 올리고 신 비서를 도전적으로 보는 복규다.
신 비서 역시 눈썹 치켜 올리며 도전적으로 응수하면 서로 질세라 미친 듯 박수 치며 신경전 벌이는 두 사람.
웨딩마치에 맞춰 나란히 걷는 구원과 도희 위로 꽃가루 흩날리고…

환히 웃는 두 사람의 모습에 씁쓸한 석훈.

석훈과 떨어진 테이블에 앉은 석민 일동 보이면 구원을 흥미롭다는 듯 보며 박수 치는 석민인데.

세라   (신나서 박수 치는 수안을 의아하게 보며) 아가씬 뭐가 그렇게 신났어요?

수안   (해맑게) 높게 날아야 떨어질 때 더 아프잖아요.

웨딩 로드를 걷던 도희, 꽃가루 사이로 하객들 뒤 박수도 치지 않고 선 도경을 발견하는데…

도희를 노려보는 도경의 싸한 눈빛에 도희, 표정 굳고…

도희의 시야를 가리며 꽃가루를 뿌리는 하객들.

도희, 걸음 걸어 하객들을 지나치면 그새 도경이 사라졌다.

구원   (도희의 심상치 않은 낌새에) 왜 그래, 도도희.

도희   아냐. 아무것도.

억지로 표정 풀고 웃는 도희.

S#34.   **결혼식장 앞 (낮)**

웨딩 아치 앞에서 기자들을 상대로 포즈 취하는 구원과 도희.

기자1   마주 보고 다정한 포즈 좀 해 주세요.

기자의 요구에 마주 보는데 구원의 무덤덤한 눈빛에.

도희   (복화술) 영혼 좀 담지.

구원   (허리를 당겨 안으며 느끼하게 보는) 이렇게?

기자들 신나서 셔터를 눌러 대고.

도희   (복화술) 너무 많이 담았어. 좀 빼.

구원   (손과 동시에 눈빛도 풀며) 어렵네.

신 비서, 두 사람의 모습을 보고 섰는데, 꽃게 걸음으로 슬금 슬금 옆에 다가와 서는 복규.

복규   우리 이사장이 최고다!

신 비서   (거슬리는) 방금 그 발언은 저희 대표님은 최고가 아니라는 뜻 같은데.

복규   그런 뜻은 아니었지만 이왕 오해한 거 그렇다고 치죠.

신 비서, 말없이 태블릿 PC를 휙 들면, 복규, 저도 모르게 확 쫄고 그런 복규를 보며 '피식' 비웃고 업무를 보는 신 비서. 복규, 뒤늦게 센 척하지만 슬금슬금 꽃게 걸음으로 멀어진다.

기자 2   키스해 주세요!

도희   그건 저희 사생활이라….

기자 2	유산을 노린 위장 결혼이라는 말이 있던데….
도희	(돌변) 부부 사이에 키스는 그냥 인사죠. (구원의 어깨에 한 손 올려 포즈 취하면)
구원	(괜스레 투덜대는) 거참, 이렇게까지 해야 되나~?
도희	(속닥) 갑과 을은 이상적인 부부의 모습을 대외적으로 완벽하게 연출한다.
구원	뭐 정 그렇다면.

구원, 말과 달리 적극적으로 도희의 얼굴에 한 손을 얹고 키스하려 다가가면 서로의 얼굴로 점점 다가가는 두 사람.

기자 2	더더더더.

막상 구원의 입술이 코앞에 다가오자 도희, 당황하고…
웨딩 아치 쪽으로 걸어오던 석훈, 그런 두 사람에 시선 돌려 외면한다.
입술이 맞닿기 직전 엄지손가락을 도희의 입술에 대고 자신의 엄지에 입 맞추는 구원.
요란한 카메라 셔터 소리 들으며 도희, 숨 참는데…
구원이 몸을 떼자 숨을 훅 내쉬며 긴장 풀린다.

기자 1	이제 독사진 좀 찍겠습니다.

구원, 빠지고, 도희, 포즈 취하려는데.

기자1	아뇨. 신랑 분 독사진.

도희, 민망해 하며 빠지고 콧대 높아진 구원, 잘생김을 극대
화한 포즈 취하면 신나서 찍어 대는 기자들.
도희, 그 모습을 황당한 눈으로 보는데, 석훈, 다가와 옆에 선다.

석훈	(애써 밝게) 내가 많이 부족했나?
도희	그럴 리가. 오빠는 나에게 여전히 든든한 가족이야. 그래서 그런 것뿐이야.
석훈	결국 가족의 벽을 못 넘었네. (쓸쓸하게 웃으면)
도희	고마워. 나에 대한 마음도, 그걸 전해 준 것도.

석훈, 말없이 도희를 보면 따뜻한 눈빛 교환하는 두 사람.
구원, 포즈 취하다 말고 그 모습을 보는데….

석훈	모두에게 공평하게 싸가지 없는 정구원 씨지만 너한테는 좋은 사람인 거지?
도희	단순히 좋은 사람 나쁜 사람. 그렇게 정의할 수 없는 존재야.

석훈, 그런 도희의 말이 마음에 걸리는데…
그때 요란하게 장식한 웨딩 카가 도착하자 시선 빼앗기는 도
희와 석훈.

도희	신 비서님 취향이….

구원	(어느새 다가와 도희의 손을 잡는) 자기야, 집에 가자.
도희	(질색) 자기?
구원	그럼 여보?
도희	(애써 참으며 석훈에게) 갈게. (차에 타면)
구원	(석훈에게) 유부녀한테 너무 애잔한 눈빛은 피하지? 보는 눈도 많은데.

구원, 도희 옆에 나란히 타면 출발하는 웨딩 카.
멀어지는 웨딩 카를 바라보는 석훈의 얼굴 위로 걱정과 아쉬움이 교차한다.

S#35. **선월극장 분장실 (낮)**

'챙!' 휴대폰이 날아와 부딪혀 금이 가며 깨지는 거울.
바닥에 떨어진 휴대폰 속에는 구원과 도희의 결혼식이 대서특필이다.
'신데렐라 맨의 탄생', '경호원과 재벌의 사랑' 등등 호들갑인 헤드라인.
가영, 깨진 거울에 비친 제 얼굴을 노려보면…
여러 갈래로 금이 간 거울 속 여러 개로 보이는 가영의 화난 얼굴.

S#36. **선월극장 분장실 밖 (낮)**

분장실을 향해 황급히 달려가는 복규.

복규   빠르기도 하지. 공연 준비하느라 바빠서 기사 못 볼 줄 알았는데….

조감독   (문 앞에 붙어서 문 두드리며) 가영 씨! 문 좀 열어 보세요.

복규   (문 앞에 도착해) 언제부터 이랬어요?

조감독   그게….

그때 문 벌컥 열리면 화난 가영의 얼굴.

복규   진스타, 내가 프레스콜만 끝나면 진짜 말하려고 했거든.

가영   닥쳐. 난 이사장보다 박 실장님이 더 화나. (밖으로 가 버리면)

복규   (쫓으며) 결혼은 그냥 능력을 유지하려는 평화로운 방법일 뿐이야.

가영   결혼이 젤 폭력적이야! 결혼만큼 폭력적인 게 세상에 어딨다고! (가 버리면)

복규, 멈춰 화난 가영의 뒷모습을 향해.

복규   진스타! 돌아올 거지? 진스타, 믿을게! (혼잣말) 우리 진스타는 프로니까 돌아올 거야.

S#37.   **소극장 분장실 (낮)**

오토바이 헬멧으로 가발이 씌워진 마네킹 머리를 내려치는 광철의 손.

미친 듯 마네킹 머리를 내려치더니 헬멧을 내던지고는 신경질적으로 뒷목을 벅벅 긁으며 분장실 한쪽에 자리 잡은 냉동고 문을 여는 광철.

얼음을 꺼내면 그 아래 팔다리가 얽혀 냉동된 시체 두 구가 보이는데⋯

언뜻 건물주의 화려한 셔츠 무늬가 눈에 띈다.

감정 없이 시체를 보며 얼음을 아그작 씹어 먹는 광철.

이내 벽 앞에 서서 새로운 사진을 붙이면 구원과 도희의 결혼식 사진이다.

도희 옆에 선 구원을 살기 가득한 눈으로 노려보는 광철.

사진 속 구원의 얼굴에 '팍!' 찍히는 날카로운 칼끝.

S#38.   **도희 집 현관 밖 (밤)**
새 도어 록에 올려진 구원의 엄지손가락. '삐리릭~' 알람음 울리면.

도희   이제 네 지문도 등록됐어.

구원   또 지난번처럼 고장 나는 거 아냐?

도희   이건 벼락을 맞아도 멀쩡해. (문 열고 앞장서 들어가면)

그 뒤를 따르는 구원.

S#39.　　　도희 집 거실 (밤)

구원　　　(집안에 들어서며 괜히 새침스레) 미리 말해 두는데 그놈이 또 쳐들
　　　　　어오면 안 되니까 내가 어쩔 수 없이 들어와서 사는 거….

눈앞에 펼쳐진 엉망으로 헤집어진 집안 풍경.

구원　　　(놀라 도희 앞을 막으며) 위험해, 도도희! 그새 또 쳐들어오다니.
　　　　　이번엔 뭘 찾으려고 이렇게 뒤집어 놓은 거지?
도희　　　(대수롭지 않은) 요새 내가 결혼 준비하느라 워낙 바빴잖아. (소
　　　　　파에 풀썩 앉으며) 대충 아무 데나 앉아.
구원　　　이게… 도둑 든 게 아니라고?
도희　　　뭐 이 정도 가지고. 인간미 넘치고 좋네.
구원　　　(까금발로 걸어와 도희에게 손 내밀면)
도희　　　?

점프하면, 혼자 돌아가는 청소기며 저절로 테이블 위를 닦는
걸레.
먼지 털이개가 춤을 추듯 물건 위를 털고 다니는가 하면 물
밀대가 창문을 절로 닦는다.
소파에 앉은 구원은 도희의 손목 잡은 채 여유롭게 앉아 물
을 마시는데.

도희　　　오오~ (감탄)

구원	이런 게 인간미지. 이제 좀 사람 사는 집 같네.
도희	이거 요리도 돼? 나 집밥 먹고 싶은데.
구원	됐거든? (손목 놓으면 허공에서 뚝 떨어지는 청소 도구들) 결혼이 아
	니라 노예를 들인 거야?
도희	(아쉬운 표정 짓더니) 그럼 하나만 더.

구원, 또 뭔데 싶고….

S#40.   **도희 집 분리수거장 (밤)**
의류 수거함 앞에 선 구원과 도희.

도희	내가 아끼는 블라우스인데 실수로 같이 딸려 들어갔어.
구원	어떻게 하면 그런 실수를 하는 거야? (도희 손목 잡으면)

옷자락 하나가 '헬로우~' 하듯 구멍에서 빼꼼 나오고.

도희	저거 아닌데?
구원	당겨 봐.

도희가 잡아당기면 줄줄이 이어져 나오는 옷들 속 블라우스
가 보이고.

도희	찾았다! (옷을 살펴 얼룩을 확인하면)

구원	뭐야? 상한 옷이잖아.
도희	아니거든? (소중히 옷을 안아 들고 가면)
구원	저 옷 어디서 봤는데···.

갸우뚱하며 도희의 뒤를 쫓는 구원.

S#41. **미래 투자 대표실 (밤)**

미래 그룹 재무제표가 떠있는 모니터를 보는 석훈.
눈이 피로해 미간을 짚으며 눈을 감고 고개를 젖히는데···
뭔가 떠오른 듯 눈을 뜨는 석훈, 포털 사이트 검색창에 '선월
재단'을 검색한다.
별거 아닌 정보들을 스크롤 해 넘기는데 '선월극장 준공식'
이라는 오래된 기사를 발견해 클릭하면 기사 속 흑백 사진.
'현명일보'라는 신문사 확인하더니 휴대폰을 들어 전화를 건다.

석훈	기자님? 주석훈입니다. 다름이 아니라 제가 투자 건 때문에 선월재단 정보가 좀 필요한데··· 네. 오래된 자료들도 자료실 에 다 있죠?

S#42. **도희 집 화장실 (밤)**

욕조 물에 몸을 담근 채 웅크리고 앉아 생각에 빠진 도희.

인서트   **천숙의 온실에서 라이터를 '칙칙' 켜 대며 다가서는 도경.**

'똑, 똑' 소리 내며 수전 끝에서 물이 떨어지고….

인서트   **미래 그룹 회의실에서 도희 손목의 타투를 보던 도경의 끈적한 눈길.**

물방울이 떨어져 파동이 번지는 욕조 물.

인서트   **착공식에서 귀신이라도 본 듯 도희에게서 눈을 떼지 못하는 도경.**

수전 끝에 매달린 물방울, 점점 커지고.

인서트   **결혼식장에서 꽃가루 사이로 보이는 도경의 싸한 눈빛.**

결국 수전 끝에서 떨어지는 물방울.

도희   노도경… 너야?

S#43.   **도희 집 거실 (밤)**

목욕을 끝낸 도희, 젖은 머리를 수건으로 말리며 거실로 나서는데… 맞은편 다른 화장실에서 젖은 머리를 수건으로 털며 나오는 편한 차림의 구원과 맞닥뜨린다.
동시에 서로를 발견하고 멈칫하는 두 사람.

도희	… 씻은 거야?
구원	보시다시피. 너도?
도희	나도 보시다시피. (사이) 그런 옷 입은 건 첨 보네.
구원	너도.

어색한 침묵 흐르면.

구원	바로 잘 거야?
도희	안 자면 뭐 하는데?
구원	자야지. 밤인데.
도희	그니까. 아~ 졸려 죽겠다.

도희, 뚝딱이며 방으로 들어가 버리면, 구원, 어쩐지 아쉽다.

S#44. **도희 집 침실 - 도희 집 손님방 (밤)**
문 닫고 침대에 풀썩 눕는 도희, 자신을 탓하며 이불킥한다.

도희	안 자면 뭐 하는 데가 뭐야.

이내 벽을 사이에 둔 채 나란히 천장을 보고 누운 구원과 도희.
도희, 잠이 오지 않아 구원 쪽을 향해 옆으로 눕는데…
구원 역시 잠 못 들고 뒤척이며 도희에게서 등 돌리는 모습
이 된다.

다시 구원이 뒤척이며 도희 쪽으로 누우면 이번에는 도희가 반대로 등 돌리며 뒤척이고…
그렇게 엇갈리다가 도희가 다시 구원 쪽으로 몸 돌리면 드디어 마주 보듯 눕는 두 사람.
도희, 벽 너머의 구원을 느끼듯 벽에 손을 댄 채 나지막이 인사한다.

도희	잘 자, 정구원.
구원	(그의 인사를 느끼듯) 잘 자, 도도희.

그렇게 두 사람의 첫날밤이 저물며 F.O.

S#45.　　**조선 시대 거리 (낮) - 꿈**

F.I. 되면 햇살이 쏟아지는 조선 시대의 거리다.
이선이 화사한 도포 자락을 휘날리며 걷고 뒤에서 그를 쫓는 몸종 석이.

석이	이선 도련님~ 이선 도련니임~
이선	(느긋) 어허. 징징대지 말래도.
석이	독선생5님 오실 시간이 다 됐는데 꽃구경이라뇨. 대감님 아시면 이번엔 절대 그냥 넘어가지 못한다니까요.

5　　독선생(獨先生): 부잣집에서 두던 개인 과외 선생

이선	너만 입 다물면 모두가 평화롭다.
석이	(풀썩 주저앉으면) 저는 못 갑니다.
이선	그럼 더 좋지. 좋은 풍경은 다 내 거다. (혼자 가 버리면)
석이	(울상) 진짜 안 갑니다. 혼자 몰래 가신 거예요!

S#46.   **조선 시대 폭포 위 (낮) - 꿈**
폭포수 소리가 들려오는 수풀에 들어서는 이선.

이선	명당자리가 여기 어딘데….

중얼거리며 수풀을 거두면 저만치 바위 끝에서 움직이는 하
얀 형체.
눈에 초점을 모으고 보면 하얀 속적삼에 속치마 차림을 한
여인이 검무를 추는 뒷모습이다.
위태로운 듯 아름다운 그녀의 춤 선에 홀리는 이선.
여인이 뒤를 도는 순간 검에 비친 햇빛에 눈이 부셔 눈을 찡
그리고…
눈이 멀 듯 강렬한 그 빛에 여인의 얼굴이 미처 보이지 않는
데….

S#47.   **도희 집 손님방 (낮)**
찡그린 눈을 뜨며 잠에서 깨어나는 구원.

구원   (이마를 짚으며 한숨) 하아… 또 인간 시절의 기억이네.

그때 거실에서 '우당탕탕!' 요란한 소리에 고개 돌리고….

S#48.   **도희 집 거실 (낮)**
구원, 거실로 나와 소리가 나는 주방으로 향하면 새집 머리를
한 도희의 뒷모습.

구원   아침부터 뭐가 이렇게 시끄러워?

도희, 뒤돌면 빵을 우적우적 먹고 있는 모습이 꼭 다람쥐 같다.

구원   (귀여움 어택에 당황) 뭐, 뭐 하는 거야? 아침부터. 꼬라지가 왜 그래?
도희   (장난스레 이쁜 척) 왜? 눈 뜨자마자 너무 이쁜가?
구원   (괜히 틱틱) 잠을 잔 게 아니라 밤새 어디서 싸우고 왔나 본데.
도희   오랜만에 진짜 푹 잤어. 배가 너무 고파서 깬 거 있지. (먹던 빵
      내밀며) 먹을래?
구원   됐어. 난 아침엔 핸드 드립 커피 한 잔이면 충분해.
도희   커피 없는데? 시간도 없고.
구원   시간이 왜 없어? 오늘은 주말인데.
도희   우리 오늘 범인 찾을 거야.
구원   싫어. 어제 결혼식도 너무 빡셌고 오늘은 느긋하게 주말을 즐
      길 거야.

도희	평일엔 일하느라 바쁘니까 주말에 찾아야지.
구원	주석훈이 지금 차 팀장 캐고 있잖아.
도희	죽은 사람 뒤를 캐는 거보다 산 사람 뒤를 캐는 게 더 빠르지.
구원	산 사람 누구? 그놈은 진짜 얼굴도 모르는데.
도희	배후를 찾아내야지. 얼굴 없는 범인을 뒤에서 조종하는 진짜 범인. 짚이는 사람이 있어.
구원	그게 누군데?
도희	노석민 대표의 아들 노도경.

S#49.   **주짓수 클럽 (낮)**

주짓수 대련을 하는 도경.

씨름 끝에 상대의 팔을 잡은 도경, 빙글 몸을 뒤집어 다리로 상대의 목을 압박한다.

숨이 막힌 상대, 바닥을 탭 하지만 놔주지 않고 계속 목을 조르는 도경.

사범   그만! 노도경! 야!

사범과 사람들이 도경에게 달라붙어 떼어 내려 하지만 도경, 광기 어린 눈으로 상대를 죽이기라도 할 듯 계속 조르고…
상대가 결국 기절하면 그제야 팔과 다리를 푼다.

사범   (기절한 상대의 볼을 치며) 괜찮아? 눈 떠 봐!

| 도경 | (일어서 기절한 상대를 내려다보며) 힘든 척은. 죽지도 않을 거면서. |

혐오와 우월감이 얽힌 도경의 눈빛.

S#50.   **도희 집 거실 (낮)**
슈트로 갈아입은 채 기다리는 구원.

| 구원 | 아직이야? |
| 도희 | (off) 어, 나가~ |

도희가 방에서 나오는데 선글라스에 스카프를 칭칭 감았다.

도희	오케이~ 난 준비됐어.
구원	아니. 너 준비 안 됐어. 또 연예인 병이 도진 거야?
도희	미행하려면 얼굴 가려야지.
구원	눈에 엄청 띄어. 관종이 따로 없다고.

도희, 할 수 없이 스카프며 선글라스를 벗으면 도희의 손목을
잡는 구원.
타투 위 불꽃 일렁이고….

S#51.   **주짓수 클럽 화장실 (낮)**

밀폐된 장소에 도착한 구원과 도희.

도희   응? (두리번대면)

뒤에 놓인 변기 보이고… 화장실 칸막이 안이다.

도희   넌 이동을 해도 꼭….

'콰르륵~' 소변기 물 내리는 소리에 도희 목소리 묻히고…
두 사람, 밖을 향해 귀를 쫑긋하면 세면대에서 손 씻는 도경
옆에 서서 손 씻는 사범.

사범   너 요새 왜 그래? 그러다 사람 죽이겠어.
도경   …
사범   정신 수양 좀 하고 와. (화장실 나가면)
도경   (물 잠그며 중얼) 사람 죽이는 게 뭐 그렇게 대단한 일이라고….

도경, 화장실을 나가면, 조심스레 칸막이에서 나오는 구원과
도희.

S#52.   **주짓수 클럽 입구 (낮)**
주차장에 세워진 자신의 차 운전석에 올라타는 도경이 저만
치 보이고 건물 입구에 숨어 그 모습을 지켜보는 구원과 도희.

도경의 차가 출발하자 건물 밖으로 나온다.

도희	(도경 차 꽁무니에 시선 고정한 채 손목 내밀며) 쫓아가.
구원	(긴박한 도희 텐션과 달리 느긋한) 지금 이동했다간 저 차 뒷좌석이 나 트렁크로 이동할 텐데.

도희, 난감한데….

S#53.   **택시 안 (낮)**

택시 뒷좌석에 앉아 느긋하게 소풍이라도 온 듯 콧노래를 부르는 구원. 앞자리 조수석에 앉은 도희는 도경의 차에서 시선을 떼지 않은 채 초조하다.

S#54.   **공용 주차장 (낮)**

차를 주차하고 내려 걷는 도경.
구원과 도희, 숨어서 그를 지켜보는데…
도경, 갑자기 확 뒤돌아 경계심 가득한 눈으로 주위를 돌아보면, 도희, 고개 푹 숙이며 숨고.

도희	경계가 심하네.
구원	우리가 어설픈 거야. 숨기기엔 내 존재감이 워낙 크기도….
도희	(말 끊는) 기다렸다 이동하자.

구원, '킁킁' 냄새를 맡더니 도경이 사라진 쪽과 반대편으로 가려고 하면.

도희   (팔 붙들며) 어디가?

구원   (저만치 에스프레소 바를 보며) 에스프레소 향기가 좋아서 한 잔 해야겠어. (다시 가려 하면)

도희   (또 붙들고 손목 내밀며) 뭘 놓칠지도 모르니까 계속 조금씩 이동하면서 지켜봐야 돼.

구원, 어쩔 수 없다는 듯 도희 손목 잡으면….

S#55.   **은행 ATM 부스 - 지하철역 앞 거리 (낮)**

은행 ATM 안에 나타난 구원과 도희.
도경을 찾아 두리번대면 저만치 지하철역 입구로 들어서는 도경.

도희   주차장에 차를 세우고 굳이 지하철로 갈아탄다? 확실히 수상해….

이상한 느낌에 옆을 보면 구원의 손에 들린 앙증맞은 에스프레소 잔.

구원   (에스프레소를 홀짝이며) 거참 엄청 빨빨거리고 다니네.

| 도희 | (황당한 눈으로 구원 보았다가 무시하고 지하철 입구 보더니) 혹시 지하 철역에서 접선하나? 얼굴 없는 범인 말이야. |

그 말에 구원의 표정 역시 심각해지더니 타투 위로 일렁이는 불꽃.

S#56. **증명사진 부스 안 - 지하철역 (낮)**
이번에는 더욱 작은 밀폐된 공간에 선 구원과 도희.
지하철역 안 증명사진 부스다.

| 도희 | 넌 참 밀실 좋아해. 밀실 마니아야, 아주. |

구원, 커튼 살짝 거두고 밖을 살피면 인적 없는 지하철역 안
을 걸어가는 도경.
도희 역시 커튼 틈으로 도경을 살피는데…
코인 로커가 줄지어 놓인 곳에 도착한 도경, 12번 로커 앞에
멈춰 선다.

| 도희 | 코인 로커? |

뒤를 휙 돌아 주위를 경계하는 도경에 재빨리 커튼을 '촥!' 치
는 구원.

구원   확실히 경계가 심하긴 하네.

                도경, 커튼 보지 못하고 고개 돌리나 싶더니 다시 고개 돌려
                증명사진 부스를 보면…
                커튼 아래 보이는 구원과 도희의 다리.
                도경, 미심쩍은 표정 짓더니 증명사진 부스로 다가오고…
                긴장한 부스 안의 도희, '뚜벅뚜벅' 다가오는 도경의 구둣발
                소리에.

도희   (손목 내밀며 속닥) 이동해.

                구원, 도희의 손목을 잡는데 타투 위 불꽃이 일렁이는가 싶더
                니 갑자기 플래시가 터지며 증명사진이 찍히기 시작한다.
                두 사람, 놀라 플래시를 보았다가 서로를 보는데…
                '팟!' 하고 사라져 버리는 타투 위 불꽃.

구원   !

                당황한 구원, 손목 놓고 자신의 손을 보면 질문하는 듯 구원
                을 보는 도희.
                구원, 다시 도희의 손목을 잡아 보지만 역시나 불꽃은 일지 않
                는다.

구원   이게 왜….

증명사진 부스 앞에 선 도경.
도희, 커튼 너머 도경을 봤다가 당혹스러운 눈빛으로 구원을
올려다보면…
구원, 결심한 눈빛 되더니 도희의 얼굴을 양손으로 잡는다.

도희   ?

도경, 매서운 눈으로 커튼을 확 젖히는 순간.

구원   ㉣ 서로의 목표에 최선을 다해 협조할 것.

도희의 입술에 자신의 입술을 가져다 대는 구원.

도희   !

당황한 도희, 눈을 동그랗게 뜨고…
구원, 그런 도희를 내려다보며 키스하면…
또 한 번 '번쩍' 요란하게 플래시 터지며 포개진 두 사람의 얼
굴에서.

6화 엔딩

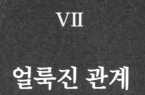

VII

얼룩진 관계

S#1.　　**증명사진 부스 안 (낮)**

　　　　구원, 도희의 입술에 자신의 입술을 가져다 대면 당황해 눈을
　　　　동그랗게 뜨는 도희.
　　　　구원, 그런 도희를 내려다보며 키스하면 그 위로 '번쩍' 플래
　　　　시 터지고…
　　　　커튼을 젖히고 안을 살피는 도경, 두 사람의 얼굴이 포개진 탓
　　　　에 알아보지 못하고 '피식' 웃더니 커튼 '확!' 치고 가 버린다.
　　　　동시에 입술을 떼며 어색하게 고개 돌리는 두 사람.

구원　　(변명하듯) … 미행하려면 얼굴을 가려야 한다길래.

도희　　덕분에 안 들켰네… (머리 매만지며) 갑자기 이동은 왜 안 돼 갖
　　　　고….

구원　　그니까… 갑자기 왜 안 돼서는….

　　　　두 사람, 계속 어색어색한데.

도희	노도경은?

그 말에 구원, 커튼 슬쩍 거두고 보면 그새 도경이 사라졌다.

S#2. **지하철역 (낮)**
조심스럽게 부스에서 나와 텅 빈 지하철 역사를 두리번대는
두 사람.

구원	없어.
도희	어디로 갔지? 밖으로 나갔나?

두리번대는 도희 눈에 저만치 도경이 멈춰 섰던 코인 로커
보이고…
도희, 로커를 향해 걸어가면, 구원, 뒤따르려는데 '철컥' 하는
소리.
보면, 증명사진 부스의 사진 출구에 사진이 출력되어 나왔다.
사진을 꺼내 들어 보는 구원.
키스하는 두 사람의 사진이 꽤나 맘에 드는 눈치인데.

구원	(슈트 앞섶에 사진을 넣으며 변명하듯) 노도경이 보면 안 되니까….

12번 로커 앞에 선 도희, 긴장한 얼굴로 문을 잡아 확 열어보
면…

텅 빈 로커.
구원, 도희 뒤에 다가와 서고.

| 도희 | 여기서 뭘 찾았던 거지? |
| 구원 | 그새 가져간 건가? |

도희, 실망해 로커 문을 닫는데 그 뒤에서 나타나는 노숙녀의
근엄한 얼굴.

도희	으악!
노숙녀	뭘 그렇게 찾아?
구원	(도희 감싸 안아 보호하다) 너는 그때 그 아라비카….
도희	아라비카면 커피?
노숙녀	뭘 찾는데? 여긴 내가 빠삭하니까 말해 봐.
도희	누구… 세요?
노숙녀	뭘로 보여?
구원	거지…?
노숙녀	빙고. (구걸 통과 팻말 들어 보이며) 계좌 이체도 대환영이야.
도희	주 예수….
노숙녀	주식회사가 주는 신뢰감이랄까.
도희	(황당하고)
구원	도대체 어디서 소리도 없이 나타난 거야?
노숙녀	니들이 듣지 못한 거지 내가 소리 없는 게 아니라. 내가 나타 난 게 아니라 니들이 내 구역에 온 거고.

구원	네 구역?

노숙녀, 보지도 않고 손가락으로 저쪽을 가리키면 저만치 광
고판 아래 만들어진 박스 집.

노숙녀	이 구역 최고 명당이야. 따뜻하고 볕 잘 드는.

두 사람, 황당하고.

구원	(도희 손목 잡아 이끌며) 이러고 있을 때가 아닌 거 같은데.

구원 손에 끼워진 반지를 보는 노숙녀.
구원이 도희를 이끌고 가 버리면 그 뒤에 대고 소리친다.

노숙녀	깜빡깜빡하네?
구원	(노숙녀를 돌아보면)
노숙녀	원래 깜빡거리다 꺼지기 마련인데.
구원	(찝찝한 표정으로 무시하고 돌아서고)
도희	아는 사람이야?
구원	영혼이 고장 나고 정신 나간 수많은 인간 중 하나. 신경 쓸 거 없어.

두 사람 멀어지고 혼자 남은 노숙녀.
머리 위의 형광등이 깜빡거리기 시작하자 고개 쳐들고 깜빡

이는 등을 보는 노숙녀의 표정이 불길한데…
이내 '팟!' 꺼져 버리는 형광등.

#타이틀   < 얼룩진 관계 >

S#3.   **지하철역 앞 (낮)**
지하철역을 나서는 구원과 도희.
도희, 두리번대며 도경을 찾아보지만 보이지 않고.

도희   노도경은 어디로 간 거야? (손목 내밀며) 쫓아가자.

하는데, 기척이 없어서 보면 저만치 화단의 꽃을 내려다보고
선 구원.

구원   (화단의 꽃을 보며) 이게 좋겠네.
도희   (옆에 다가와) 뭐해?
구원   테스트 좀 하게.

꽃봉오리를 손가락 사이에 끼우더니 도희에게 손목 달라고
손 내미는 구원.

도희   ? (손목 내밀면)

도희가 내민 손목을 잡는 구원.

타투 위로 불꽃 일렁이더니 구원의 손가락 사이로 꽃이 활짝
핀다.

구원   멀쩡한데… 뭐가 문제였지?

도희   우선 노도경부터 쫓자.

두 사람 자리를 뜨고…
뒤늦게 까맣게 말라 비틀어 시들어 버리는 꽃.

S#4.   **석민 집 앞 (낮)**
석민 집 주차장에 들어서는 도경의 차.
운전석에 앉은 도경의 모습이 보인다.
주차장 문 닫히면 맞은편 건물 벽 뒤에서 손목 잡고 나타나
는 구원과 도희.

도희   집에 들어가 버렸네.

구원   (도희에게) 안으로 들어가?

도희   아니. 너무 위험해. 우선 철수하자.

아쉬운 눈으로 도경이 사라진 집을 올려다보는 도희.

S#5.   **석민 집 거실 (낮)**

싱잉볼 소리가 '우웅-' 울리는 가운데 가부좌를 틀고 앉아 눈
감고 명상 중인 세라.

도경, 거실에 들어서다 평온한 세라의 표정 보더니 표정 일그
러지고…

자신의 방으로 들어가려는데.

세라 (눈을 뜨고 도경 발견하더니) 도경아!

도경 (귀찮고 싫은 표정으로 걸음 멈추더니 표정 감추고 뒤돌아보며) 네?

세라 (명상 선생에게 합장하고 도경에게 다가와) 잠깐 얘기 좀 해.

S#6. **석민 집 홈시어터 (낮)**

   도경과 함께 홈시어터에 들어서는 세라.

세라 너 요새 상담은 잘 다니고 있니?

도경 잠깐 쉴게요. 요새 좀 바빠서.

세라 안 그래도 아버지가 너 뭐 하느라 바쁘냐고 물으시더라.

도경 (긴장된 눈으로 세라 보며) 그래서요?

세라 모른다고 했어.

도경 (비웃듯) 그러시겠죠.

세라 (눈빛 흔들리고)

도경 계속 그렇게 모르시면 돼요.

세라 도경아….

도경 제가 알아서 할 테니까 앞으로 상담 시간 잡지 마세요. 정신

과 의사라는 것들 다 못 믿으니까.

도경 나가 버리면 혼자 남는 세라, 도경이 나간 문을 보는 눈빛이 복잡한데…
이내 평온한 미소로 재무장하고 거실로 나서는 세라.

S#7.   **석민 집 거실 (낮)**
미소 지은 얼굴로 명상 선생에게 다가가 말하는 세라.

세라   선생님, 오늘 명상 정말 좋았어요. 내일은 제가 기부 행사가 있어서 시간을 좀 바꿨으면 하는데….

도경, 자신의 방으로 들어가기 전, 태연을 가장한 세라의 모습에 혐오가 치밀어 오르는 눈빛 되더니 휙 고개 돌려 들어가 버린다.

S#8.   **도희 집 거실 (낮)**
식탁에 턱을 괴고 앉아 생각에 잠긴 구원.

구원   접촉이 불량했나… 뭐가 문제였지?

그제야 보이면 구원의 눈앞에서 혼자 뱅글뱅글 돌아가는 종이비행기.

맞은편에 앉아 구원에게 손목 잡힌 도희 보이면.

도희　아, 정신 사나워. (종이비행기를 확 채 가면)

구원　(번뜩) 그래! 그러고 보니 그날도 그랬어. 능력을 잃어버린 날. 갑자기 능력이 말을 안 듣는 바람에 내가 차에 치였고 그래서 타투가 너한테 넘어간 거야. 역시… 너한테 뭔가 문제가 있는 게 분명….

도희　(손목 확 빼며) 문제가 있으면 네가 문제지 웬 남 탓?

구원　탓하는 게 아니라. 너 만나기 전엔 능력이 깜빡거린 적이 한 번도 없었다고. 물론 이렇게 남의 손에 타투가 넘어간 일도 없었고.

도희　결국 네 말이 그거잖아. 내가 문제여서 네가 차에 치였고 내가 문제여서 타투가 나한테 넘어 왔고 또 내가 문제여서 오늘도 네 능력이 깜빡였다.

구원　내 말은! 또 결정적인 순간에 능력이 안 들면 곤란하잖아. 아까처럼.

도희　(빈정 상하는) 곤란? 그게 그렇게나 곤란할 일이면 하지 말지 그랬어. 누군 좋아서 가만 있었는 줄 아나.

구원　(그 역시 빈정 상하는) 그럼 안 좋았다고?

도희　그럼 넌 좋았어?

구원, 답을 못하고 멈칫.

그런 구원의 반응에 도희마저 당황하는데….

구원   (벌떡 일어나는) 박 실장님은 왜 안 오는 거야? 커피 한 잔도 못 내려 먹고 불편해 죽겠네.

구원, 뚝딱거리며 손님방으로 가 버리면, 혼자 남은 도희, 급 부끄러워진다.

S#9.   **미래 투자 대표실 (낮)**
책상에 앉아 서류 봉투를 열어 보는 석훈.
안에는 기사에 실린 선월극장 준공식 사진 원본과 함께 준공식 풍경을 담은 낡은 흑백 사진 여러 장이 들었다.
석훈, 무심코 사진을 넘기다 멈칫하더니 이상한 느낌에 넘긴 사진을 다시 보면…
구석에 찍힌 훤칠한 한 남자의 옆모습.
석훈, 책상 위를 두리번대다 유리 문진을 들어 사진 속 남자 위에 올리면 돋보기처럼 사진이 확대되고.

석훈   !

타임머신을 타고 간 듯 지금의 모습과 똑 닮은 사진 속 구원에게로 다가가는 화면.

S#10.   **도희 집 지하 주차장 (낮)**

양손에 커다란 캐리어를 끌고 오는 복규. 맞은편에서는 신 비서가 양손에 쇼핑 봉투를 들고 걸어오는데…
서로를 발견하고 걸음 멈추는 두 사람.
마치 서부의 개척자처럼 두 사람 사이에 전운이 감돈다.
누가 먼저랄 것도 없이 태연한 척 걸어와 보안 문 앞에 서고 신 비서가 세대 호출을 누르자.

복규	어디 신혼집 집들이 가시나 봐요?
신 비서	진짜 신혼도 아니고 집들이는 더더욱 아닙니다만.
복규	농담입니다. 거참 빡빡하시네.
신 비서	내가 빡빡한 게 아니라 그쪽이 느슨한 겁니다.
복규	(입을 삐죽대고)
신 비서	(복규 아래 놓인 짐 보더니) 짐이 꽤 많네요. 굳이 다 필요한가 싶을 만큼.
복규	그런 말이 있죠. 한 사람이 온다는 건 그 사람의 인생이 오는 것이다. (저쪽 향해) 이쪽이요.

하면, 줄줄이 박스며 포장된 액자 따위를 들고 오는 인부들.
신 비서, 움찔한다.

S#11.   **도희 집 거실 (낮)**
박스가 터질 듯 들어선 거실 안, 도희가 황당한 표정으로 보고 섰는데.

도희	이게 다 뭐….
구원	내가 입는 옷, 내가 쓰는 물건. 그리고 나의 취향을 반영하는 소소한 애장품들.
신 비서	소소한….
도희	네가 이사 온 게 아니라 아예 선월재단이 이사 온 거야?
구원	내가 곧 선월재단이고 선월재단이 곧 나니까.
복규	(박스 들고 들어서며) 이건 어디다 둘까?
구원	거실은 꽉 찼고… 도도희 네 방에 자리 좀 있지? 그건 저쪽 침실에 두면 돼.
도희	(손 번쩍 들며 소리치는) 두면 안 돼!
일동	(놀라 보면)
도희	(구원에게 우아한 미소 지으며) 잠깐 나랑 얘기 좀 할까?
구원	?

S#12.   **도희 집 침실 (낮)**

영문을 모르겠는 구원 앞에 마주 서 팔짱을 끼는 도희.

구원	무슨 얘긴데? 바쁜데 나중에 하지.
도희	여긴 너 혼자만의 공간이 아니야. 나랑 쉐어 하는 공동의 공간이라고.
구원	그래서?
도희	불필요한 짐은 다 빼.
구원	그럼 뺄 거 없네. 불필요한 건 하나도 없거든.

도희	(눈 질끈) 당장 빼.
구원	못 빼.
도희	집이 좁아터지는 꼴 보고 싶어?
구원	그러게 왜 이렇게 좁아터진 집에 사는 거야?
도희	내 집이 좁은 게 아니라 네 물건이 심각하게 많은 거야. 이 맥시멀리스트야.
구원	저건 그냥 물건이 아냐. 하나같이 나의 취향과 역사가 반영된 나의 정체성, 정구원 그 자체라고.
도희	(한숨 쉬며 포기) 정 그렇다면 할 수 없지.

구원, 그럼 그렇지 싶은데.

S#13. **도희 집 현관 밖 (낮)**

박스째 잔뜩 쌓인 물건들과 함께 현관 밖에 내쫓아진 구원.

도희	너의 그 수많은 정구원들이랑 같이 살아.

현관문을 '쾅' 닫고 들어가 버리는 도희.
옆에 섰던 복규, 슬그머니 고개 내밀어 구원 보며.

복규	이제 진짜 실감이 나네. 이사장 유부남 된 거.
구원	결혼이 원래 이런 거야? 내 물건 하나도 내 맘대로 집에 못 들이고?

복규	나야 모르지. 빛이 나는 솔론데.
구원	하아… 박 실장님은 진짜 결혼하지 마라.
복규	짐은 내가 도로 가져갈게. 이사장은 들어가.
구원	아니. 나도 자존심이 있지. 이렇게는 못 들어가.

S#14.　**도희 집 거실 (낮)**
쇼핑백에서 커플 슬리퍼 따위를 꺼내던 신 비서, 도희가 씩씩
대며 거실로 돌아오자.

신 비서	결혼이란 게 그렇죠.
도희	꼭 결혼해 본 사람처럼 말씀하시네요.
신 비서	했습니다, 결혼.
도희	(놀라는) 네?
신 비서	정확히 말하면 했었습니다.
도희	언제요?
신 비서	5년 전 안식년 때요. 세상일은 모르는 거니까 아무에게도 알리지 않고 조용히. 일명 도둑 결혼이죠. 그게 그 결혼에서 유일하게 나 자신을 칭찬하는 포인트입니다.
도희	(헐) 결혼은 여러모로 미친 짓이네요.

S#15.　**도희 집 지하 주차장 - 도희 집 서재 (낮)**
짐들을 차에 구겨 넣는 복규.

구원	봐. 다 들어가잖아. 어떻게 차보다도 좁아터진 집에 사는 거야?
복규	집이 좁아터진 게 아니라 이사장의 물욕이 터진 거지.

그때 '도라희' 발신명으로 전화가 오자, 구원, 표정 거만해지
며 전화 받고.

도희	(E) 어디야? 안 들어와?
구원	정구원들이랑 살라며. (전화 끊어 버리면)
도희	(끊긴 전화 들고 황당) 지금 얘… 가출한 거야?
구원	(휴대폰 보며 콧방귀) 흥! 내쫓을 땐 언제고. (복규에게) 박 실장님은 이제 가 봐. 공연 준비로 바쁘잖아.
복규	그게 있잖아….
구원	? (복규 보면)
복규	실은 진스타가 이사장 결혼 소식 듣고 잠수 탔어. 내일이 프레스콜인데 계속 전화도 안 받고 연습도 안 나온다니까? 이사장이 가서 좀 달래 주는 게 어때?
구원	내가 왜?
복규	진스타 입장에선 어미 새가 바람난 거잖아.
구원	됐어. 안 돌아오면 그냥 다 취소해.

한숨 쉬는 복규와 달리 구원, 냉담하고….

S#16.   도희 집 서재 (낮)

괘씸하다는 표정의 도희.

도희 들어와 산지 하루 만에 가출을 해? 아주 버릇을 고쳐 놔야지.
      내가 다신 전화 하나 봐라.

      서재 나서려는데 구석에 한가득 쌓인 구원의 상자들 눈에 들
      어오고.

도희 여긴 또 언제 깨알같이 숨겨 놓은 거야?

      박스를 열어 보면 줄줄이 나오는 핸드 드립 세트며 예쁜 쓰레
      기나 다름없는 오브제들.

도희 정구원이 많아도 너무 많아. 이건 그냥 자아 분열 아니냐고.
      (투덜대는데)
천숙 (off) 이제 밑반찬이 생겼네.

      도희, 고개 들면 책상에 앉아 도희를 보는 천숙.

도희 밑반찬?
천숙 그냥 그 자리에 있는 게 당연해서 소중한 줄 모르고 쉽게 소
      홀해지고 툭 하면 탓하는 만만한 사이. 우리가 그랬잖아.
도희 그래서 그렇게 서프라이즈 파티도 했던 거야? 소중한 줄 알
      라고? 우리 주 여사 애정 결핍이었구나.

천숙	무슨. 난 우리가 밑반찬 같은 게 좋았어. 진짜 가족이 그런 거
	잖아. 너랑은 피 한 방울 안 섞였는데도 제일 가족다웠어.
도희	맞아… 근데 주 여사. 걱정 마. 주 여사 자리는 아무도 채우지
	못하니까.

그때 울리는 휴대폰 벨소리에 상념에서 깨어나는 도희.
천숙은 이미 사라지고 없고 휴대폰을 보면 석훈이다.

도희	(전화 받으며) 어, 오빠.
석훈	(E) 도희야, 어디야? 나 너랑 단둘이 얘기 좀 했으면 하는데.
도희	무슨 얘기길래…?
석훈	(E) 정구원 씨에 관한 얘기야.
도희	?

S#17.   **구원의 차 안 (낮)**
차에 혼자 뚱하니 앉은 구원.

구원	다시 전화 안 한다 이거지? 그래. 그럼 그냥 차에서 살지 뭐.

의자를 뒤로 젖히며 누워 버리는 구원.
'지잉-' 뒤로 넘어가며 구시렁댄다.

구원	여기가 집보다 훨 낫네.

그때 마침 석훈이 보안문으로 들어서지만, 이를 보지 못하는 구원.

S#18.   **도희 집 현관 밖 (낮)**
현관문 열고 석훈을 반기는 도희.

도희   어, 오빠. 들어와.

S#19.   **도희 집 거실 (낮)**
석훈, 도희를 따라 들어서면 신 비서가 커플 컵 세트, 커플 칫솔 등등 커플 템을 끊임없이 늘어놓는 중이다.

석훈   신 비서님도 계셨네요.
신비서   정구원 씨 이사 오는 날이라서요.
석훈   아, 네….
도희   서재로 갈까?

S#20.   **도희 집 서재 (낮)**
서재에 들어서는 도희와 석훈.
석훈, 구석에 쌓인 구원의 박스에 시선이 가는데.

도희	무슨 얘긴데 그래.
석훈	정구원 씨는 아예 이사 온 거야?
도희	응. 위장 결혼이라고 물고 늘어지면 안 되니까.
석훈	…
도희	(석훈의 심각한 얼굴에) 뭔데. 왜 그렇게 심각해? 정구원이 어디서 사고라도 쳤어?
석훈	너 정구원 씨에 대해서 얼마나 알아?
도희	글쎄… 딱히 뭐 대단한 건 없어서.
석훈	결혼하기 전에 정구원 씨에 대해서 알아본 거야?
도희	(장난스레) 집안, 학벌 뭐 그런 거 말하는 거야?
석훈	너한테 보여 줄 게 있어. (사진을 꺼내 도희에게 건네면)
도희	(받으며 질문하듯 석훈을 보면)?
석훈	1977년 선월극장 준공식 사진이야. 그런데 여기 (손가락으로 짚으며) 정구원 씨가 있어.

도희, 당황하는가 싶더니 '피식' 웃으며.

도희	씨도둑은 못 한다더니 할아버지랑 똑 닮았네. 이거 선대 이사장이잖아.
석훈	정말… 그렇게 생각해?
도희	아님 뭐겠어. 진짜 강한 유전자다. 어쩜 이렇게 닮았지?

너스레 떠는 도희의 표정을 빤히 살피는 석훈.

S#21.	**구원의 차 안 (낮)**

의자에 누운 채 얼굴 위에 든 휴대폰을 들여다보고 있는 구원.

구원	지하라서 안 터지나?

구원, 신호가 더 잘 잡히는 곳을 찾아 여기저기 휴대폰을 치
켜드는데…
저만치 보안문을 나서던 석훈, 그런 구원을 발견한다.

구원	오~ 여기. 여기가 신호가 **빵빵**한 게….

그때 '똑똑' 하는 소리 들려, 보면 차창 밖에 선 석훈.
구원, 새침하게 창문 내리고는.

구원	손님이 온단 얘긴 못 들었는데.
석훈	도희랑 할 얘기가 있어서요.
구원	무슨 얘기?
석훈	정구원 씨, 나랑 술 한잔하죠?
구원	싫어. (차창 올리는데)
석훈	도희랑 내가 무슨 얘기 했는지 궁금한 거 아니에요?

멈칫, 차창 멈추는 구원.

S#22.   **칵테일 바 (밤)**

나란히 바 테이블에 앉은 구원과 석훈.

구원   빨리 얘기하지. 도도희 혼자 오래 두긴 좀 그렇잖아.

석훈   걱정 마세요. 신 비서님 계시니까.

구원   그 인간이라면 믿을 만하지.

석훈   정구원 씨랑 도희… 둘 사이엔 내가 모르는 비밀이 많나 봐요.

구원   특별한 사이니까. (칵테일 마시면)

석훈   (그런 구원을 가만히 보더니) 정구원 씨 인간 아니죠?

구원   ('풉' 술 뿜지만 발뺌하는) 무슨. 누가 봐도 지극히 인간적이잖아.

석훈   혹시 뱀파이어예요?

구원   (짜증) 어디 그런 인간 피나 빨아먹는 모기 같은 놈을…. (술 홀짝이는데)

석훈   (잔 들며) 난 정구원 씨가 아주 수상해요.

구원   그냥 내가 아주 싫은 건 아니고?

석훈   그것도 맞고. 그래서 말인데… 앞으로 난 정구원 씨를 예의 주시할 생각이에요. 그리고 만약 정구원 씨가 도희에게 해가 되는 존재라고 밝혀지면… (잔을 '탁' 내려놓고 구원을 도전적으로 보며) 그땐 가만있지 않을 거예요.

구원   (도전적인 눈빛으로 응수하며) 가만있지 않으면?

석훈   비밀을 파헤쳐야죠. 그리고 세상에 알리고.

구원   협박에 소질이 없네. 하나도 무섭지가 않아.

석훈   난 원래 무서운 사람은 아니에요. 대신 참 많이 귀찮은 편이죠. 꽤나 집요하거든요.

구원	… (가만히 석훈을 보면)
석훈	정구원 씨가 지금 누리고 있는 일상적인 평화, 사소한 행복들. 그런 걸 도저히 지켜 내지 못할 만큼 집요하게 방해하고 귀찮게 굴 거예요. 왜 흰 개미 한 마리가 조금씩 갉아먹어서 멀쩡한 집을 무너뜨리기도 하잖아요.
구원	팬이 또 하나 늘었네. 이놈의 인기란. (자리에서 일어나) 난 콘크리트 건물이라. 괜한 수고는 말고. (바를 나서면)

그런 구원의 뒷모습을 보며 칵테일을 마시는 석훈.

S#23.   **유흥가 (밤)**
술에 취해 비틀거리며 밤거리를 홀로 걸어가는 가영.
전단지를 나눠 주던 호객남이 가영을 보더니 들러붙어 전단지를 내민다.

호객남	헌팅 포차 어때요? 언니는 술 공짜, 안주 공짜, 잘생긴 오빠 무한정인데.
가영	(전단지 쳐내며) 됐어. 시시한 남자 새끼들한테 관심 없어.
호객남	(뒤에서) 생각 바뀌면 와요~

걸어가던 가영, 높은 신발에 발목이 꺾이고.

| 가영 | 아! 뭐야! 아프잖아, 씨…. |

신발을 벗어들고 맨발로 걸어가는 가영.
두 눈이 슬픈데….

S#24.   **가영의 과거 집 (밤) - 회상**
낡고 엉망인 쪽방촌 집.
얼굴에 멍이 들고 머리가 산발인 어린 가영이 맨발로 후다닥
뛰어 들어와 엉망으로 옷이 걸린 옷걸이 행거 뒤에 숨는다.
술에 취해 벌겋게 달아오른 얼굴로 비틀거리며 쫓아 들어오
는 가영 부.

가영 부   하, 이게 그새 어딜 숨은 거야. 진가영! 너 당장 안 튀어나와?
안 나오면 더 처 맞는 거야! (손에 든 깨진 날카로운 소주병을 흔들며)
어른이 술을 사 오라면 사 오는 거고 죽으라면 죽는 거지 어
디서 따박따박 대들어, 대들긴. 죽을라고….

가영이 숨은 옷걸이로 다가오는 가영 부.
가영, 몸을 웅크리며 겁먹는데…
가영 부, 옷 아래 숨은 가영의 더러워진 맨발을 발견하고 '피
식' 비웃는다.
옷을 들치고 벌겋게 취한 눈으로 어린 가영을 잡아먹을 듯
보는 가영 부.
시뻘건 얼굴이 마치 악마 같은데.

가영 부	잡았다. 이 쥐새끼년….

어린 가영, 겁에 질려 벌벌 떠는 그때 가영 부 뒤로 보이는 검은 실루엣.
가영이 그를 보고 놀라면 그 시선에 뒤돌아보는 가영 부.
등 돌린 가영 부에 가려 가영에게는 누군지 잘 보이지 않고…
구둣발로 선 실루엣의 주인을 비틀대며 훑어보는 가영 부.

가영 부	뭐야? 누군데 남의 집에 신발도 안 벗고 들어와서 깽판이야?!

그제야 실루엣의 얼굴 보이면 구원이다.

구원	빚진 거 받으러 왔어.
가영 부	씨발, 또 빚쟁이야? 갚으면 될 거 아냐. 넌 또 얼만데?
구원	십 년 전 네가 단돈 일억에 팔아넘긴 너의 영혼. 그걸 가지러 왔어.
가영 부	십 년 전…?
구원	기억이 잘 안 나나 보네. 그때도 워낙 취하긴 했지. 기억을 떠올리는 데 도움을 주자면 그때 나한테 받은 일억은 그 자리에서 바로 판돈으로 날렸어.
가영 부	(기억을 더듬더니 혼란스러운) 그거… 꿈 아니었어?
구원	그럴 리가. (손 위에 둥실 떠오르는 계약서) 이렇게 증거가 남아 있잖아.
가영 부	썅… (독기 어린 눈으로 구원을 노려보며) 영혼이든 뭐든 가져가 봐.

내 몸에 손댔다간 네 놈 손모가지도 나갈 테니까.

구원   (타투가 새겨진 손목을 들어 보이며) 이 손을 말하는 건가?

하고는 핑거스냅을 '딱' 하고 부딪치면 가영 부, '헉' 숨을 몰
아쉬더니 가슴팍을 짚으며 풀썩 엎어지고….
구원, 표정 없이 그를 내려다보면 손 위에서 불타 사라지는
계약서.

구원   재능도 운도 없으면 도박은 말았어야지. (시선 들어 옷걸이를 보
더니) 나와도 돼. 이제 아무도 널 해치지 못하니까.

그리고는 돌아서 집을 나서는데… 뒤에서 옷깃을 잡는 누군가.
구원, 뒤돌아 내려다보면 고사리손으로 구원을 붙잡은 어린
가영이다.

어린 가영   (빛나는 눈으로 구원을 올려다보며) 아저씬… 천사예요?

구원   내가? 어딜 봐서?

어린 가영   날 구해 줬잖아요.

구원   천사는 널 구하러 오지 않아.

어린 가영   그럼 누구예요?

구원   난 데몬이야. 너희들 말론 악마.

어린 가영   데몬… (구원을 보는 눈이 벅찬데)

구원, 무심한 표정으로 나서고….

S#25.	**가영의 과거 집 앞 (밤) - 회상**

눈이 흩날리는 쪽방촌의 비탈길을 걸어 내려가는 구원.

뒤에서 어린 가영이 맨발로 튀어나와 소리친다.

어린 가영	나도 데려가요!
구원	(슬쩍 돌아보며) 난 어린애들하곤 계약 안 해.
어린 가영	그럼 계약 말고… (방법을 찾는 황망한 눈빛. 고개 들며) 나 빨래도 잘하고, 밥도 잘하고 다 잘해요!
구원	필요 없어. (매정하게 가 버리고)

어린 가영, 맨발로 뛰어 구원을 쫓아 코너를 돌면 그새 보이지 않는 구원.

어린 가영	(좌절하는가 싶더니) 내가 꼭 찾아낼 거야. 꼭 찾아서… 내가….

어린 가영의 눈에 눈물이 차오르는데….

S#26.	**유흥가 (밤)**

그때처럼 눈물을 글썽이는 현재의 가영.

가영	내가 얼마나 힘들게 찾아냈는데… (손바닥으로 아무렇게나 눈물을 닦으며) 내가 여태 뭐 때문에 버티고 살았는데….

가영의 맞은편, 신나게 떠들며 걸어오는 남자 무리.

헌팅 남   (웃고 떠들다 가영 얼굴 보더니) 어? 괜찮으세요?

무시하고 가 버리는 가영을 훑어보는 헌팅 남.
맨발을 보더니 가영 앞을 막아서며.

헌팅 남   실연당했구나? (어깨에 팔 두르며) 울지 말고 우리랑 놀아요.
가영   꺼져. (뿌리치고 가려 하면)
헌팅 남   (다시 앞을 막아서며) 에이~ 그러지 말고. 원래 남자는 남자로 잊
          는 건데.
가영   뭐래. 어디서 벌레 같은 게.
헌팅 남   뭐, 벌레? 이런 싸구려 같은 게…!

헌팀 남의 말이 끝나기도 전에 '쫙!' 소리가 나도록 따귀를 날
리는 가영.

가영   내가 싸구려면 넌 얼마나 비싼데?
헌팅 남   (놀라 굳었다가 화가 치밀어 오르는) 아놔, 진짜. 내가 오늘 여자 때
          린다. (소매 걷으면)
가영   때려! 때려 봐! 당장 때리라고 이 새끼야!

가영, 화풀이하듯 악다구니 치고, 헌팅 남, 일행이 말리자 더 흥
분해 가영에게 달려들어 가영 얼굴 앞에서 손을 번쩍 드는데…

뒤에서 손목을 잡아 막는 누군가.
보면, 구원이다.

가영   이사자앙~!

구원의 포스에 쭈굴하는 헌팅 남을 일동이 끌고 가 버리면.

가영   역시 날 또 구하러 왔구나~

눈물을 글썽이며 환히 웃는 가영.

S#27.   **선월극장 분장실 (밤)**
            복규가 술 취한 가영을 소파에 눕히면 취해 떠드는 가영.

가영   이사장, 그거 진짜 결혼 아니지? 비즈니스 결혼 그런 거지?
복규   (구원에게 대답하라고 눈치 주면)
구원   (한숨 쉬며) 그래.
가영   그럼 됐어. 그걸로 난 충분해.

            가영, 눈물 맺힌 채 행복한 표정으로 잠들고.

복규   내가 진짜 짠해서 볼 수가 없다. (담요를 덮어 주고 일어나면)
구원   박 실장님, 나 성가신 놈이 붙었어.

복규	쉿. 진스타 듣잖아.
구원	얘 말고.
복규	아….
구원	주석훈이 나 스토킹하겠대.
복규	내가 그랬잖아. 이사장이 도도희랑 결혼하면 피눈물 흘릴 사람이 한둘이 아니라고. 사내가 한을 품으면 오뉴월에도 서리가 내린다는데. 큰일이네.이러다 주석훈, 뭔 일 내는 거 아냐?
구원	뭔 일은 무슨.

말은 그렇게 하면서도 왠지 신경 쓰이는 구원인데….

S#28.   **선월극장 앞 (밤)**
건물 앞에 선 채 건물을 올려다보는 석훈.
눈빛에 의심이 가득한데…
불 켜진 이사장실을 보다 차를 타고 출발하는 석훈.

S#29.   **선월극장 이사장실 (밤)**
복규, 서류 뭉치를 책상 위에 올려놓으면.

구원	(책상에 앉은 채) 뭐가 이렇게 많아, 또.
복규	(비장한) 이사장은 없어도 선월재단은 쉬지 않고 굴러가니까.
구원	(맘에 안 든다는 표정으로 서류에 사인 시작하면)

복규	그래서. 결혼 생활은 좀 할 만할 거 같아?
구원	(계속 사인하며) 몰라. 어색하고 불편해.
복규	역시….
구원	그래도 도도희가 내 눈에 항상 들어와 있으니까 마음은 놓여.
복규	(구원을 빤히 보면)
구원	(당황) 내 말은 타투 말이야. 타투가 항상 내 눈에 들어와 있으니까.
복규	아~ (홈 바로 가면)
구원	(사인 또 하려다 말고) 근데 나 오늘 이상한 일이 있었어.
복규	무슨?
구원	능력이 깜빡거렸어.
복규	형광등도 아니고 능력이 어떻게 깜빡거려?
구원	갑자기 안 되더라고. 그런데 다시 해 보니까 잘돼.
복규	그냥 접촉 불량 아냐?
구원	나도 처음엔 그런 줄 알았는데 생각해 보니까 이게 처음이 아냐. 도도희랑 사고 났을 때도 그랬어.
복규	(차 내리던 손 멈추고는) 그래… 처음 이사장이 능력 잃었을 때 그런 말을 했던 거 같아. (구원 보며) 깜빡이기 전에 무슨 전조 증상 같은 건?
구원	(잠시 생각에 잠기더니) 오늘 아침에 또 인간 시절의 꿈을 꿨어.
복규	(불안한 표정) 혹시… 그거 아니야? 인간화.
구원	인간화?
복규	능력을 잃은 시간이 오래될수록 기억이 돌아오고 그렇게 인간화가 되면서 점점 능력이 퇴화하는….

구원	그러고 보니 최근에 나답지 않게 불합리하고 불필요한 감정 들을 느꼈어.
복규	불합리하고 불필요한 감정들?
구원	죄책감 비슷한 거랑, 연민 비슷한 거. 그리고… (차마 도희에 대한 마음은 말 못 하고) 뭐 그 정도.
복규	확실히 이사장답지 않네. 타투 돌아올 때까지 몸 좀 사려. 능력 깜빡거릴 때 잘못되기라도 하면….
구원	(말 막듯) 알았어. 잔소리 들으려고 한 말 아냐.

자리에서 일어나 이사장실을 나서는 구원을 복규, 걱정스럽게 보는데.

구원	(나서려다 말고) 타투가 돌아오면 모든 게 본래대로 돌아가겠지? 능력도 감정도.
복규	그러겠지.

구원의 표정 복잡한데….

S#30.　　**선월극장 복도 (밤)**

모두가 퇴근하고 어두운 복도를 비추는 손전등 불빛.
홀로 복도를 살피는 보안 직원의 목덜미에 상처가 보인다.
이사장실 문 앞에 멈춰 서더니 주위를 살피며 들어서는 변장한 광철.

S#31.　　　　**선월극장 이사장실 (밤)**

이사장실에 들어서 손전등을 비추며 방안을 살피는 광철.

한쪽 벽면에 붙은 시계들을 보고 의아한데…

책상으로 다가와 서랍의 번호 키를 따고 뒤지면 별거 없는 물건뿐.

서랍 아래에 도청 장치를 숨기면 빨간불 들어오며 작동된다.

문 열고 방을 나서는 광철, 멈칫하더니 뒤돌아 천천히 손전등을 비추며 올려다보면 책장 위에 꽂힌 데몬 책.

S#32.　　　　**도희 집 거실 (밤)**

조용히 거실에 들어서는 구원, 어둠 속 소파에 앉은 실루엣에 놀라 굳으면 팔짱 끼고 앉은 도희다.

도희　　(싸늘) 결국 해가 지고 나서야 들어오신다?

구원　　아직 안 잤네?

도희　　네가 연락도 없이 안 들어오는데 어떻게 자?

구원　　지금 나 걱정한 거야?

도희　　(당황하는가 싶더니) 키우던 똥개가 안 들어와도 걱정하는 게 인간이야. 넌 모르겠지만. 들어온 거 봤으니까 됐어. (자기 방으로 들어가려 하면)

구원　　오늘 충전 좀 하지?

도희　　충전?

S#33.   **도희 집 침실 (밤 - 아침)**

도희의 손목을 잡고 누운 구원의 손.

나란히 한 침대에 누운 두 사람, 어색한 가운데.

도희	이렇게 한다고 능력 깜빡거리는 게 괜찮아질까?
구원	뭐든 해 봐야지.
도희	계약할 때가 돼서 그런 거 아냐?
구원	자연 발화 기미는 안 보여. 이동하느라 능력을 많이 써서 그런 건지도.
도희	아껴 써야겠네.
구원	넌 신경 쓰지 말고 자.
도희	난 원래 누가 옆에 있으면 못 자. 너나 자.
구원	데몬은 잠 같은 거 안 자도 돼.
도희	그럼 그냥 밤새지 뭐.

점프하면, 어느새 아침 해가 뜨며 밝아진 창문.

도희는 아기처럼 곤히 잠들었고 바로 옆에 누운 구원은 그런

도희가 깰까 뒤척이지도 못하고 굳었는데…

자리가 불편해 천천히 몸을 움직이는 구원.

그 기척에 도희가 뒤척이자 구원, 고개 돌려 도희의 눈치를

살피는데…

뒤척이며 모로 누워 구원 쪽으로 몸을 돌리는 도희.

바로 눈앞에서 본 도희의 얼굴이 너무도 평온하고 예쁘다.

구원	곧 사라질… 불합리하고 불필요한 감정….

구원, 어쩐지 아쉬운 표정인데…
도희가 잠에서 깨는 기척에 구원, 놀라 자는 척 눈을 감으면.
눈을 뜬 도희, 자신의 눈앞에 놓인 구원의 얼굴에 당황한다.
당황도 잠시 구원이 정말 잠든 줄 알고 구원의 얼굴을 살피
는 도희.
손을 들어 구원의 얼굴에 살포시 가져다 대려는 순간 천천히
눈을 뜨는 구원.
눈이 마주친 채 서로를 보는 두 사람인데…
그때 도희의 휴대폰이 요란하게 울리자 벌떡 일어나 앉는 도희.
구원 역시 어색하게 일어나 앉고…
도희, 휴대폰을 보면 신 비서다.

도희	(전화 받는) 네, 신 비서님.
신비서	(E) 대표님! 큰일 났습니다.

도희, 멈칫 굳고 그 심상치 않은 표정에 구원, 긴장하는데….

S#34.	**루머 몽타주 (낮)**
	격앙된 어조로 말을 쏟아 내는 유튜브 영상 속 유튜버 '잉여
	뉴스'.

잉여 뉴스   주 회장 죽고 최대 수혜자가 누구야. 도도희잖아. 회사 잘 운
영하는 친자식들 다 개무시하고 웬 어린애한테 재산을 몰빵
한다? 이게 말이 돼? 결정적으로 유언장 수정 날짜가 언젠
줄 알아? 주 회장이 죽은 날. 유언장도 조작인 거지. 살인 증
거 없애느라 부검도 없이 화장했다니까? 이 정도면 희대의
악녀 아니냐고!

이어 증식하듯 유튜버의 모습 하나둘 늘어나며 화면 가득 채
우고…
모두가 판에 박힌 듯 비슷한 내용으로 도희를 욕하고 있다.
화면 빠지면 유튜브 창을 열어 둔 'Digi News' 딱지가 붙은
모니터. 기자가 유튜브를 틀어 놓은 채 듀얼 모니터로 유튜버
의 말을 그대로 받아 적듯 워드를 친다.
지하철, 거리, 카페에서 휴대폰으로 인터넷 뉴스를 읽는 사
람들.
'미래 그룹 소공녀, 유산 상속 위해 살인?'이라는 헤드라인이
자극적인데….

S#35.   **미래 F&B 사무실 (낮)**
          한 팀장, 자리에서 선 채 앞을 보고 단호한 표정.

한 팀장   선처는 없다. 강경하게 대응해!

화면 빠지면, 난리 난 홍보팀 삼인방.

정미   (신들린 손짓으로 노트북 두드리며 신난) 너 캡처. 너도 캡처. 다 죽었
어~!

한성   (전화로 애원하듯) 기자님, 이러시면 저희도 허위 사실 유포에
명예 훼손 갈 수밖에 없어요.

S#36.   **미래 F&B 대표실 (낮)**
심각한 표정으로 자리에 앉은 도희.
모니터에는 유튜버 잉여 뉴스의 멈춤 화면이 떠 있고 구원과
석훈은 테이블 앞에 앉았다.

신 비서   (도희 옆에 서서) 유튜버 '잉여 뉴스'를 시작으로 한 가짜 뉴스가
SNS 및 온라인 커뮤니티에 퍼지자 기자들까지 가세해 기사
를 쓰기 시작했습니다. 고발 고소 조치로 삭제를 하고 있지만
또다시 가짜 뉴스가 만들어지는 속도를 도저히 못 따라가는
상황입니다.

도희   (한숨 쉬더니) 결혼식장에서 홍보팀 이한성 씨가 들은 말이 정
확히 뭐라고요?

신 비서   노수안 대표가 노석민 대표에게 언제 터뜨릴 거냐고 했답니
다. 깜짝 선물을 준비하는 줄로만 알았다네요.

도희   예상치 못한 선물이긴 하네요. (석훈에게) 회장 후보 적격 심사
를 하는 건 이사진이지?

석훈	(한숨) 응. 기업 이미지 실추를 이유로 후보 등록 자체를 거부할 거야.
도희	(신 비서에게) 법무팀, 지금 회의실에 와 있죠?
신 비서	네.
도희	대책 회의 먼저 진행하고 계세요.
신 비서	알겠습니다. (사무실 나가고)
석훈	내가 이사진을 만나 볼게. 고모님과 우호적인 관계에 있던 이사들을 중심으로 설득해서….
구원	쉬운 방법부터 하지.
도희	쉬운 방법?
구원	(모니터 속 유튜버 잉여 뉴스에 턱짓하며) 루머의 근원을 우리가 직접 만나서 설득해 보는 건 어때?
석훈	그게 그렇게 쉬운 일이 아니에요. 이게 직업인 사람들이라 웬만한 일엔 눈 하나 깜짝 안 한다고요.
도희	(잠시 생각하더니) 오빠 우선 돌아가. 우리가 해결해 볼게.

석훈, 도희를 황당한 듯 보면, 도희, 결심한 얼굴.

S#37. **미래 F&B 사무실 (낮)**
대표실을 나서는 석훈.
걱정스러운 눈으로 대표실을 보면 블라인드가 쳐져 안이 보이지 않는다.

S#38.　　　　**미래 F&B 대표실 (낮)**

구원　　　(모니터 가리키며) 저놈한테 갈 거지?

도희　　　그 전에 들릴 데가 있어.

도희, 차갑게 화난 얼굴인데….

S#39.　　　　**미래 F&B 사무실 (낮)**
석훈, 몇 걸음 걸어 대표실에서 멀어지고…
뒤에서 신 비서, 태블릿을 들고 대표실로 돌아와 문을 열며.

신 비서　　대표님, 방금 법무팀에서… (텅 빈 대표실에) 대표님? 그새 또 어디로….

그 소리에 석훈, 돌아보면 텅 빈 대표실.

석훈　　　!

S#40.　　　　**클레이 사격장 (낮)**
요란한 총소리와 함께 허공에서 산산조각 나는 클레이.
만족스러운 얼굴로 총을 내리는 석민, 총알을 새로 채우는데…
구원과 함께 사격장 맞은편에 선 도희.

| 도희 | 넌 여기 있어. 나 혼자 갈게. |

도희, 성큼성큼 사격장을 가로질러 가면 총을 든 석민, 도희를 발견한다.

석민	(도희가 앞에 멈춰 서면) 무슨 일이니? 여기까지.
도희	결혼 축하 선물이 너무 분에 넘쳐서요.
석민	('피식' 웃는)
도희	주가 하락에 그렇게 목을 매더니 날 떨어뜨리려는 목적 앞에 선 기업 이미지고 뭐고 없네요?
석민	진실이 세상에 알려지는 걸 무슨 수로 막겠니.
도희	진실이라는 말이 이런 뜻인 줄 미처 몰랐네요.
석민	다수가 원하면 그게 진실이야. 그리고 넌 그런 선물을 받을 자격이 충분히 있고.
도희	주 여사가 항상 그랬어요. 내가 악마 새끼를 낳았다고. 역시 엄마는 자식을 제일 잘 아나 봐요. 주 여사가 교도소까지 보내면서 교화시키려고 그렇게 애를 썼는데… 결국 실패네요.
석민	(여유 사라지고 표정 굳는)
도희	항상 궁금했는데… 정말 술 취해서 사람인 줄 모른 거예요, 아니면 사람인 줄 알고 일부러 친 거예요?

대답 대신 '철컥' 장전하더니 총을 도희 쪽으로 겨누는 석민.

| 석민 | 지금 한번 시험해 보던가. |

도희, '피식' 비웃고 돌아서면 지켜보던 구원, 긴장해 도희에게 빠르게 다가가고…
'탕!' 하고 울리는 총성에 멈칫 굳어 서는 도희.

구원   도도희! (도희에게 달려가고)

도희, 보면 저만치 앞의 기둥이 산탄총을 맞고 움푹 패었다.

구원   (도희를 살피며) 괜찮아?
석민   조심해야지, 항상. 누구나 운이 나쁠 때가 있거든. 내 차에 치여 죽은 놈처럼.

도희, 저절로 손이 떨리지만 주먹을 꽉 쥐어 감추더니 태연한 척 뒤돈다.

도희   역시 비겁하네요. 상대의 등에 대고 총을 쏘다니.
석민   그런 게 전쟁이니까. (구원에게) 결혼은 가짜여도 경호는 진짜로 했어야지.

구원, 석민을 노려보면 그의 시선에 거만하게 응수하는 석민.

도희   (구원에게) 가자. 전쟁에서 이기러.

돌아서는 두 사람의 뒷모습을 보며 '철컥' 재장전하는 석민.

S#41.　　　인터넷 방송 스튜디오 (낮)

개인 방송용 스튜디오에서 열을 내며 라이브 방송 중인 유튜버 '잉여 뉴스'.

잉여 뉴스　　(도희 사진 띄워 놓고) 캬~ 눈빛 봐라. 관상 이즈 사이언스라니까. 남들 다 우는 장례식장에서 프러포즈. 장례식 끝나자마자 결혼식. 이건 뭐 주 회장이 죽길 손꼽아 기다린 거지. 이런 사이코패스는 공익을 위해서라도…!

하는데, 갑자기 렉 걸리며 끊기기 시작하는 라이브 화면.

잉여 뉴스　　왜 이래? (화면 멈춰 버리면) 오, 쮍! 슈퍼챗 지금 절정이었는데….

그런 유튜버 '잉여 뉴스'의 뒤에서 양쪽으로 스윽 얼굴 들이미는 구원과 도희.

구원　　　　재미가 쏠쏠한가 봐?
잉여 뉴스　　으악!

놀라 의자 채로 벌렁 넘어가는 '잉여 뉴스'.
바닥에 누운 그를 구원과 도희가 양쪽에서 내려다보면.

잉여 뉴스　　어? 도도희다! (그 와중에 반가운) 실물이 훨 낫네?
도희　　　　(싱긋 웃으며) 얼마 받았어요?

잉여 뉴스	어…. (눈 굴리면)
도희	다 알고 왔어요, 누가 시켰는지.
잉여 뉴스	(눈 반짝 빛내는) 누가 시켰는데? 난 몰라. 비트코인으로 돈만 받았거든.
도희	하긴. 그렇게 허술하게 일을 맡길 사람이 아니지.
잉여 뉴스	누군데? 노석민? 노수안? 또 누가 있지?
구원	너 소원이 뭐야?
잉여 뉴스	갑자기?
구원	이러는 이유가 있을 거 아냐. 뭘 원하냐고.
잉여 뉴스	(또다시 눈 굴리며) 음… 유명해지고 돈 많이 버는 거?
구원	그 소원 내가 지금 이뤄 줄게.

구원, 도희 손목 잡고 핑거스냅하면….

S#42.　　　**은행 금고 안 (낮)**
　　　　　　어느새 구원, 도희와 함께 누운 채 그대로 이동한 유튜버 '잉
　　　　　　여 뉴스'.

잉여 뉴스	(병했다가 뒤늦게 두리번대며) 여기가 어디야?
구원	한국은행 금고.

　　　　　　그 말에 벌떡 일어나면 눈앞에 돈다발이 가득하다.

잉여 뉴스	우와~ 대박. 이게 얼마야? 당신 마술사야? (신나서 돈을 주워 담는데)
구원	돈은 됐으니까 이제 유명해져야지?
잉여 뉴스	어떻게?
도희	우린 널 여기에 혼자 두고 갈 거야. 내일 아침 은행 문이 열리면 넌 현행범으로 체포될 거고 그럼 뉴스에 네 얼굴과 이름이 좌악 도배되겠지.
잉여 뉴스	(돈뭉치 툭 놓치며) 뭐?
구원	그럼 뉴스에서 보자.

핑거스냅하려는 구원의 손을 황급히 붙잡는 유튜버 '잉여 뉴스'.

잉여 뉴스	형! 시키는 대로 다 할게요.

S#43. **인터넷 방송 스튜디오 복도 (낮)**

나란히 스튜디오를 빠져나가는 구원과 도희.

도희	충전을 충분히 해서 그런가 잘 되네.
구원	그러게 괜히 걱정했어.

그때 구원의 휴대폰이 울려 전화 받으면.

복규	(E) 이사장, 데몬 책 어디에 숨겼어? 이번엔 진짜 감쪽같이 숨겼네?

S#44.   **선월극장 이사장실 (낮)**

사다리를 놓고 책장의 책들을 뒤지며 전화 통화하는 복규.

구원   (off) 책장에 꽂아 뒀잖아.

복규   없는데? 근데 통화 음질 죽인다. 꼭 바로 뒤에서 얘기하는 거
       같아.

구원   (off) 바로 뒤에서 얘기하니까.

복규, 뒤돌면 도희 손목 잡은 구원.

복규   어우. (놀랐다가) 아직도 적응이 안 돼, 이거는.

구원   이걸 왜 못 보는 거야? 여기 이렇게 떡하니… (책 꽂아 둔 곳에 손
       내미는데 없다) 없네? 분명 여기다 꽂아 뒀는데.

복규   거 봐, 없다니까.

구원   박 실장님이 읽고 다른 데 둔 거 아냐?

복규   난 이사장이랑 같이 본 뒤로 안 봤어.

구원   뒤지다가 섞인 건 아니고?

복규   아니라니까~

둘이 티격태격하는 사이 책장을 살피는 도희.
'선월재단의 역사'라고 적힌 책자가 눈에 띈다.

도희   ?

도희, 책을 꺼내자 먼지에 기침이 나고 손부채질하며 표지를 넘기면…

조선 시대 후기 선비복 입은 구원의 사진부터 현대에 이르기까지 몇십 년의 텀을 두고 다양한 구원의 사진 아래 재임 연도와 함께 이름이 적혔다.

안경 쓴 근대의 구원, 수염을 기른 구원, 장발의 구원 등등 다양한데.

도희   정일원, 정이원, 정삼원… 네이밍 센스하곤….

그때 다가와 책을 탁 덮는 구원.

구원   주변이 죄다 손버릇 안 좋은 인간들이야.
도희   너 다음 이름은 십원이네?
복규   (뒤에서 '풉' 터지고)
구원   아니거든?
도희   맞잖아. 정팔원, 정구원, 그다음은 정십원.
구원   정십원은 절대 안 돼.
도희   왜~ 난 정십원 좋은데. 입에 착 붙잖아. 십원.
복규   그래~ 전통을 중시하는 선월재단이 전통을 깨서야 쓰나.
구원   첫 이름을 정일원으로 짓는 게 아니었어…. (후회막심한데)
도희   근데 없어졌다는 책은 제목이 뭐야? 나도 찾아보게.
복규   제목은 그냥 영어로 데몬이고 초록색에 (손가락으로 네모 그려 보이며) 요렇게 생겨서….

도희	아~ 그거? 예민하게 굴길래 일긴가 했는데. 내용이 뭔데요?
복규	데몬 사용 설명서요.
도희	무슨 공기 청정기도 아니고….
구원	(복규에게) 거 봐.
도희	찾으면 내가 한번 읽어 봐야겠다.
구원	네가 그걸 왜 읽어?
도희	데몬을 경호원으로 사용하는 내가 읽어야지 그럼 누가 읽어?
구원	(발끈) 뭐 사용?
도희	너도 나 충전기로 사용하잖아.
구원	(빠른 수긍) 하긴.
도희	(복규에게) 설명서엔 뭐가 써 있어요?
복규	데몬의 어원. 능력의 쓰임. 한계 등이 수록된….
구원	(말 끊는) 여튼 아주 중요한 책이야.
도희	너도 한계가 있어?
복규	(말하려다 정색하며) 천기누설이라 더 이상은 곤란합니다.

서랍 아래, 빨간 불 들어오며 도청 중인 도청기 보이고….

S#45.　　**소극장 분장실 (낮)**

2G폰으로 도청을 하는 민낯의 광철.

휴대폰 너머에서 들려오는 목소리에 귀를 기울이는데.

| 구원 | (E) 웬일이야? 동네방네 떠들고 다닐 줄 알았더니. |

복규	⒠ 난 프로 집사라고.

광철, 화장대 위 펼쳐진 데몬 책에 시선 돌려 손가락으로 짚으며 읽으면.

광철	데몬은 신의 영역에는 관여할 수 없다. 산 사람을 죽이거나, 죽은 사람을 살리거나… (문장 뛰어넘어) 만약 관여한다면… 자연 발화되어 소멸한다.

눈을 빛내며 '씨익' 웃는 광철.

S#46. **선월극장 이사장실 (낮)**
구원 앞에 손목 내미는 도희.

도희	그냥 책 있는 곳으로 이동해. 얼굴만 알면 그 사람이 있는 데로 이동할 수 있잖아. 책도 그렇게 찾으면 되지.
구원	물건은 안 돼. 난 계약을 위해 사람을 찾아내는 게 일이라 얼굴에만 특화된 능력이라고.
도희	은근 안 되는 게 많네.
구원	대신 다른 방법이 있지.

구원, 도희 손목 잡고 책장을 바라보면 책장의 책들이 파도타기 하듯 '촤라락' 나왔다 들어간다.

구원	책장엔 없어.
복규	그럼 도대체 어디에 둔 거야?
구원	(불길한 예감) CCTV 돌려 봐. 분실이 아니면 절도겠지.
복규	그걸 누가 훔쳐 가? 그게 뭔 줄 알고?
구원	주석훈이 내 정체를 의심하고 있잖아.
도희	오빠가?
구원	나한테 뱀파이어냐고 묻던데.
도희	역시 석훈 오빠한텐 내 연기가 안 먹히네… 아무리 그래도 석훈 오빤 아니야. 몰래 숨어들어서 물건 훔치고 그럴 사람은 아니라고.
구원	그거야 모르지. 다른 놈들은 다 못 믿으면서 주석훈은 어떻게 믿어?
도희	… (말문 막히고)
복규	(시간 보더니) 어. 최종 리허설할 시간이다.
도희	리허설?

S#47.　　**선월극장 (낮)**

무대 앞에 서서 미디어가 무대 위에 영사되는 걸 확인하는 가영.
마치 한국화가 살아 숨 쉬는 듯한 비디오 아트가 펼쳐지는데….

가영	너무 밝아요. 명도는 낮추고 채도는 그대로.
복규	좋네. 우리 진스타가 이렇게 열심인 거 보니까.
가영	보여 줘야지. 내가 왜 진스탄지. (감독에게) 좋아요. 지금이 딱

좋네.

구원이 도희와 들어와 뒷좌석에 앉으면 가영, 고개 돌려 나란히 앉은 두 사람을 보고…
도희, 가영의 시선에 어쩐지 긴장하는데.

복규   (가영에게 쌍검 건네며) 괜찮겠어?
가영   괜찮아. 비즈니스 결혼인데 뭐.

이내 연주 시작되고 가영, 표정 바뀌며 춤을 선보이면…
혼신의 힘을 다해 추는 가영의 춤사위에도 매료되는 도희.
구원은 별 감흥 없는 눈빛인데…
갑자기 번쩍 떠오르는 꿈 속 장면.

인서트   *바위 위, 하얀 속적삼에 속치마 차림을 한 여인이 검무를 추는 뒷모습.*
여인이 뒤를 도는 순간 검에 비친 햇빛에 눈이 부셔 얼굴이
미처 보이지 않는 모습에서 오버랩 되면….

뒤를 돌며 검무를 추는 가영의 춤사위와 이어진다.

구원   !

도희, 이상한 낌새에 구원을 보면 가영에게서 눈을 떼지 못한 채 동요하는 구원.

도희   ?

마침 쌍검무를 끝내고 땀에 젖은 머리칼로 몰입에서 빠져나
오는 가영.

가영   (숨을 몰아쉬며 구원에게) 어때?

구원, 대답 없이 굳은 얼굴로 극장을 빠져나가 버리고…
실망하는 가영.
복규, 가영 눈치 보며 구원을 쫓아 나가면, 도희, 혼자 남는다.
상처 입은 가영의 표정에 조심스레 말을 건네는 도희.

도희   정말 좋았어요. 아름다운데 그래서 더 슬펐어요.
가영   그쪽 보라고 이렇게 열심히 춘 거 아니에요.

냉랭하게 무대 뒤로 가 버리는 가영.

S#48.   **선월극장 로비 (낮)**
            복규, 극장에서 나오면 저만치 벽에 붙은 혜원 전신첩을 보고
            선 구원.

복규   칭찬 좀 해 주지. 맘 잡고 저렇게 몸이 부서져라 추는데.
구원   (그림에 시선 고정한 채) 내가 꿈에서 본 게… 이거였어.

복규	?
구원	인간 시절의 기억. 그때 여인이 추던 춤이 바로….

그림 속 뒤돌아선 여인의 모습을 보며 흔들리는 구원의 눈동자.

S#49. **선월극장 앞 (밤)**
나란히 건물을 나오는 구원과 도희.
도희, 말 없는 구원의 표정을 살피더니.

도희	잘하더라. 그냥 성격 나쁜 여잔 줄 알았는데… 아티스트의 예민함 같은 건가?

두 사람을 몰래 훔쳐보는 누군가의 위태로운 시선.

도희	아깐… 왜 그랬어?
구원	뭐가.
도희	공연 보면서. 놀란 거 같던데.
구원	전혀. (손 내밀며) 집에 데려다줄게.
도희	넌 집에 안 가?
구원	조금 이따 프레스콜이야. 그래도 명색이 이사장인데 자리는 지키고 있어야지.

아쉬운 표정의 도희, 손목 내밀면, 구원, 손목을 잡고…

타투 위로 불꽃이 일렁인다 싶더니 또다시 '파삭' 사라져 버린다.

도희   또…?

당황한 두 사람의 시선에 뒤에서 다가서며 점점 커지는 검은 그림자.
두 사람, 불길한 예감에 천천히 뒤돌아보면 서슬이 퍼런 들개파다.

구원   하필 지금….
도희   (속닥) 어떡하지? 튈까?
구원   (들개파에 센 척) 니들이 아직 덜 혼났구나? (도희에게 속닥) 하나 둘 셋 세면 도망치는 거야.
도희   (끄덕)
구원   (들개파에) 너희들 내가 오늘 진짜 끝장을 낸다. (속닥) 하나, 둘….

달릴 준비하는 구원과 도희.

구원   스….

'셋' 하려는 순간, 털썩 무릎 꿇는 넘버 투.

넘버 투   형님!

구원, 도희	?

넘버 투의 뒤로 똘마니들 줄줄이 무릎을 꿇고.

넘버 투	형님을 저희 형님으로 모시겠습니다.
구원	뭐?
넘버 투	저희 들개파엔 형님처럼 강한 힘을 가진 분이 필요합니다. 형님의 힘만 있다면 전국 제패, 아니 전 세계가 우리 들개파의 손에 들어오는 겁니다, 형님!

구원과 도희, 황당한데.

구원	튀어.

빠른 걸음으로 도망치는 구원과 도희.

넘버 투	형님?

벌떡 일어나 구원과 도희를 줄줄이 쫓는 들개파.

들개파	(굵은 목소리로 떼로 복창) 형님!
구원	아~ 진짜!

구원, 확 뒤돌면 멈칫하는 들개파.

구원   따라오지 마! 따라오면 확. (들개파 쫄고) 알지?

       구원과 도희, 다시 걸어가면 또다시 쫓아오는 들개파.

구원   (돌을 집어 던지며) 따라오지 말라니까!

       깨갱하고 차마 더 따라가지 못하는 들개파.
       넘버 투, 세상 아쉬운 표정으로 구원과 도희의 뒷모습을 보
       는데….

S#50.   **석민 집 홈시어터 (밤)**
         데몬 책을 들고 책상 뒤에 앉은 가죽 장갑 낀 누군가.
         그 위로 광철이 보낸 도청 내용이 들린다.

도희   (E) 데몬을 경호원으로 사용하는 내가 읽어야지 그럼 누가
       읽어?
구원   (E) 뭐, 사용?
도희   (E) 너도 나 충전기로 사용하잖아.

       리모컨을 들어 모니터를 켜는 손.
       노포 뒷골목에서 광철이 찍은 구원과 도희의 영상이 흘러나
       온다.
       구원이 쓰러지고 도희가 나타나는 문제의 장면을 반복해서

돌려 보는데…

구원이 도희의 뒤에서 손목을 잡고 화면 지직거리면 지포 라이터의 부싯돌을 '칙' 하고 부딪친다.

화면 되감아 구원이 도희의 손목을 잡는 순간으로 돌아가면 다시 지직거리고 또다시 되감아 손목 잡으면 지직거리고…

'칙, 칙' 부싯돌 소리 불길하게 커지며 화면을 되감고 또 되감고 반복하는데…

이내 구원에게 잡힌 도희의 손목에서 화면 멈추면 다가가고…

'척!' 지포 라이터 불이 켜지면 이글거리며 타오르는 불꽃.

S#51.   **PC 방 (밤)**

낡은 PC 방, 구석 자리에 앉은 광철.

알람음과 함께 '아브락사스님이 입장하셨습니다.'라는 문구가 뜬다.

상대가 채팅을 치는 중임을 알리는 말줄임표 보이고…

이내 상대의 채팅이 뜨면.

아브락사스   '방해물 먼저 제거하지.'
집행자   '책 봤잖아요. 그놈 사람 아니에요. 괴물이라고요.'
아브락사스   '아니, 사람이었어. 도도희가 오기 전까진.'

광철, 불안한 눈빛으로 갈등하는데.

아브락사스   '그놈은 널 죽이지 못하지만 넌 그놈을 죽일 수 있어. 그놈을
          죽이면 네가 악마가 되는 거야.

          아브락사스의 채팅을 노려보는 광철, 점점 흥분으로 숨이 가
          빠지고.

S#52.   **소극장 분장실 (밤)**
          이치현과 벗님들의 '당신만이'가 울려 퍼지는 소극장 무대
          뒤의 분장실.
          상의를 탈의한 채 거울 앞에 앉아 분장을 하던 광철, 음악에
          취해 분장을 멈추더니 벽에 붙은 도희와 구원의 사진을 끈적
          한 손길로 훑으며 나선다.

S#53.   **소극장 (밤)**
          무대 위 폭격의 잔해처럼 어지러이 흐트러진 물건들 사이를
          가로지르며 자아도취에 빠져 흐느적거리며 음악에 몸을 맡
          기는 광철.
          이내 음악이 끝나면 텅 빈 객석을 향해 혼자 커튼콜 하듯 선
          광철의 표정은 환희로 가득 찼다.

S#54.   **도희 집 거실 (밤)**

집을 나서는 구원을 배웅하는 도희.

구원	다녀올게.
도희	언제 와?
구원	? (의아한 눈으로 보면)
도희	(괜히) 아니… 또 가출하려나 싶어서.
구원	금방 올게. 혼자 오래 두지 않아.
도희	(저도 모르게 미소 번지면)
구원	(변명하듯) 빨리 와서 충전해야지.

민망함 감추며 현관을 나서는 구원의 얼굴에도 미소가 번지는데….

S#55.   **선월극장 - 선월극장 무대 뒤 (밤)**
삼각대 위에 카메라를 올려 두거나 카메라를 든 기자들 앞에 선 복규.

복규	오늘 이 자리에 참석해 공연을 빛내 주시는 기자님들께 감사드립니다. 그럼 오랜 해외 공연을 마치고 돌아온….

무대 뒤에서 기다리고 선 가영.

가영	(질색) 아~ 무슨 서커스단도 아니고.

복규	평안남도 무형문화재 수건춤 최연소 보유자, 한국 무용계의 비욘세 진가영 무용수의 검무, 칼로 피우는 꽃. 시작하겠습니다.

복규의 멘트 내내 창피해 하던 가영, 박수 소리 들리자 웃음 띠며 태연히 무대 위에 오른다.

S#56. **도희 집 거실 (밤)**

알록달록한 디저트를 테이블 가득 차려놓는 도희.
뿌듯한 얼굴로 테이블을 보는데 행복감을 깨듯 요란한 현관 벨소리.
도희, 고개 돌려 현관문을 보면….

S#57. **선월극장 (밤)**

회오리치듯 턴하는 가영의 치맛자락 위 수 놓인 나비가 마치 날개를 펄럭이는 듯 역동적인데…
객석 맨 뒷자리에 앉아 그 모습을 지켜보는 구원.

S#58. **도희 집 현관 밖 (밤)**

도희, 현관문 열면 문 사이로 보이는 난감한 표정의 박 형사.

도희	형사님이 이 시간에 왜…? (박 형사 뒤에 선 다른 형사들 보고)

박 형사　(뒤에 선 형사들의 압박에 도희 손목에 수갑을 채우며) 도도희 씨, 당신을 주천숙 회장 살인 사건 피의자로 체포합니다. 당신은 묵비권을 행사할 수 있고 변호사를 선임할 권리가 있습니다. 당신의 모든 발언은···.

놀란 도희의 타투 위로 채워지는 수갑.

S#59.　**선월극장 (밤)**
공연을 보는 구원, 휴대폰이 진동으로 울려 보면 신 비서다. 전화 받으면 휴대폰에서 튀어나오는 목소리.

신 비서　(E) 대표님 구속됐습니다.
구원　!

S#60.　**거리 (밤)**
벽을 붙잡고 토를 하는 취객 1의 등을 뒤에서 두드려 주는 취객 2.

취객 2　걍 잊어. 그럴 운명인가 보지 뭐.
취객 1　(구토하는) 우에엑.
노숙녀　(지나치며 중얼) 어떤 놈이 운명 탓이야. 지 탓이지.

하더니, 불길한 표정으로 저 멀리 보며.

노숙녀 돌아가기 시작한 룰렛은 아무도 멈출 수 없어. 남은 건 오로지 선택뿐이지.

S#61. **형사과 취조실 (밤)**
차가운 취조실에 석훈과 마주 보고 앉은 도희.

석훈 증거 없인 48시간 이상 수감할 수 없으니까… 조금만 참아, 도희야.

도희 …

석훈 증거가 없는 건 석민 형도 알 텐데 굳이 이렇게까지 하다니.

도희 저쪽에서 바라는 건 피의자 신분으로 체포됐다는 기사 한 줄이야. 여론 몰이가 될수록 회장 후보에 올리지 않을 명분이 커지니까.

석훈 (걱정 어린 눈으로 보면)

도희 너무 걱정하지 마. 다 해결될 거야. 다 괜찮아질 거야….

본인 스스로의 불안을 잠재우듯 되뇌는 도희인데….

S#62. **석민 집 거실 (밤)**
모니터에서 흘러나오는 '미래 F&B 도도희 대표, 살인 혐의로 긴급 체포'라는 헤드라인 뉴스를 보고 앉은 석민.
그의 표정이 득의양양하다.

세라   (과일을 들고 옆에 다가와 앉으며) 아직 그래도 끝은 아닌 거죠?
석민   아니. 이제 끝이야.

자신만만한 석민을 의아하게 보는 세라.

S#63.   **스카이뷰 레스토랑 (밤)**
화려한 도시의 스카이라인이 한눈에 보이는 어두운 레스토
랑에서 홀로 식사하는 도경의 뒷모습.
'지잉' 문자 진동음 울려 휴대폰을 들어 보면.

집행자   '괴물 사냥 실시'

문자를 확인한 도경, 다시 나이프 질을 하면 스테이크를 '서
걱' 자르는 날카로운 칼날.
접시 위로 붉은 피가 번져 나오고…
그제야 도경의 얼굴 보이면 싸늘한 도경의 미소.

S#64.   **선월극장 (밤)**
공연이 절정에 오르고 턴을 멈추는 가영.

하늘을 올려다보며 갈증이 나는 듯 허공에 손을 뻗는데….

S#65.   **선월극장 로비 (밤)**
         로비를 뛰어가는 구원.
         저만치 앞에 카메라를 목에 건 채 허겁지겁 공연장으로 뛰어
         가는 기자 한 명이 보이고 구원, 기자를 무심코 보았다가 앞
         을 보는데…
         옆을 지나치는가 싶던 기자, 구원과 어깨 부딪힌다.

구원   (멈칫) 아.
광철   죄송합니다.

         구원, 이상한 기분에 자신의 몸을 내려다보면 가슴팍에 깊게
         박힌 날카로운 단도.
         셔츠에 흥건히 피가 배어나기 시작한다.

광철   많이 아플 텐데.

         몸이 앞으로 '훅' 꺾이며 무릎 꿇는 구원.
         바닥을 짚고 일어나려 애쓰지만 숨을 쉴 때마다 피가 쿨럭이
         며 쏟아져 나온다.
         그런 구원을 발로 밀어 옆으로 쓰러뜨리는 광철.
         거만하게 위에서 내려다보며 구원의 심장부에 꽂힌 단도를

구둣발로 밟으면 '빠지직' 소리 내며 더 깊이 박혀 들어가고…
고통에 일그러지는 구원의 얼굴.

S#66.   **형사과 취조실 (밤)**

취조실에 앉아 시계를 올려다보는 도희.
불길한 예감에 휩싸이며 초조한 표정인데.

S#67.   **선월극장 로비 (밤)**

구원   도도희….

마지막 숨을 다해 절박하게 도희를 부르는 구원의 모습에서.

7화 엔딩

VIII

운명이라는 선택

S#1.　　　　선월극장 (밤)

무대 위, 턴하는 가영.

치맛자락 위 수 놓인 나비가 마치 날개를 펄럭이는 듯 역동
적인데…

객석 맨 뒷자리에 앉은 구원의 휴대폰이 진동으로 울려서 보
면 신 비서다.

전화 받으면 휴대폰에서 튀어나오는 목소리.

신 비서　　　(E) 대표님 구속됐습니다!

구원　　　　!

S#2.　　　　선월극장 로비 (밤)

로비를 뛰어가는 구원.

저만치 앞에 카메라를 목에 건 채 허겁지겁 공연장으로 뛰어
가는 기자 한 명이 보이고 구원, 기자를 무심코 보았다가 앞

을 보는데…
옆을 지나치는가 싶던 기자, 구원과 어깨 부딪힌다.

구원   (멈칫) 아.

광철   죄송합니다.

구원, 이상한 기분에 자신의 몸을 내려다보면 가슴팍에 깊게
박힌 날카로운 단도.
셔츠에 흥건히 피가 배어나기 시작한다.

광철   많이 아플 텐데.

몸이 앞으로 '훅' 꺾이며 무릎 꿇는 구원.
바닥을 짚고 일어나려 애쓰지만 숨을 쉴 때마다 피가 쿨럭이
며 쏟아져 나온다.
그런 구원을 발로 밀어 옆으로 쓰러뜨리는 광철.
거만하게 위에서 내려다보며 구원의 심장부에 꽂힌 단도를
구둣발로 밟으면 빠지직 소리 내며 더 깊이 박혀 들어가고…
고통에 일그러지는 구원의 얼굴.

S#3.   **형사과 취조실 (밤)**
취조실에 앉아 시계를 올려다보는 도희.
불길한 예감에 휩싸이며 초조한 표정인데….

S#4.	선월극장 로비 (밤)

구원	도도희….

마지막 숨을 다해 절박하게 도희를 부르는 구원.
광철, 구원의 몸 위에 올라타듯 앉아 양손으로 단도를 뽑으면
붉은 피가 사방에 흩뿌려진다.

광철	(피가 튀어 붉어진 얼굴을 한 채) 이제 네 심장은 반으로 쪼개질 거야. 잘 익은 사과처럼.

구원, 손을 들어 광철의 얼굴로 뻗지만 잡히지 않고….

광철	(단도를 높게 들고 '씨익' 웃는) 지옥에서 보자.

광철, 구원의 심장을 향해 칼을 내리꽂는 순간!
옆에서 몸을 날려 광철을 쓰러뜨리는 누군가.
복규다!
동시에 구원, 손으로 광철의 얼굴을 붙들어 분장 뜯겨 나가고

복규	이사장!

복규, 구원의 가슴팍을 눌러 지압하지만 손가락 사이로 넘쳐
흐르는 붉은 피.

광철, 옆으로 나뒹굴며 벽에 부딪친 충격에 몸을 웅크리고 아파하다 뒤늦게 분장의 반쪽이 뜯겨 나간 걸 깨닫고 한 손으로 얼굴을 가린 채 당황한다.

프레스콜 종료를 알리는 음악이 로비에 울려 퍼지고 극장 문이 열리며 하나둘 극장에서 나오기 시작하는 기자들.

복규, 구원을 지압하며 고개 돌려 광철을 찾지만 저만치 쏟아져 나오는 기자 무리에 섞여 광철은 이미 사라졌다.

온 힘을 다해 구원의 가슴을 누르며 누구에게랄 것도 없이 소리치는 복규.

복규　도도희! 도도희 불러!

그 소리에 돌아본 몇몇 기자들, 피 흘리는 구원에 놀라 모여들기 시작하고…

싸늘하게 식어 가는 구원의 창백한 얼굴.

S#5.　**형사과 취조실 (밤)**
도희와 마주 앉은 박 형사, 난감하고 미안한 표정인데.

박형사　죄송합니다. 도 대표님이 범인이 아니라는 건 제가 누구보다 잘 아는데 위에서 압박이 워낙 거세다 보니….

도희　언제 나갈 수 있을까요?

박형사　영장 심사가 기각되면 바로 나가실 수 있습니다. 증거가 없으니까 기각될 거예요.

그때 문 벌컥 열리고 들어서는 이 형사.

이 형사   박 형사님!

이 형사의 심상치 않은 표정에 박 형사, 의아하고, 도희, 불안한데….

S#6.   **앰뷸런스 (밤)**
피를 흘리며 앰뷸런스에 실려 가는 구원.
심전도가 점점 떨어지는 구원에게 약물을 주입하는 구급 대원의 움직임이 다급하다.

S#7.   **형사과 취조실 (밤)**
박 형사에게 애원하는 도희.

도희   나가야 돼요! 얼굴만 보고 올게요. 지금 죽어 가고 있다고요.

그때 석훈, 취조실에 다급히 들어서고, 그를 본 도희, 소리친다.

도희   나가야 돼, 오빠! 나 정구원한테 가야 돼!

석훈   !

S#8.   **수술실 복도 (밤)**

링거를 매달고 베드 채 수술실로 향하는 구원.

복규와 가영이 그 뒤를 쫓는데…

구원, 희미하게 의식 깨어나면 스치는 복도 저만치 우두커니

선 채 자신을 보는 노숙녀와 눈 마주친다.

다시 의식을 잃는 구원.

수술실에 구원 들어서고 문 닫히면 복규, 주먹으로 눈물을 훔

쳐 가며 아이처럼 울고 가영은 눈물 흘리며 털썩 주저앉는다.

S#9.   **석훈의 차 안 (밤)**

석훈이 운전 중이고 조수석에 앉아 초조한 도희.

도희   조금만 버텨, 정구원. 조금만….

S#10.   **수술실 복도 (밤)**

수술실 문 열리고 지친 표정의 의사가 나오면 달려가는 복규

와 가영.

희망의 눈빛으로 의사를 보면.

의사	봉합은 했지만 이미 너무 많은 출혈이 있었던 데다 심장 판막의 손상이 너무 심해서… 새벽을 넘기기 힘들 것 같습니다.
복규	(고개 떨구며) 흐흑… 이사장….
가영	안 돼… 이렇게 죽을 이사장이 아냐. 뭐 좀 어떻게 해 봐요! 어떡하든 살려 내라고!

가영, 의사에게 매달리고 대답 없이 고개 숙이는 의사.

S#11.   **병원 1인실 (밤)**

침대에 누워 의식이 없는 창백한 구원.

그 앞에 복규와 가영이 지키고 앉았는데…

가영은 슬픔으로 인해 탈진 직전이다.

그때 홀로 달려와 문을 여는 도희, 문 앞에 선 채 숨을 헉헉대는데 저만치 침대에 누운 구원의 모습 보이고…

고개 돌려 도희를 본 가영, 슬픔이 분노로 바뀌어 소리치며 달려든다.

가영	너 때문이야! 도도희 너 때문에 이사장이 이렇게 된 거야! 네가 우리 이사장을 죽인 거라고!

도희, 죄책감과 슬픔에 아무 말 못 하고.

복규	(가영을 뒤에서 붙잡아 말리며) 진스타! 정신 차려! 이사장 살려야

될 거 아냐!

마침 뒤늦게 달려와 병실 문 앞에 서는 석훈, 그 말을 듣는데…
복규의 말에 울음을 터뜨리며 도희를 붙들어 흔들던 손 내리
는 가영.
복규가 병실 밖으로 끌고 나서면 도희, 천천히 구원에게 다가
간다.

S#12.　　**병원 1인실 밖 (밤)**
　　　　　복규, 가영과 함께 병실을 나서다 도희의 모습을 지켜보는 석
　　　　　훈 발견하고.

복규　　　잠깐 밖에서 기다리시죠.

　　　　　석훈, 의아한 표정으로 복규가 닫는 병실 문 너머를 보면…
　　　　　구원의 손을 잡아 자신의 손목에 가져다 대는 도희의 모습.

석훈　　　?

　　　　　석훈의 눈앞에서 문 닫히고….

S#13.　　**병원 1인실 (밤)**

홀로 병실에 남아 구원의 손을 자신의 손목에 올리고 타투를 보는 도희.
하지만 기다려도 불꽃이 일지 않는다.
도희, 참았던 슬픔이 치밀어 오르며.

도희   늦었어, 내가… 내가 너무 늦어 버렸어. 넌 날 항상 지켜 줬는데 난 널….

울음이 터지며 구원의 품에 얼굴을 묻는 도희.
조용한 병실에 도희의 울음소리가 가득 차는데…
도희의 손목 타투 위로 불꽃이 일렁이는가 싶더니 금세 사라져 버리고 도희는 이를 알아채지 못한다.

구원   (눈 감은 채 잠긴 목소리로) 무거운데… 좀 내려가지?
도희   (놀라 눈물 가득한 눈을 들어) 정구원…?
구원   (눈 뜨고 도희 보더니) 너 우는 거 이렇게 가까이서 보니까 되게 웃기다. 웃겨서 죽지도 못하겠어.
도희   (구원 밀치듯 몸 일으키며) 죽은 줄 알았잖아!
구원   아! (아파하면)
도희   (놀라) 아직 안 나은 거야?
구원   또 되다 말았네. 망할 놈의 능력. (고통에 얼굴 찌푸리고)
도희   의사 부를게.

일어서려는 도희의 손목을 잡아당기는 구원.

그 바람에 도희, 풀썩 구원에게 안기듯 엎어지고.

구원   (도희를 끌어안으며) 잠깐만 도도희. 충전이 필요해.

도희, 구원의 품 안에서 안도하는데…
문 벌컥 열리며 들어서는 가영.

가영   이사장…!

가영, 눈앞의 광경에 멈칫하고 옆에 선 복규 역시 당황하는
데… 석훈은 깨어난 구원의 모습이 놀랍다.
가영, 괴로움에 표정 일그러지더니 외면하듯 휙 가 버리고…
구원의 손에 잡혀 있는 도희의 손목을 보는 석훈.
그 눈빛이 예리하다.

S#14.   거리 (밤)
쓰레기통을 뒤지던 노숙녀, 고개 들어 밤하늘을 보면 구름에
가려졌던 상현달이 구름이 걷히며 모습을 드러내고 있다.

노숙녀   결국 살렸네. 그게 제 목을 겨누는 칼이 될 줄도 모르고.

노숙녀, '쯔쯔' 혀를 차고…
뿌옇게 달무리가 진 불길한 밤하늘의 풍경 위로.

마이데몬 ◆ 8화

타이틀   < 운명이라는 선택 >

S#15.   **병원 1인실 (밤)**
잠든 채 여전히 창백한 구원의 얼굴.
침대 옆 의자에 앉은 도희, 말없이 구원의 얼굴을 바라보는데.

석훈   (뒤에서 다가와) 도희야.
도희   (슬쩍 석훈 보더니 잠든 구원에게) 금방 올게. 혼자 오래 두지 않아.

자리에서 일어나 안타까운 시선을 거둬 석훈과 함께 병실을
나서는 도희.

S#16.   **병원 복도 (밤)**
가영을 찾아 병원 복도를 두리번대며 걷는 복규.
저만치 홀로 벤치에 앉은 가영을 발견한다.
눈물이 마른 채 멍하니 앉은 가영인데.

복규   (다가와) 진스타… 한참 찾았어.
가영   나… 그동안 그냥 이사장의 반려 인간으로 만족했어. 그래도
다른 인간들보다는 내가 특별하니까. 내 앞에 다른 여자는 없
으니까.

가영, 시선 들면 저만치 석훈과 함께 병원을 나서는 도희 보이고.

가영	근데 저 여자가 나타나 버렸어. 도도희가… 내 앞을 새치기 한 거야.

원망 섞인 눈으로 도희를 보는 가영과 그런 가영이 걱정스러운 복규.

S#17.   석훈의 차 안 (밤)

석훈, 말없이 운전 중인데 옆에 앉은 도희, 앞을 본 채.

도희	왜 아무것도 묻지 않아?
석훈	(그 역시 앞을 본 채) 어차피 말 안 해 줄 거잖아.
도희	미안해. 그리고 고마워.
석훈	나한테 그런 말 할 필요 없어. 미안하다, 고맙다. 그런 말들. 난 그냥 네가 안전하면 됐어. 그거면… 충분해.
도희	(말없이 석훈을 보면)
석훈	빨리 가야겠다. 박 형사님 곤란해지기 전에.

속도를 내는 석훈.

S#18.   형사과 취조실 (밤)

경찰복을 입고 여경으로 변장한 도희가 석훈과 함께 취조실에 들어서면, 초조한 얼굴로 기다리던 박 형사, 벌떡 일어나며.

박 형사	정구원 씨는요…?
도희	(경찰복 상의를 벗으며) 아직 위독한 상황이에요.
박 형사	(한숨 쉬며 애통한데)
도희	영장 심사 결과는…?
박 형사	기다리는 중입니다.

도희, 착잡하고….

S#19. **병원 1인실 (밤)**
잠든 구원을 바라보는 가영, 애달픈 눈으로 손을 들어 구원의
얼굴을 어루만지는데.

구원	(잠결에) 도도희….

가영, 손을 떼며 아픈 눈빛.
그때 문 열고 들어서는 복규.

복규	계속 못 일어나네… 의사 선생님 말로는 위기는 넘겼다는데.
가영	왜 회복이 안 되는 거야? 이사장한테 도대체 무슨 일이 벌어
	지고 있는 거냐고.

가영의 화난 눈빛에 복규, 난감하다.

S#20.　　　형사과 취조실 (낮)

도희와 박 형사, 그리고 석훈이 말없이 시계를 보며 초조한데.

박 형사　　결과가 나올 시간이 됐는데….

그때 문 벌컥 열리고 들어서는 이형사.

박 형사　　(불길) 왜? 또, 뭐?

이형사　　영장 심사 결과 나왔는데요….

모두가 그다음 말을 기다리면.

이형사　　기각됐습니다.

박 형사　　그걸 왜 쉬었다 말해, 쫄리게! (괜히 화풀이하고)

다행이다 싶어 한시름 놓는 도희와 석훈.

S#21.　　　선월극장 (낮)

음악도 없이 혼자 쌍검무를 추는 가영.
여느 때보다 공격적으로 휘두르는 가영의 손에 들린 검의 칼
날이 살벌하게 번쩍이는데…
치밀어 오르는 화를 참지 못하고 검 하나를 내던져 버리는 가영.
바닥에 '챙!' 하고 꽂힌 검을 보며 숨을 헉헉대는 가영의 화난

눈빛.

S#22.　　　병원 1인실 (낮)

홀로 병실에 누워 눈 감은 구원.

아픈지 미간을 찌푸리며 끙끙대기 시작하는데.

S#23.　　　구원의 꿈 (밤) - 꿈

구원, 눈을 번쩍 뜨면 온통 사나운 불길에 둘러싸여 있다.

화염 속에서 온몸이 불타고 있는 자신을 발견한 구원.

공포에 질린 눈으로 손을 들어보면 자연 발화가 시작할 때처럼 불타오르는 양 손가락.

화염에 불타는 고통과 공포에 구원, 고개 들어 허공을 보며 '으아아!' 고통 섞인 비명 지르는데.

복규　　　(E) 이사장! 이사장!!

S#24.　　　병원 1인실 (낮)

구원, 소리 지르며 눈을 번쩍 뜨면 병실이다.

자신을 흔들어 깨운 복규의 놀란 얼굴을 마주한 구원, 숨을 헉헉대면.

복규	괜찮아? 그렇게 아픈 거야?
구원	(안도의 숨 토해 내며) 아니, 그냥… 악몽을 좀 꿨어.
복규	(울먹울먹하더니) 이사즈아이앙~

'엉엉' 울며 구원을 부둥켜안는 복규.

구원	아. 아파, 아파.
복규	어! 미안, 미안. (놀라 몸을 떼면)
구원	도도희는?

S#25.   **경찰서 앞 (낮)**
석훈과 함께 서둘러 경찰서를 나서는 도희.
저만치 신 비서가 빠른 걸음으로 도희에게 다가오고.

도희	(신 비서 앞에 서자마자) 정구원은요?
신 비서	깨어났답니다.
석훈	(그 말에 생각에 잠기고)
도희	하아… 다행이네요. 정말 다행이에요.

도희, 가슴에 손을 얹고 안도감에 눈물을 글썽인다.

S#26.   **병원 1인실 (낮)**

한편 침대에 누운 채 입으로 복규를 조종하느라 바쁜 구원.

구원 박 실장님, 나 물.

복규 (허겁지겁 생수병 가져다주면)

구원 빨대 꽂아서.

복규 (빨대 꽂아 주고)

구원 등 좀 긁어 봐. 간지러 죽겠어.

복규 (등을 긁으면)

구원 거기, 거기. 아~ 쫌만 위. 쫌 아래. 왜 거기만 쏙 피해서 긁는 거야?

복규 (뒤에서 표정으로 욕하다가 구원이 보면 얼굴 웃으며) 요기? 전생에 양반
이라 그런가 우리 이사장 부려먹는 거 하난 기가 막히게 잘해?

구원 내가 이렇게 멀쩡해 보여도 속은 아직 멀었어.

복규 얼마나 회복된 거야?

구원 간신히 장례식은 피한 정도?

복규 그래도 안 죽은 게 어디야. 난 진짜 우리 이사장 다신 못 보는
줄 알았어.

구원 왜 이래. 나 데몬이야. 최상위 포식자 데모… 아. (큰소리치다 아
픈) 진통제. 아파 죽겠네.

복규 (무통 주사 버튼을 누르면)

구원 팍팍 좀 눌러. 팍팍.

그때 '똑똑' 노크 소리 들리자.

구원 (반색하며) 도도희?

배달원   (문 열며) 배달이요.

구원과 복규, 의아한 눈으로 보면 줄줄이 들어서는 화환.

복규   (화환으로 다가가며) 여기가 장례식장인 줄 아나. 누가 센스 없게
병실에 화환을 이렇게….

복규, 화환 리본에 적힌 글귀 보면 '우리 형님 쾌유 기원. 들개파
드림', '형님 사랑해요. 형님의 오른팔' 따위의 문구가 적혔다.

복규   들개파?

구원, 황당한데….

S#27.   **병원 1인실 밖 (낮)**
어느새 구원의 병실 문 양옆을 지키고 선 넘버 투와 똘마니들.

넘버 투   우리 형님은 우리가 지킨다!

병실 문 벌컥 열리면 가슴에 붕대를 두른 환자복 차림의 구
원이 나타나고.

들개파   (우렁찬 복창) 형님!

넘버 투	(구원에게 다가와) 도대체 어떤 새끼가 우리 형님을 이렇게… (부르르 떨며 분노하는) 내 이놈을 당장….
구원	나 너네 형님 아니고 아직 안 죽었거든. 그니까 화환 싹 다 치워. (돌아서다 통증에 가슴팍 부여잡으며 아파하면)
넘버 투	아프십니까, 형님!
구원	꺼져! 너네, 반경 5m 이내로 들어오면 내가 진짜 가만 안 둬.

짜증 부리며 문을 확 닫아버리는데…
점프하면, 줄자로 바닥의 거리를 재는 똘마니 1.
넘버 투, 중환자실에서부터 정확히 5m 떨어진 곳을 가리키며 똘마니들에게 지시한다.

넘버 투	형님의 첫 번째 명령이다. 이 선을 절대 넘지 마라. 이쪽으로 쭈욱.

넘버 투가 가운데에 들어서면 줄줄이 선 채 매서운 눈으로 병실을 지켜보는 들개파.

S#28.	**병원 1인실 (낮)**
	구원, 황당한 표정으로 창문 너머를 보면 넘버 투, 화환에서 뽑은 꽃을 들고 손가락 하트를 보내며 구애한다.

복규	왜 저래~

구원   차라리 머리를 한 대 더 맞는 게 낫겠어.

구원, 고개 저으며 침대로 향하면 링거 수발들며 쫓아가는 복규.

S#29.   **병원 1인실 밖 (낮)**
신 비서와 함께 병실로 향하는 도희, 들개파 보고 멈칫하면.

넘버 투   (도희 발견하더니) 얘들아, 형수님이시다.
들개파   (복창) 형수님!
신 비서   (당황해) 형수님?
도희   눈 마주치지 마세요.

그들을 외면하며 서둘러 병실로 향하는 도희와 신 비서.

S#30.   **병원 1인실 (낮)**
복규의 부축을 받아 침대에 오르는 구원, 아파 죽겠다는 듯.

구원   아야야야… 천천히. 침대가 왜 이렇게 높아? 무슨 암벽 등반
            할 일 있나.

그때 문 벌컥 열리고.

도희	정구원!
구원	(반색하며) 도도희!

아픈 것도 잊고 벌떡 일어나 도희에게 달려가는 구원.
복규, 링거 스탠드 끌며 허겁지겁 끌려가고…
도희 역시 달리듯 구원 앞에 다가와 서더니.

도희	벌써 이렇게 움직여도 되는 거야?
구원	그럼. 이제 아무렇지도 않아. (신나게 움직여 보이는데) 아! (고통에 몸이 절로 푹 숙여지는데)
도희	아직 움직이면 안 돼. 빨리 누워.
구원	(식은땀을 흘리면서도) 나 진짜 괜찮다니까.
도희	그래. 알았어.

구원, 어쩔 수 없이 침대에 누우며 '끄응' 신음 소리를 삼키고… 신 비서, 침대 맡에 링거 스탠드를 놓고 돌아서는 복규에게.

신 비서	근데 밖에 있는 저 시커먼 남자들은 뭔가요?
복규	우리 이사장이 남녀노소 워낙 인기 폭발이라.
신 비서	(밥맛없다는 표정)
구원	(침대 옆에 앉은 도희에게) 집에 가자. 밖에 있는 저놈들 귀찮아서라도 여기 못 있겠어.
도희	그래도 치료해야지.

| 구원 | 너랑 있는 게 치료야. |
| 복규 | 어머, 심쿵…. (가슴을 붙들고) |

신 비서 역시 잔잔히 심쿵하지만 복규가 보자 표정 관리한다.

| S#31. | **미래 F&B 사무실 (낮)** |

한편 아직 소식을 모른 채 슬픈 얼굴로 간신히 눈물을 참으며 워드 치는 한 팀장.

한 팀장	정구원 씨가 싸가지는 없어도 괜찮은 사람이었는데.
한성	(훌쩍거리며 마우스 질을 하는) 대표님 살인자라고 욕하던 사람들도 정구원 씨 위독하다니까 반대로 돌아서고 있어요.
정미	(화나는) 죄책감에 그러는 거잖아. 이제 와서 그게 다 무슨 소용이야!

정미, 책상에 엎드려 엉엉 울면 한성 역시 울음 터지고.

| 한 팀장 | 왜들 그래. 일해야지. 여론 변화 추이 이쁘게 도표화해서 대표님한테 드리자. 정구원 씨가 우리 대표님에게 준 마지막 선물이잖아~~ |

결국 한 팀장마저 참지 못하고 울음이 터져 버리는데…
사무실에 혼자 꼿꼿이 들어서는 신 비서.

신 비서 　(무심히 홍보팀 지나치며) 정구원 씨 무사합니다.

한 팀장과 홍보팀들, 그 말에 멈칫하더니.

한 팀장 　무사하대~~~

기쁨의 눈물을 흘리는 홍보팀.

정미 　어쩐지 점괘가 좋더라니~
한성 　정구원 씨~!

S#32. 　**미래 투자 대표실 (낮)**
사무실에 들어서는 석훈.
의자에 풀썩 기대앉아 이마에 손을 올리고 한숨 돌리는데…
문득 손목 돌려 보더니 도희가 구원에게 한 것처럼 다른 손
을 손목 위에 올려본다.
어쩐지 불길한 석훈.

S#33. 　**소극장 분장실 (밤)**
의자며 책상으로 입구를 막은 분장실.
한바탕 난리를 친 뒤라 엉망으로 부서져 나뒹구는 물건들 속,
광철이 구석에 몸을 잔뜩 웅크린 채 벌벌 떨고 있다.

광철	… 그놈이 올 거야, 그놈이. 그놈이 날 잡으러….

고개 들면 저만치 깨진 거울 조각이 바닥에 세워졌는데…
거울 조각에 비친 광철의 공포에 질린 얼굴.
떨리는 손을 들어 한쪽 얼굴을 가려 보더니 소리 지르며 물건
을 내던지면 파편이 되며 부서지는 거울 조각.

S#34. 카지노 복도 (밤)

카지노에서 나와 복도를 걸어가는 도경.
문자 알람음에 휴대폰을 꺼내 보면 '집행자'로부터 온 문자다.

광철	(E) 그놈이 내 얼굴을 봤어요. 그놈이 찾아올 거예요.

도경, 걸음을 멈추고 미간을 찌푸린 채 문자를 가만히 보는데.

S#35. 도희 집 침실 (밤 - 낮)

침대에 나란히 누워 손목을 잡은 두 사람.
능력이 발현되길 기다리지만 아무 일도 벌어지지 않는다.
구원, 잡은 도희의 손목 들어 보더니.

구원	불꽃은커녕 정전기도 안 나네.
도희	혹시… 너랑 나랑 접촉 면적이 넓어지면 충전이 더 빨리 되지

않을까?

구원   그거 아주 일리 있는 말이야. 포옹하는 건 어때?

도희   아주 좋은 시도야.

두 사람, 포옹하려는데 막상 손이 어디로 가야 하는지 어색
하고.

구원   이렇게.

도희   아니, 이렇게.

구원   아니, 차라리 내가….

결국 구원이 도희를 가슴팍에 안으면.

도희   어때?

구원   충전이 팍팍 되는 기분이야.

도희   충전 때문에 진짜 어쩔 수가 없다.

그렇게 밤새 안고 있는 두 사람.

해가 뜨면 그대로 평온히 잠들었다.

먼저 잠에서 깨는 도희, 눈앞에 놓인 구원의 얼굴을 보자 다
행스러움과 고마움이 교차한다.

손을 들어 구원의 뺨에 대려는 순간….

가영   (E) 너 때문이야! 도도희 너 때문에 이사장이 이렇게 된 거야!

네가 우리 이사장을 죽인 거라고!

머릿속에서 메아리치는 가영의 말에 멈칫하는 도희.
표정 어두워지며 차마 만지지 못하고 손 내리면…
그 기척에 눈을 뜨는 구원.

구원	깼어?
도희	(웃어 보이며) 응.
구원	(움직이려다 가슴을 부여잡으며 찌푸리면)
도희	움직이지 마.
구원	(분한 얼굴로) 감히 날 이렇게 만들다니… 당장 그놈 잡으러 가자. 반쪽이지만 진짜 얼굴을 봤으니까 찾을 수 있어.
도희	이런 몸으로 어딜 가겠다고. 회복이 먼저야.
구원	복수가 먼저야. 그놈을 잡다가 심장을 풍선처럼 터뜨려 버려야… 아. (가슴을 부여잡고)
도희	지금 상태론 복수 못해.
구원	(할 수 없이) 맞아, 네 말이.

도희, 구원 눈앞에 손목 내밀면 손목을 잡는 구원.
두 사람, 손목을 들여다보는데 이번엔 불꽃이 일렁인다.

도희	된다.

하지만 금세 꺼져 버리는 불꽃.

도희	아직도 한참 부족하네.
구원	(숨 크게 쉬어보더니) 그래도 숨쉬기가 훨씬 나아졌어.
도희	이렇게 조금씩이라도 회복하다 보면 다 낫겠지.

서로를 애잔하게 보는 두 사람인데…
분위기 묘해지고…
구원, 손을 들어 도희의 뺨을 만지려 하면, 도희, 눈빛 흔들리
더니 자리 피하듯.

도희	이제 출근해야겠다. (몸 일으키려 하면)

그런 도희를 붙드는 구원.

구원	오늘 회사 가지 마.
도희	안 돼~
구원	너 대표잖아. 내가 죽다 살아난 기념으로 오늘을 창립 기념일로 하는 건 어때?
도희	(웃음) 넌 쉬어. (다시 몸 일으키려 하면)
구원	(도희 끌어당겨 안으며) 그럼 오 분만… 딱 오 분만 더 충전하자.

구원의 품에 안긴 도희, 표정이 복잡하다.

S#36.   **도희 집 지하 주차장 (낮)**

반대편에서 걸어오는 신 비서와 복규.

서로를 발견하고는 걸음 느려지는가 싶더니 태연히 걸어와

보안문 앞에 멈춰 선다.

신 비서가 세대 호출을 하는 사이.

복규   지난밤은 정말 폭풍과도 같았네요. (신 비서에게 악수 청하며) 인

류의 평화를 위해 화해하죠.

신 비서   싸운 적이 없어서 화해할 것도 없네요. 그리고 인류의 평화

따위 관심 없습니다만.

복규   (그러든가 말든가 도취되어) 돼지고기를 좋아하던 육식주의자가

있었죠. 그는 어느 날 무척이나 특별한 돼지 한 마리를 만나

게 돼요. 그가 만약 그 특별한 돼지를 시작으로 결국 이 세상

의 모든 돼지를 사랑하게 된다면 그는 채식주의자가 되지 않

을까요? (신 비서 보며) 어때요? 우리 힘을 합쳐 그를 채식주의

자로 만드는 게?

신 비서   (문 열리자 들어가며) 무슨 그런 또라이 같은.

복규   인류의 평화가 우리 손에 달린 줄도 모르고… 데몬이 수호신

이 될지도 모르는 순간인데 말야.

고개 도리도리 저으며 뒤를 따르는 복규.

S#37.   **도희 집 거실 (낮)**

출근 준비를 마치고 거실을 나서는 도희를 붙드는 구원.

구원	나도 같이 가자니까.
도희	너 그냥 타박상 입은 거 아냐. 간신히 목숨을 건졌다고. 집에서 쉬어.
구원	날 이렇게 만든 놈이야. 너 혼자 돌아다니다간 큰일 나.

주변은 안중에도 없이 실랑이하는 두 사람을 '띠-' 한 눈으로 보고 선 복규와 신 비서.

도희	다른 경호원 대기 시켜 놨어. 그니까 넌 걱정 말고….
구원	지금은 아무도 못 믿어. 그놈이 경호원으로 변장하고 나타나면 어쩌려고. 내가 직접 경호할 거야.

구원, 앞서 나서면 이번에는 복규가 구원 앞을 막아선다.

복규	안 돼. 그건 나 박 실장이 허락 못 해.
구원	박 실장님까지 왜 이래?
복규	이사장의 집사로서 난 이사장의 안전이 최우선이야. 이 몸으로 경호는 무리야.
구원	그럼 박 실장님 해고야. 이제 집사 아니니까 신경 꺼.
복규	(충격) 자본주의가 엮어 준 우리의 우정이 고작 이거야?
도희	박 실장님 말 들어.
구원	너야말로 내 말 들어.
복규	나 진짜 섭섭해, 이사장.

복규까지 끼어든 실랑이를 뒤에서 불구경하듯 보고 선 신 비서, 시계를 보더니.

신 비서   정 그렇다면 방법이 하나 있습니다만.

세 사람, 돌아보며 '?'

S#38.   **도희의 차 안 (낮)**
뒷자리에 나란히 앉은 구원과 도희.
구원, 만족스러운 얼굴인데…
앞자리 운전석에는 신 비서, 옆자리 조수석에는 복규가 앉았다.

복규   이 방법이 있었네. 왜 진작에 이 생각을 못 했지? (신나서 고개 돌렸다가 신 비서의 딱딱한 얼굴 보고 웃음기 싹 지우는)
구원   공연은 어쩌고 따라다니겠다는 거야?
복규   미뤄야지. 이사장이 칼을 맞았는데 공연을 어떻게 올려?
신 비서 칼 맞은 거랑 공연이 무슨 상관인지.
복규   A.I는 이해 못 하는 게 당연하죠.

신 비서와 복규, 동시에 '흥!' 콧방귀 끼며 고개 팽 돌리고…
뒷좌석의 도희, 구원의 손을 가져다 자신의 손목에 올리면.

구원   ?

도희	빨리 충전해야 회복하지.
구원	남들 앞에선 안 된다더니.
도희	이제 공식적으로 부부니까.

두 사람, 아닌 척하지만 앞을 보고 배시시 웃음 번지는데.

S#39.　　　**미래 F&B 사무실 (낮)**
모니터에서 나오는 유튜버 잉여 뉴스의 모습.

잉여 뉴스	저는 익명의 의뢰를 받고 도도희 대표님을 주천숙 회장의 살인범으로 저격했습니다. 저로 인해 큰 피해를 입은 도도희 대표님께 정말 죄송합니다. 익명으로 받은 돈은 어린이 재단에 기부하겠습니다. 하지만 여기서! (갑자기 격양되는) 여러분들이 꼭 아서야 할 게 있습니다. 대체 누가! 저에게 이런 일을 시켰는지에 관한 것입니다. 저는 앞으로 이것을 중점적으로 파헤쳐 여러분들께 진실을….

또다시 침을 튀기며 말하는 유튜버 '잉여 뉴스'의 모습에서 빠지면 바쁘게 일하는 홍보팀 보이고.

한 팀장	(워드 치며) 기사랑 댓글은 키워드 별로 정리하고 있지?
한성	넵!
정미	(대답 없이 일에 열중인데)

| 한 팀장 | 참, 좀 이따 선월재단에서 실장도 같이 온다던데. |
| 한성 | 정말요? 이사장이 그렇게 멋있으면 실장은 또 얼마나 멋있을까? |

정미, 솔깃해 노트북 카메라를 셀카 모드로 하고 외모를 살피는데, 그때 엘리베이터 문이 열리고 내리는 구원, 도희, 신 비서. 그 뒤를 따라 들어서는 복규는 다른 이들에 가려 잘 보이지 않는다.

| 한 팀장 | 아, 저기 오시네. |

정미, 기웃거리면 언뜻 건장한 몸의 슈트 핏이 보이기 시작하고…
복규의 반질하게 닦인 구둣발 슬로우.
정미, 잔뜩 기대에 부푸는데…
이내 구원의 뒤로 모습을 드러내는 복규의 모습에 정미, 흥이 훅 꺼진다.

| 한성 | 어? 그때 목 돌아간 분…? |

홍보팀에게 다가와 젠틀하게 인사하는 복규.

| 복규 | 일전엔 제가 실례가 많았습니다. |

잘생긴 척하는 복규의 태도에 정미, 더 킹 받는데…

그때 '펑!' 하고 화약 터지는 소리에 놀란 구원과 도희, 서로를 보호하듯 와락 껴안고…

그 위로 떨어지는 색색의 폭죽 가루.

한성   (빈 폭죽을 든 채) 저는 그냥… 정구원 씨 무사 퇴원을 축하하려고.

다들 뭔가 이상한 느낌에 복규를 보면 놀란 복규가 신 비서에게 안기듯 들러 붙었다.

신 비서, 싸늘하게 보면 머쓱해 떨어지는 복규.

S#40.   **미래 F&B 회의실 (낮)**

홍보팀과 회의실에 앉아 보고를 듣는 구원과 도희.

한 팀장   어제 업로드 된 유튜버 잉여 뉴스의 양심선언과 정구원 씨, 아니 정구원 이사장님의 피습 사건이 겹치면서 대표님에 대한 여론이 완전히 뒤집혔습니다.

정미   대표님과 정구원 씨에 대한 우호적인 여론 및 뉴스가 급증하고 있는데요, 살인마라고 욕하던 사람들까지 이제 대표님이 불쌍하다고 난리네요.

한성   이번엔 대표님을 매장시키고 정구원 씨를 죽이려 한 배후 세력을 찾겠다고 더 난리예요.

신 비서   이제 대표님이 회장 후보에 오르는 걸 문제 삼을 순 없겠네요.

한 팀장	(벅찬) 이게 다 정구원 이사장님이 목숨 바쳐 이뤄 낸 성과입니다.

그 말에 도희, 표정 굳지만 이를 모른 채 한 팀장을 시작으로 신나게 박수치는 홍보팀.
정미마저 진심으로 이 커플을 응원하고 구원은 박수를 받으며 뿌듯한데…
혼자 생각이 많은 도희의 어두운 표정.

한성	실은 그래서 제가 케이크도 준비했는데 아까 폭죽 때문에 너무 놀라서들….
구원	(솔깃) 케이크? 어디 건데?

점프하면, 촛불에 불붙은 케이크를 앞에 두고 빠르게 노래 부르는 홍보팀.

홍보팀	퇴원 축하합니다, 퇴원 축하합니다. 사랑하는 구원 씨.
한 팀장	(재빨리 끼어드는) 아니 이사장니임~
홍보팀	(천천히 화음까지 넣는) 퇴원 축하합니다.

노래 끝나고 구원, 초를 불어 끄려는데 릴 테이프를 뿌리는 홍보팀.
순간 릴 테이프에 불이 붙어 구원의 눈앞에서 불길이 치솟고…
번쩍이듯 스치는 구원의 악몽.

인서트	**화염 속, 온몸이 불타는 구원.**
	불타오르는 양 손가락이 눈앞에 선한데.

| 한성 | (릴 테이프를 털며) 으앗! 죄송해요! |

홍보팀, 황급히 릴 테이프를 털어 끄고 케이크의 불을 대신 혹 불어 끄는 한 팀장.
구원, 긴장해 굳었는데⋯ 복규, 그 낌새를 알아챈다.

S#41.	**미래 F&B 옥상 정원 (낮)**
	복규와 마주 선 구원.

복규	뭐야?
구원	뭐가?
복규	왜 그렇게 놀란 건데? 아까 불. 나 이사장이 그렇게 겁먹은 거 처음 봐.
구원	내가 겁을? 무슨. 나 데몬이야~
복규	차라리 귀신을 속여. 내가 이사장 상태도 모를 거 같아?
구원	그런 쓸데없는 소리 하려고 옥상까지 부른 거야? 자꾸 이상한 소리 할 거면 극장에나 가. (가 버리면)
복규	말하기 싫음 하지 마. 그냥 도도희한테 일러서 데리고 다니지 말라고 해야겠다. (구원보다 앞서 나서면)
구원	(멈춰 서 복규 뒤통수에 대고) 증말 이러기야?

복규	(구원 보며) 그니까 말해. 왜 그랬는지.
구원	(할 수 없다는 듯 한숨 쉬더니) 꿈을 꿨어.
복규	조선 시대?
구원	아니. 과거가 아니야. 미래에 벌어질 일 같았어. 그래서 더 끔찍했고.
복규	예지몽이라는 거야?
구원	…
복규	무슨 꿈이었는데?
구원	엄청난 불길 속에서 내 온몸이 불타는 꿈. (한 손을 들어 내려다보며) 손가락 끝까지 불타던 그 느낌이 지금도 너무 생생해.
복규	자연 발화….
구원	몸이 굳어서 아무것도 할 수 없고 세상에서 가장 무력하고 나약해진 것 같은… 극장에서 피 흘리며 죽어 갈 때도 같은 기분이었어. 이런 게 인간들이 느끼는 공포라는 건가?
복규	이사장…. (구원을 걱정스럽게 보는데)

S#42.   **미래 F&B 사무실 (낮)**
한편 엘리베이터에서 내리는 가영. 화려하게 꾸민 모습이다.
사무실에 들어서 둘러보면 다들 일하느라 바쁘고…
한성의 책상 앞에 걸어와 멈춰 서는 가영의 신발.
한성, 올려다보면.

가영	나 알죠?

한성	(멍하니) 어….
가영	(짜증 나지만 됐고) 정구원 씨 만나러 왔는데요.
한성	(둘러보더니) 지금 자리에 안 계신데요.

그 말에 가영, 고개 들어 저 멀리 보면 대표실에서 홀로 업무 보는 도희 보이고.

가영	그럼 도도희 씨요.

S#43.   **미래 F&B 대표실 (낮)**
어두운 표정으로 생각에 잠긴 도희, 생각 털어 내고 일에 집중하려 애쓰는데 노크 소리.

도희	네.
신 비서	(들어서) 손님이 오셨는데요. 진가영 씨라고.

도희, 보면 문밖에 기다리고 선 가영.

S#44.   **미래 F&B 옥상 정원 (낮)**
애써 괜찮은 척하는 구원.

구원	뭐… 능력이 약해지니까 마음까지 약해지는 거겠지. 회복되

면 다 원상 복귀 될 거야.

복규 실은… 내가 오늘 이사장 따라다니는 거 이유가 있어.

구원 (복규 보면)

복규 극장 CCTV를 확인해 봤는데 이사장 말이 맞아. 절도였어.

구원 역시….

복규 책이 없어진 날 CCTV가 한 시간 비어 있었어. 이사장 칼 맞은 날도 마찬가지고 악성 프로그램을 깔아서 원하는 시간에 기록을 방해했더라고.

구원 그럼 그놈이 이제 내 정체를 안다는 거네?

복규 …

구원, 위기감이 드는데.

S#45. **미래 F&B 대표실 (낮)**
가영과 마주 앉은 도희, 어색한 긴장감에.

도희 커피나 차 마실래요? (자리에서 일어서려 하면)

가영 됐어요. 그쪽이랑 친분 쌓으러 온 거 아니니까.

도희 (자리에 앉아 가만히 가영을 보면)

가영 이사장 그만 이용하고 이제 놔줘요.

도희 우린… 서로가 필요해요.

가영 허. 서로? 이용은 그쪽이 하는 거죠. 이사장은 약점이 잡혀서 어쩔 수 없이 끌려 다니는 거고.

도희	…
가영	그쪽 때문에 이사장은 죽을 뻔했어요. 도대체 얼마나 더 이기
	적일 셈이에요? 자기 일은 스스로 해결해요. 타투를 볼모 삼
	아 이사장 방패막이 삼지 말고.

차가운 가영의 말에 도희, 눈빛 흔들리고….

S#46. **미래 F&B 사무실 (낮)**
사무실에 들어서는 구원과 복규.
한성이 화장실 가려 나서다 구원 보더니.

한성	아까 누가 정구원 씨 찾던데….
구원	누가?

그때 마침 대표실에서 나오는 가영, 차가운 표정으로 나서다
구원 보더니.

가영	(반색) 이사장!

달려와 구원의 목을 잡고 와락 안기는 가영.
홍보팀, 놀라 입이 떡 벌어지고.

가영	멀쩡한 거 보니까 이제 마음이 놓인다. 다행이야, 정말. 정말

다행이야….

눈물까지 글썽이는 가영을 차마 떼어 내지 못하는 구원.
대표실 문 앞에 선 도희는 가영의 진심에 슬프고 죄책감이
드는데….

S#47.   **미래 F&B 앞 (낮)**
         가영과 함께 건물을 나서는 구원과 복규.

복규   택시 잡아 줄게.
가영   박 실장님은 들어가. 나 이사장이랑 얘기 좀 할게.
복규   (붙길) 무슨 얘길 하려고. 그냥 가자, 진스타~
가영   잠깐이면 돼.

         복규, 걱정스러운 표정으로 건물로 들어가고 가영, 단둘만
         남자.

가영   나 들었어. 이사장 능력 깜빡거리는 거.
구원   박 실장님은 입이 너무 싸다니까… 걱정 마. 타투만 돌아오면
         다 해결돼.
가영   글쎄… 과연 그럴까?
구원   ?
가영   이사장 능력이 약해지는 거 도도희 때문이잖아.

구원	그런 거 아냐.
가영	그렇게 믿고 싶은 거겠지. 이사장도 사실은 알고 있지? 모든 정황이 다 그 여자가 문제라고 말하잖아.
구원	(정곡을 찔린) 네가 상관할 바 아니야. (돌아서면)
가영	특별해진 거야? 그 여자.
구원	(멈칫)
가영	이사장한테 특별해졌냐고.
구원	… (아무 말 못 하는데)
가영	그래서 자꾸 인간이 되는 거야. 그 여자 때문에 자꾸 인간적인 감정을 느끼니까… (차마 말하기 고통스러운) 그 여자를 좋아하니까. 누굴 좋아하는 감정만큼 인간적인 건 세상에 없거든.
구원	(뒤돌아 가영 보며) 그만해.
가영	이사장이야말로 그만해! 데몬이면 데몬답게 굴라고! (눈물까지 글썽이며) 더 이상 얼마나 다쳐야 정신 차릴 거야? 이사장이 말했잖아. 인간은 하찮고 약해 빠졌다고. 그렇게 되고 싶은 거야?
구원	…
가영	여기서 그만둬야 돼. 그렇지 않으면 이번이 끝이 아닐 거야.

가영의 말에 굳는 구원의 표정.

S#48.   **도희의 차 안 (밤)**

뒷좌석에 앉은 구원과 도희, 둘 다 표정이 어둡고 말이 없는데…

운전석의 복규, 두 사람의 눈치 보더니.

복규	음악이라도 틀까요?
도희	괜찮아요.
구원	(도희에게) 가영이가 너한테 쓸데없는 말 한 건 아니지?
도희	별말 없었어. 그냥 공연 보러 오라던데? 너한텐 무슨 말 했어?
구원	아니.

둘 다 솔직하지 못하고 분위기 더 가라앉자, 복규, 애써 분위기 풀어 보려.

복규	공연 꼭 보러 오세요~ 사고 때문에 잠깐 미뤘는데 금방 올릴 거예요.
도희	네… (구원에게) 너 다치고 진가영 씨도 많이 놀랐겠다. 널 진심으로 걱정하는 게 느껴져.
구원	…

다시 정적이 흐르는 차 안.

S#49.   **도희 집 테라스 (밤)**
테라스에 선 채 복잡한 표정으로 야경을 보는 도희.

도희	주 여사. 나… 계속하는 게 맞을까? 정구원은 아무 상관없는

싸움이잖아. 그런데 내 복수심 때문에 죽을 뻔했어. 이렇게 다른 사람까지 희생시켜 가며 복수하는 게 과연 옳은 걸까? 근데 여기서 그만두면… 우리 주 여사 너무 억울하잖아.

어느새 옆에 나타나 나란히 야경을 바라보는 천숙.

천숙   죽은 사람은 억울할 거 없어. 남은 네가 억울해서 그렇지.
도희   맞아. 나 억울해. 너무 억울하고 분해. 누가 죽였는지도 모르게 내 소중한 가족을 잃었잖아.
천숙   이제 새로운 가족이 생겼잖아. 이미 죽어 버린 가족 때문에 또 잃으면 안 되지.
도희   하지만….
천숙   도희야.
도희   (고개 돌려 천숙을 보면)
천숙   널 위한 선택을 해.
도희   모르겠어. 날 위한 선택이 뭔지….
천숙   네가 아끼는 사람을 위한 것도 널 위한 선택이야.
도희   그럼 주 여사는? 주 여사를 위한 선택은 어떡해?
천숙   널 위한 선택이 날 위한 선택이야.

도희, 울컥하는데.

구원   (off) 안 추워?

도희, 마음 추스르고 돌아보면 테라스 입구에 선 구원.
구원의 가슴팍에 감긴 붕대가 슬쩍 보인다.

구원   쌀쌀한데 들어가지?
도희   (애써 밝게) 그래! 우리 충전하자.

S#50.   **도희 집 침실 (밤)**
          잠든 구원에게 손목 잡힌 채 그 옆에 모로 누운 도희.
          구원의 잠든 얼굴을 보더니 조심스럽게 손목을 빼내고 일어
          난다.

S#51.   **도희 집 거실 - 미래 투자 대표실 (밤)**
          거실 소파에 앉아 생각에 잠긴 도희.
          휴대폰이 울려서 보면 석훈이다.

도희   (전화 받는) 응. 오빠.
석훈   (잔뜩 쌓인 서류를 한 손으로 뒤적이며) 내일 이사회에서 있을 후보
         투표 말이야. 네가 가진 카드는 아무래도 대주주로써의 파워
         니까 인사권을 가지고 흔드는 게 젤 좋겠어. 그래서 말인데….
도희   (석훈의 말을 끊는) 오빠. 나 할 말 있어.
석훈   ?

결심한 도희의 덤덤한 표정.

S#52. **도희 집 침실 (낮)**

약통에서 진통제를 한 움큼 손바닥에 덜어 내는 구원의 손.

고통으로 구원의 미간이 찌푸려졌는데…

도희가 문 열고 들어서자 냉큼 한입에 털어 넣고는 아무렇지
않은 척한다.

도희 괜찮아?

구원 그럼. 이깟 것 아무것도 아냐.

도희 진통제는?

구원 필요 없어. 계속 충전해서 그런가 하나도 안 아파.

도희 …

구원 가자. 나 이렇게 만든 놈 찾아서 지옥은 놀이공원 수준밖에
안 된다는 걸 알려 줘야지.

구원, 호기롭게 먼저 방을 나서면 도희, 표정 착잡하고….

S#53. **미래 그룹 회의실 앞 (낮)**

회의실을 향해 걸어가는 구원과 도희.

도경 (off 뒤에서) 정구원 씨!

구원과 도희, 뒤돌면 두 사람 앞에 다가와 서는 도경.

도경   (구원의 가슴을 보며) 다쳤다면서요. 괴한한테 피습 당했다고 뉴
        스에서 봤는데.

구원   뉴스에 나온다고 다 믿으면 쓰나. 누구도 살인자로 억울하게
        내몰렸잖아.

도희   (구원에게) 들어가자.

구원과 도희, 돌아서면.

도경   (뒤에서) 도망쳐요, 살고 싶으면. 도도희 옆에 있으면 다 죽어
        나가니까.

도희   (표정 굳고)

구원   내가 가서 혼내 줄까?

도희   노도경은 나한테도 한주먹 감이야. 신경 쓰지 마.

구원에게 애써 웃어 보이고 회의실로 향하는 도희.

S#54.   **미래 그룹 회의실 (낮)**
        도희 옆 석훈의 자리는 비었고, 구원이 도희의 뒤에 팔짱 끼
        고 앉았는데.

세라   (빈자리 보더니 석민에게) 석훈 도련님은 안 오나 봐요.

수안   도도희의 유일하고도 확실한 표인데 안 올 리가요. 또 허겁지

	겁 들어오겠지.
이사1	임시 이사회를 시작합니다. 오늘 이사회에선 차기 미래 그룹 회장 후보 경선을 진행하겠습니다.
수안	(진짜 안 오나 싶어 갸우뚱) 둘이 싸웠나?
도희	드릴 말씀이 있습니다.
일동	(뭔가 싶어 도희를 보고)
이사1	후보 연설 시간은 따로 드리겠습니다.
도희	투표와 관련한 중대한 사안입니다.
이사1	(한숨) 예, 뭐. 하시죠.
도희	(자리에서 일어나 석민 일동을 보며) 저는… 더 이상의 갈등과 다툼이 없기를 바라는 마음으로 회장 후보에서 물러나겠습니다.
일동	!
구원	도도희…!
일동	(웅성거리고)
수안	저건 또 무슨 수작이야?
석민	(경계하는 눈으로 도희를 보고)
도경	(황당하고 짜증 나는 눈으로 도희를 보는데)
구원	(자리에서 일어나 도희에게) 나랑 얘기 좀 해.
도희	끝나고. (자리에 앉으면)

구원, 의아하다 못해 화난 눈으로 도희를 보고….

이사1	(당황스럽지만) 그럼… 노석민 후보를 단일 후보로 주주총회에 올리는 안건으로 해서 찬반 투표를 하겠습니다.

석민, 의중을 모르겠다는 표정으로 도희를 보면 모두의 시선을 피하듯 눈을 내리깔고 앉은 도희.
점프하면, 이사회가 끝나고 자리에서 일어서는 도희.
구원, 화난 얼굴로 다가와 따진다.

구원	갑자기 이게 무슨 짓이야?
도희	나가서 얘기해. (회의실 나서려는데)

다가와 도희 앞에 서는 석민 일동.

석민	큰 결심했구나. 고맙다.
도희	…
수안	무슨 꿍꿍이야?
도희	(누구인지 알 수 없는 배후에게 말하듯) 다 묻고 가기로 마음먹었어요. 유산 상속도 포기할게요. 그러니까 이제 전쟁은 그만 끝냈으면 해요.
도경	(석민 뒤에서 계획대로 안 풀려 마음에 안 드는 표정인데)
석민	뒤늦게라도 현명한 선택을 해서 다행이네. (도희의 어깨를 툭툭 치며) 고생했다.

석민, 일동을 이끌고 회의실 빠져나가면 그들의 뒷모습을 보며 화가 치미는 구원.

S#55.　　　미래 그룹 주차장 (낮)

씩씩거리며 걸어와 멈추는 구원.

뒤돌아 도희에게 참았던 질문을 던진다.

구원　　　말해, 이제. 도대체 이유가 뭐야?

도희　　　다 지겨워졌어.

구원　　　고작 그게 이유야?

도희　　　계속 이렇게 불안과 공포 속에서 살 순 없잖아. 무서워서 출
　　　　　근도 혼자 못하고 집 앞에서 산책조차 할 수 없는데… 남들
　　　　　처럼 맘 편히 살고 싶어. 나 혼자 밤거리를 다녀도 아무 일 없
　　　　　던 일상으로 돌아가고 싶다고. 그래서 날 노리는 이유를 없앤
　　　　　거뿐이야.

구원　　　아니. 거짓말이야. (바싹 다가와 도희의 눈을 보며) 나 봐. 그리고 진
　　　　　짜 이유를 말해.

도희　　　(할 수 없이 구원의 눈을 보며 차갑게) 이제 널 못 믿겠어.

구원　　　뭐?

도희　　　넌 더 이상 날 지켜 줄 수 없어. 지금은 너 자신조차 지킬 수
　　　　　없을 만큼 약하니까.

도희의 말이 아픈 구원, 반박하지 못하고.

도희　　　이제 답이 됐어?

구원　　　…

자신의 말에 아파하는 구원의 표정을 차마 보지 못하겠는 도희, 외면하듯 고개 돌려 자신의 차로 가 버리고…
혼자 남은 구원, 도희와 반대로 홱 뒤돌아 화난 걸음으로 빠르게 걸어가는데 심장부의 통증에 멈칫하며 가슴팍을 움켜쥐더니 스스로에게 화가 나 소리 지른다.

구원   으아아!

거친 숨을 내쉬며 화를 삭이지 못하는 구원.
슬픈 눈빛의 도희, 구원의 소리에도 걸음을 멈추지 않는다.

S#56.   **미래 그룹 복도 (낮)**
창문 아래 두 사람의 모습을 보고 선 도경.
가슴팍을 움켜쥐고 힘들어 하는 구원의 모습에 눈이 빛나는데…
고개 들면 저만치 앞에 선 석민 역시 아래를 보고 있다.
석민, 시선 돌려 도경을 보면 두 사람 사이에 흐르는 묘한 긴장감.

S#57.   **소극장 분장실 (낮)**
칼을 쥐고 구석에 웅크린 채 미친 듯 빠르게 중얼거리는 광철.

광철	왜 안 오는 거야. 왜 안 오는 거야. 왜. 왜. 왜!

광철, 거친 숨을 몰아쉬는데 저만치 바닥에 떨어져 있는 2G 폰에 문자가 도착하면 후다닥 바닥을 기듯 다가가 휴대폰 열어 보는 광철.
아브락사스에게서 온 문자다.

아브락사스	'그놈 능력에 문제가 있는 게 분명해.'

광철, 떨림이 수그러들며 비굴한 눈빛에 희망이 떠오르고….

S#58.	**석민 집 다이닝 룸 (낮)**

테이블에 모여 앉아 식사를 하는 석민 일동. 석민과 세라, 한 시름 놓은 표정이고 도경은 못마땅한 표정으로 앉았는데 손가락을 물어뜯으며 생각에 잠겼던 수안이 입을 뗀다.

수안	이건 또 뭘까? 이다음 수는 뭐냐고. 아~ 이건 정말 전혀 예상하지 못한 반격인데….
세라	그냥 포기한 거 아닐까요? 그 나이에 혼자 감당하기 벅찬 일이잖아요.
수안	내가 누누이 말하지만 걔는 그럴 애가 아니라고요. 이건 분명히 우릴 방심시킨 다음 뒤통수를 칠 빅 픽처야.
도경	피습 사건도 있었으니… 겁먹었나 보죠.

수안	무슨. 지가 죽을 뻔한 것도 아닌데. 지 목에 칼이 들어와도 포기하겠단 소리 안 할 애야.
석민	뭐가 됐든 지금이라도 자기 처지를 깨닫고 포기했으니 다행이지. (잔을 들면)
세라	고생하셨어요, 여보.

다들 잔을 들어 부딪치려는데.

도경	아직 회장이 된 것도 아닌데 축배는 너무 이른 거 아니에요?
세라	도경아!
도경	잘 먹었습니다. (자리에서 일어서면)
석민	다른 사람 식사 끝나면 일어서.
도경	약속이 있어서요. (돌아서면)

'탕!' 깨질 듯한 소리를 내며 테이블에 잔을 내려놓는 석민.
도경, 멈칫하고.

석민	(조용히 으르렁대듯) 노도경. 당장 자리에 앉아.

도경, 불만이 터질 듯한 표정으로 자리에 돌아가 앉으면.

석민	(금세 태연히 자상하고 여유로운 미소 찾으며) 들지.

수안마저 쫄아서 눈치 보며 식사를 하고.

세라, 긴장된 얼굴에 억지로 미소를 지어 보인다.

S#59. **도희 집 화장실 (낮)**

요란한 물소리와 함께 욕조에 채워지는 물줄기.

도희가 옷을 입은 채 욕조에 앉아 물을 틀어 놓고 멍하니 앉았다.

S#60. **선월극장 이사장실 (낮)**

고막이 터질 듯 이사장실에 울리는 격정적인 클래식 음악.

문밖에서 복규가 문을 '쾅쾅' 두드리며 소리친다.

복규　　(off) 이사장! 문 좀 열어 봐! 이사장!

의자에 앉은 구원, 볼륨을 더 높여 복규의 소리를 묻어 버리고….

S#61. **미래 투자 대표실 (낮)**

자리에 앉아 모니터를 보는 석훈.

모니터에는 미래 그룹 비상 이사회 결의사항 보고가 떠 있다.

'미래 그룹 회장 단일 후보, 노석민 대표'라는 항목에 석훈, 한숨 쉬며 의자에 기대면 어젯밤의 회상으로 빠지고….

S#62.　　　　**석훈의 차 안 (밤) - 회상**

도희 집 지하 주차장에 세워진 석훈의 차.

차 안에는 도희와 석훈이 나란히 앉았는데

도희　　　　오빠… 나 이제 그만둘 거야.

석훈　　　　그게 무슨….

도희　　　　내일 회장 후보 사퇴하려고.

석훈　　　　도희야!

도희　　　　이 정도 했으면 주 여사도 이해해 주겠지. 범인 찾는다고 주 여
　　　　　　사가 다시 돌아오는 것도 아니고. 나 그냥… 주 여사 잃고 화풀
　　　　　　이 대상이 필요했던 거 같아. 그래서 계속 붙잡고 있었던 거야.
　　　　　　나만 놓으면 돼. 그럼 모두가 행복해.

석훈　　　　(혼란스럽다가 생각이 미치는) 너 혹시… 정구원 씨 때문에 그러는
　　　　　　거야? 정구원 씨가 또 다칠까 봐….

도희　　　　나… 더 이상 내 사람을 잃고 싶지 않아. 더 이상은….

　　　　　　그런 도희를 보며 화도 나고 가슴 아픈 석훈인데….

S#63.　　　　**미래 투자 대표실 (낮)**

회상에서 빠져나온 석훈.

도무지 일할 기분이 아닌지 옷을 챙겨 들고 대표실을 나선다.

S#64.   **미래 투자 앞 (낮)**

건물을 나서는 석훈, 맞은편 저만치에서 자신을 향해 걸어오는 구원에 걸음 멈추고 보면.

구원   그쪽은 알고 있었지?

석훈   (차갑게 구원을 보면)

구원   뭐가 어떻게 된 거야? 왜 갑자기 다 포기하는 건데. 도도희가 그쪽한텐 말했을 거 아냐. 도대체 이유가 뭐냐고.

석훈   그렇게 궁금하면 도희한테 직접 물어봐요.

구원   말을 안 하니까 이러는 거잖아.

석훈   정구원 씨가 그랬죠? 말하지 않는 덴 다 이유가 있다고.

구원   (화나 석훈의 멱살을 잡으며) 말렸어야지! 무슨 이유를 대든 그쪽이 말렸어야지! 주천숙 죽인 놈 찾는 게 도도희한테 어떤 의민지 몰라서 그래?

석훈   (그 역시 화가 치밀어 구원의 손 쳐내며) 알아! 누구보다 너무 잘 안다고! 부모님 죽음이 자기 탓이라고 생각하는 도희가 이젠 고모님 죽음에까지 죄책감을 느끼게 될 거야! 바로 당신 때문에!

구원   뭐?

석훈   (아차 싶지만) 당신 때문에 포기한 거야. 당신이 또 다칠까 봐.

구원의 눈빛 흔들리고….

S#65.   **도희 집 거실 (낮)**

다급히 거실에 들어서는 구원.

구원   도도희!

이름을 부르며 찾아보지만 집은 텅 비었다.
휴대폰 들어 전화 걸려는데 식탁 위에 놓인 도희의 휴대폰이
눈에 띄고…
흔들리는 눈빛으로 생각에 잠기는 구원.

S#66.   **주천숙 자택 온실 (낮)**

온실 속 화초들을 살펴보는 도희.
무성한 화초들 속 지난번 천숙이 죽었을 때 꽃을 피웠던 화
초를 발견하면 꽃은 그새 다 지고 바닥엔 하얗게 시든 꽃잎
만이 떨어져 있다.

도희   그새 다 져 버렸네….

마음 아파 바닥에 떨어진 꽃잎을 허망하게 쓸어 담는 도희.
꽃잎을 한 움큼 쥔 채 고개 드는데…
져 버린 꽃망울 자리에 맺힌 작은 열매.
도희, 손을 들어 이제 막 영글은 열매를 만져 보더니 울컥한다.

도희   주 여사… 그렇게 아끼던 화초가 열매 맺는 것도 못 봤는데
        정말 괜찮은 거야? 미안해, 주 여사… 내가 너무 미안해….

        도희, 눈물 흘리는데…
        '쾅!' 문 열리는 소리에 도희, 고개 들어 보면 숨을 헉헉거리
        며 문 앞에 선 구원.

구원   (거친 숨을 고르고는) 다시 해. 나 때문에 포기한 거면 다시 하자고.
도희   정구원…
구원   널 위한 선택을 해, 도도희. 그게 나를 위한 거야.
도희   (그 말에 울컥하더니 소리치는) 다 죽었어! 주여사도 엄마, 아빠도.
        내가 사랑하는 사람들은 다 죽었다고!
구원   (말없이 도희를 보면)
도희   나 때문에 너도… 죽을 거야.
구원   상관없어.

        성큼 다가서는 구원, 양손으로 도희의 얼굴을 부여잡으며 키
        스하고.

구원   (E) 널 향한 마음이 나를 하찮고 나약하게 만들지라도….

        도희, 눈물 흘리며 구원의 키스에 응하고…
        참아 왔던 마음이 폭발하듯 절박하게 키스하는 두 사람.

구원   (E) 거역할 수 없는, 너라는 운명.

그런 두 사람의 머리 위에서 스프링클러가 '팡!' 터지고…
마치 보석처럼 빛나며 쏟아지는 물방울 속, 키스하는 두 사람
의 모습에서.

8화 엔딩

MY DEMON

마이데몬 상권

초판 1쇄 인쇄
2024년 1월 16일
초판 1쇄 발행
2024년 1월 23일

글
최아일

펴낸이
백영희

펴낸곳
너와숲ENM

주소
14481 경기도 부천시
부천로354번길 75, 303호

전화
070-4458-3230

등록
제2023-000071호

ISBN
979-11-93546-06-2(04680)
979-11-93546-05-5(세트)

정가
22,000원

©스튜디오S 주식회사

이 책을 만든 사람들

편집
허지혜
마케팅
유승현

제작처
예림인쇄

디자인
글자와기록사이